숨겨진역사

普 보

天 천

敎 교

증산도 상생문화연구총서12

숨겨진 역사 보천교

발행일 2020년 2월 10일 초판 1쇄
저 자 김철수
발행처 상생출판
발행인 안경전
전 화 070-8644-3156
팩 스 0303-0799-1735
출판등록 2005년 3월 11일(제175호)
홈페이지 www.sangsaengbooks.co.kr
Copyright ⓒ 2019 김철수

ISBN 979-11-90133-19-7
　　　978-89-94295-05-3 (04150) (세트)

가격은 뒤표지에 있습니다.

이 저서는 중원대학교 교내학술연구비 지원에 의한 것임(과제관리번호: 2019-016)

이 도서의 국립중앙도서관 출판예정도서목록(CIP)은 서지정보유통지원시스템 홈페이지
(http://seoji.nl.go.kr)와 국가자료종합목록 구축시스템(http://kolis-net.nl.go.kr)에
서 이용하실 수 있습니다. (CIP제어번호 : CIP2019044209)

증산도상생문화연구총서 ⑫

숨겨진 역사

普天教
보 천 교

김철수 지음

상생출판

　　우리 족속은 죄가 많습니다.

　　형제끼리 서로 다투고 죽이나이다.

　　재앙의 불꽃이 눈썹에 닿여도 아무 감각없이 코 골고 자나이다.

　　원컨대 이 어리석은 백성으로 하여금

　　모든 죄를 참회케 하소서.

　　1923년 보천교의 기관지였던 『보광普光』에 춘정생春汀生이라는 필명으로 게재되었던 「나의 심고」라는 시의 일부이다.

　　1910년 일제에 강점 당한 상황에서, 우리민족은 식민지 상태라는 초유의 참담함을 경험했다. 그렇지 않아도 19세기부터 힘겹게 버티어 온 조선왕조가 흔적 없이 사라지고 제국주의 일본의 한 지방으로 전락해 버렸던 것이다. 오랜 역사를 지닌 한민족의 숨줄마저 끊어질 위기에 처했다. 더욱이 민족의 혼줄인 정신사마저도 바람 앞의 촛불처럼 언제 꺼질지 모르는 참으로 위태로운 상황이었다. 그러나 굴할 수 없었다. 어떻게 이루어 온 나라와 민족인가. 우리민족은 다양한 국권회복 활동들을 전개해 나갔다. 무장투쟁, 실력양성운동, 외교운동, 심지어 사회주의운동 등도 모두 민족의 독립을 지향하지 않은 것이 없었다.

　　이처럼 우리민족이 일제의 강점과 무단통치에 저항하고 있는 동안, 1918년에 1차 세계대전이 마무리되었다. 세계사적으로는 이 무렵 잠시 민족 자결주의의 흐름이 풍미했다. 세계 도처에서 억압받고 있었던 민족들은 주권을 회복하고 평등한 새로운 세상이 이루어지지 않을까 기대도 하였다. 우리는 그러한 기대감이 3·1민족독립운동과 연결되어 분출되었다. 3·1운동은 올해로 100주년을 맞았다. 주지하다시피 3·1운동은 민족해방을 기치로 궐기한 종교교단들의 연합운동이었다. 천도교와 기독교 그리고 불교의 지도자들이 앞장섰고 국내외 대다수 한민족이 방방곡곡에서 함께 했던 독립을 위한 외침이었다. 하지만 안타깝게도 열강들은 식민지로 전락한 조선의 독립에는 관심이 없었다.

그래도 우리는 많은 것을 얻었다. 노령[블라디보스톡]과 상해 그리고 한성(서울)에 임시정부가 세워졌고 그해 9월에는 상해의 대한민국 임시정부로 통합되었다. '대한민국'이라는 국호를 얻었던 것이다. 물론 '대한'은 1897년 고종황제가 고천제에서 선포한 대한제국에서도 나타났지만, 당시는 황제가 통치하는 제국이었다. 그렇지만 3·1운동 이후에는 '민국'까지 선포된 것이다. 대한민국의 시작이었다. 또 3·1운동 이후에는 국내에서의 직접적인 항일투쟁이 어려워지면서 본격적인 항일투쟁의 무대가 국외로 옮겨지기 시작하였다. 국내에서는 식민권력과의 정면충돌을 피하고 국외의 항일투쟁을 지원할 독립자금을 모금하고, 또 산업·교육·문화를 향상시켜 향후 민족독립에 필요한 실력을 양성하자는 소위 '문화운동'이 고개를 들고 있었다.

보천교의 출발인 차월곡 교단은 1910년 일제의 한국강점과 함께 신생교단으로 출발했다. 때문에 교단의 활동도 처음부터 여유로울리는 만무했다. 일제가 종교통제를 위해 만들어놓은 〈포교규칙〉(1915)으로 출발단계부터 소위 '유사종교'라는 종교 아닌 종교의 올가미에 매여 종교의 자유와 자유로운 포교는 커녕 경찰의 감시와 탄압에 하루도 편할 날이 없었다. 기독교나 불교교단의 상황과는 다를 수밖에 없었고, 당시 동일하게 유사종교단체로 편입된 천도교와도 상황이 달랐다. 천도교는 1860년 동학의 창교로 시작되어 동학혁명(1894)을 치렀고, 1905년 천도교로 교명을 변경하여 교단의 '종교화'를 추진한 후에도 교단을 정비하면서 민족문제와 사회문제에 큰 관심을 보여주었다. 뿐만 아니라 일제강점 후에는 3·1민족독립운동을 주도하면서 역량이나 사회적 인식면에서 보천교와는 비교되지 않을 위치에 서 있었다.

이에 비해 보천교의 교단형성은 이제 막 시작되었다. 1916년 말에 들어서야 첫 교단조직인 24방주제를 마련하며 종교교단으로서의 체제를 갖추어 나가기 시작했다. 그러나 드러내놓고 포교활동을 할 수 없었다. 때문에 차월곡은 식민당국의 눈을 피해 다니며 비밀포교에 전념할 수밖에 없었다. 그러던 중 발생한 3·1민족독립운동은 보천교에도 큰 영향을 미쳤다. 3·1운동에 교단 차원의 적극적 참여를 표방하지는 않았지만, 3·1운동의 열기가 파도처럼 한차례 지나가면서 그 여파는 보천교 교단의 성장에도 큰 영향을 미쳤던 것이다. 곧 보천교에 사람(교도)들이 모여들었다. 이에 힘입어 보천교 교단은 1919년 말 60방주제로 확대 조직되었고 교도들의 수적인 증가로 상당한 교금敎金도 확보되고 있었다. 이렇듯 1920년대 초반기는 보천교의 입장에서 괄목할 만한 성장을 보여주면서 그 역량을 확보할 수 있었던 시기였다.

1920년대 들어, 보천교 교단은 인적·물적 수단의 확대로 민족운동이나 사회운동에 참여할 수 있는 역량이 충분히 확보되면서 실력양성운동에 참여하거나 해외의 독립운동을 지원하는 등 다양한 민족운동을 전개해 나갔다. 그러나 보천교는 일정한 교리와 종교적 목적을 표방하는 종교교단이었다. 때문에 당시의 사회운동과 민족운동에 동참하면서도 자신만의 방향설정을 통해 실력을 확보하고 있었다. 예를 들어 보천교는 현대문명을 비열한 것으로 바라봄으로써 근대교육을 권장하기보다는 민족 고유의 문화를 보전하여 민족혼을 잃어버리지 않기 위해 진력하고 있었다. 머리를 기르고 상투를 틀어 갓을 썼으며 도포를 즐겨 입는 생활을 했다. 당시의 신문들도 근대문명에 역행하는 처사라고 보천교를 비난할 때 주로 지적했던 내용이었고 오늘날에도 보천교를 부정적으로 폄하하는데 종종 이용된다. 그러나 필자의 생각으로는 식민지 시기 일개 신생 종교교단으로서의 다양한 활동을 종교성을 내버린 채 사회(민족)운동의 시선으로만 평가하기엔 곤란한 면들이 있는 것이 사실이다.

오늘의 우리 학계는 일제시대 국내에서 활동했던 종교교단들이나 민족운동가들 그리고 문화운동 등에 엄밀한 잣대를 들고 평가하려 한다. 그런 마당에 하물며 소위 '유사종교'로 낙인찍혔던 종교교단의 매몰차지 못한 활동이야 좋게 보일 리 없을 것이다. 물론 이후 보천교의 친일적 행위, 특히 시국대동단을 결성하여 친일협력한 사실들은 세차게 비판받아야 한다. 그렇다고 다수가 농민들이었던 보천교도들을 싸잡아 비민족적이거나 반민족적으로 매도해서도 안될 것이다. 일찍이 프랑스의 종교사회학자인 에밀 뒤르켐은 『종교생활의 원초적 형태』에서 "그릇된 종교란 없다. 모든 종교는 나름대로 진실하다. 그 방법들은 서로 인간존재의 주어진 여건들과 부합된다"고 지적했다. 이런 점에서 일제강점기에 국내에서 살아야 했던 사람들의 고뇌와 번뇌를 동시 감정적sympathetic으로 되짚어 봐야 한다. 그리고 그들이 지금 우리들의 이념이나 입장과 다르다 하여 무조건 질타하지 말았으면 한다. 공과功過를 제대로 평가했으면 하는 바램인 것이다.

종종 필자가 '어떻게 보천교에 관심을 갖게 되었는가?'라는 질문을 접한다. 지난번 출간한 『잃어버린 역사 보천교』란 책을 방송에서 소개할 때도 받았던 질문이다. 일본 고대문화에 대한 관심도 보이고, 보천교에 대한 관심도 보이고 해서 아마 연결이 잘 안되는 듯싶다. 그러나 내 입장에서는 모든 것이 연결되는 편이다. 대학원에서 공부할 때 일제시대의 사상통제에 관심을 가졌다. 당시는 일제의 정치적, 경제적 착취에 큰 관심을 갖고 있던 터라 나도 이에 관심을 가져볼까 하다가 그보다는 일제의 한민족 사상(정신사)통제에 주목하게 되었다. 그리고 그 상징으로 서울 남산에 건립되었던 조선신궁에 관심을 가졌던 것이다. 이 주제를 갖고 일본에 갔을 때 관심을 갖고 연구방향을 잡아주셨던 분이 지금은 작고한 노무라 히로시野村博 교수였다. 사회사상사와 종교사회학에 큰 관심을 갖고 한국을 좋아했던 분이다. 자연스럽게 일본 고대의 종교문화를 접할 수 있었고, 그 후 일본의 신도문화, 근대국가의 형성과 종교, 특히 신종교와 관련된 연구를 진행하였다. 그러다 일제강점기 잃어버린 역사 보천교를 접했고 다루게 된 것이다. 어찌보면 하나의 과정이었다. 빙 돌아서 만났지만.

보천교에 직접적으로 관심을 가진 후 몇 편의 연구논문과 1권의 책(『잃어버린 역사 보천교』, 상생출판, 2017)을 출간했다. 보천교만을 다룬 세 차례의 학술대회에도 참가했다. 정읍시와 전라북도에서 주관하고 정읍역사문화연구소에서 주최했던 '동학농민혁명 이후 근대

8

민족운동-일제강점기 보천교의 민족운동-'(2016. 8. 26), 상생문화
연구소에서 주최했던 '일제강점기 민족운동의 산실, 보천교의 재발
견'(2017. 11. 15), 그리고 작년 말에는 한국민족운동사학회 주최로
보천교만을 주제로 '보천교와 보천교인의 민족운동'(2018. 11. 30)이
란 학술대회가 열렸다. 물론 연속성을 가진 학술대회라기보다는 각
각 그 성격이 다소 다른 학술대회였다. 이러한 학술대회를 마칠 때
마다 그 결과물로 한 권의 연구서들이 출간되었다. 2016년 학술대
회 결과는 『일제강점기 보천교와 민족운동』, 2017년 결과는 『보천
교 다시보다』, 그리고 2018년 결과는 『보천교와 보천교인의 민족
운동』이라는 제목으로 출간되었다. 그렇게 각계각층이 노력한 결
과, 이전에 비해 보천교에 대한 시선은 변화가 있는 듯 보인다. 그
러나 조금만 더 들어가 본다면 아직도 보천교에 대한 부정적 시각
이 완전히 거두어지지 않았다.

이제는 보천교에 관해 감성적으로 호소하는 글이 아닌 보다 논리
경험적으로logico-empirical 차분히 논지를 전개해 나가는 글이 필요
하다. 인터넷 검색을 하다 보면 아직도 보천교에 관한 확인되지 않
은 주장들이 난무한다. 심지어 일부 학자들조차 잘못된 내용을 전
하고 있다. 그리고 그러한 주장을 퍼 나르면서 선동적, 감정적 글쓰
기를 시도하는 것을 보게 된다. 물론 의도는 부정적이 아니다. 그렇
다 해도 결과적으로는 보천교에 대한 이미지에 긍정적이지만은 않
은 편이다. 구체적인 자료를 사용한 실증적이고 논리적인 접근으로
타당성과 신뢰성이 높은 연구내용을 내놓을 필요가 있는 것이다.

본서에 실린 글들은 이전에 여러 지면에 발표된 글들을 수정, 보
완하고 첨가한 것이다. 1부에 실린 글 대부분은 한韓문화타임즈에

연재했던 글들을 수정·보완하고, 여기에 몇가지 주제(물산장려와 근대교육 등)를 더 보탠 것이다. 2부에 실린 글들은 정읍시·전라북도의 지원으로 충남대 충청문화연구소에서 발간한 보고서인 『일제강점기 보천교의 민족운동 자료집 Ⅰ, Ⅱ, Ⅲ, Ⅳ』(2017~18)에 게재했던 「『보천교일반普天敎一般』과 『양촌 및 외인사정 일람洋村及外人事情一覽』의 내용과 자료적 의의意義」, 「일제강점기 보천교 관련 신문기사의 실태와 주요 내용」, 그리고 「일제강점기 공문서 생성과 보천교 관련 공문서의 실태」란 제목의 글을 가필하고 보완한 것들이다.

따라서 1부와 2부의 체제는 그 성격이 다소 다르다. 1부는 대중적인 글쓰기 형식으로 각주를 달지 않았고 비교적 읽기 쉽게 구성되었다. 때문에 보천교가 무엇인가? 그리고 보천교를 처음 접해 전체적인 흐름을 알고자 하는 사람들이라면 1부만 정독해도 좋을 것이다. 1부에서는 보천교를 접할 때 논쟁이 되는 내용이나 혹은 관심을 가져야 할 필요가 있는 주제 20개를 선별하여 서술, 정리하였다. 보천교에 대한 오해들과 새로운 시선으로 보아야 할 내용들도 포함되어 있다.

이에 비해 2부는 보천교에 전문적으로 관심을 갖는 사람들을 위해 관련 자료의 해제 형식으로 구성하였다. 보천교 연구를 위해서는 자료의 발굴과 선택이 매우 중요하다. 우리가 가장 많이 활용하는 자료는 당시의 신문자료, 그리고 조선총독부가 생성한 공문서와 각종 보고서들이다. 먼저 당시 주요한 신문으로는 총독부의 기관지인 〈매일신보〉와 민간지였던 〈조선일보〉, 〈동아일보〉, 〈시대일보〉 등이 대표적이었다. 그러나 〈매일신보〉야 말할 것도 없지만, 당시 민간지들도 식민권력의 감시를 받을 수 밖에 없었다. 때문에 게재 기사의 내용이 자유로울 수는 없었다. 그럼에도 불구하고 연구자들은 그 속에서 진주를 캐내야 하는 심정으로 자료를 살펴야 한다. 해방 후 반민특위에 불려온 어느 신문기자는 광주학생 사건, 6·10만세사 건, 고려혁명단 사건 등과 더불어 '보천교 사건'을 대중들에게 알렸 다고 강변했다. 여기서 말하는 보천교 사건은 뭘까? 그 기자가 자신 이 친일행위만 한 것이 아니라는 점을 주장하면서 강변한 내용이고 보니, 항일활동이나 민족적 행위와 관련된 사건임은 분명해 보인다. 그러나 그 사건이 뚜렷하게 어떤 내용인지는 아직 밝혀진게 없다.

이러한 신문자료를 제외하면, 그 이외의 자료들은 일제 식민권력 에 의해 직접적으로 생성된 문서와 보고서들이 다수이다. 주지하다 시피 거기에 들어있는 내용은 조선총독부의 시각에 맞추어져 있다. 때문에 무엇보다 자료비판이 요구된다. 그러한 자료에서 왜곡되고 숨겨지고 심지어 잃어버린 내용들을 읽어내야 하는 것이다. 식민 권력이 생성한 문서들은 8·15해방을 전후하여 대부분 소각되었다. 지금 우리가 접할 수 있는 자료들은 그러한 상황에서 잔존한 것들 이고, 연구를 위해서는 필요한 자료들이다. 2부는 이러한 자료들에 대한 해제를 정리해 보았다.

아직도 보천교에 대해 다루고 싶은 부분이 많이 남아 있다. 특히 교의敎義에 관한 연구도 그 중 하나이다. 교의를 연구해야만 보천교 활동들의 의미를 제대로 평가할 수 있다고 본다. 보천교는 엄연히 종교단체이며, 종교단체는 나름대로 교리를 갖고 있다. 정치, 사회 단체와 다르다. 이를 애써 회피하려는 사람들도 있지만, 그러나 종 교교단인 것은 사실이다. 교의없이 이루어지는 평가는 사회적인 잣 대일 뿐이다. 심지어 보천교 본소의 성전인 십일전十一殿을 차월곡이 천자 등극 후 궁궐로 하려 했던 건축물이라 할 정도이다. 올바른 잣대로 올바르게 평가해야 한다. 그리고 다음으로는 당시 한반도 전역에서 보천교를 신앙하였고 활동하였기 때문에 그 지역관련 자료를 토대로 보천교의 지역연구들이 보강되어야 한다. 서울, 전주, 진주, 제주, 청송, 안동, 평양지역 등 조선팔도 전체가 될 것이며, 심지어 만주지역까지 포함되어야 할 것이다. 이들 각 지역에서 보천교 활동에 관한 지역사 차원의 연구가 이루어진다면 보천교 연구는 탄탄한 지반을 갖게 된다고 본다.

이 글을 정리하는 와중에 슬픈 소식과 기쁜 소식을 접했다. 먼저 일본의 오랜 지인知人 노무라 히로시野村 博 교수와 기미츠카 히로사 토君塚大學 교수의 사망 소식을 접했다. 어려울 때 내게 많은 도움을 주고 자료를 제공해 준 분들인데 인사를 드리지 못했다. 멀리서 늦게나마 삼가 명복을 빈다. 그리고 독립 군자금 모집을 위한 보천교의 권총단 사건에서 조만식과 활약했던 북北방주 한규숙의 손자인 한순창(74세) 옹의 손편지를 받았다. 『잃어버린 역사 보천교』를 보며 무한한 고마움에 마음으로나마 지하에 계신 조부 조모님께 보천교에 대한 서광이 비추이게 되었다고. 일본사람들이 우리민족 특히 보천교에 대한 탄압 그리고 사이비종교로 몰아 해산시키고 해방이 되었는데도 여전히 사이비종교로 알고 있고 교수님의 저서를 보기 전까지만 해도 우리나라 대학이 얼마나 많은데 불과 100년 전의 우리역사를 밝힐 사람이 없는가를 배우지 못한 제 자신을 한없이 원망했습니다. 정말 고맙습니다." 감사하게도 미력한 필자에게 용기를 주고 분발하라고 재촉하는 내용이다. 뒤늦었지만 당시 활약했던 그분들의 한스러움을 풀 수 있는 기회를 조속히 맞았으면 하는 바램이다.

일본의 소중한 자료를 찾아 제공해주고, 답사도 함께 다녔던 교
토불교대학 사회학과의 고故 기미츠카 히로사토君塚大學 교수

보천교 북北방주 한규숙의 후손인 한순창(71)과 조부의 보천교
관련자료들을 확인하고 있다.

目 次

제2부 보천교, 어떻게 연구할 것인가?

제1부

보천교란
무엇인가?

키워드로 이해하는 보천교

보천교 성전 십일전

1 잃어버린 역사 보천교

잃어버린 보천교

현재 한국인들 중에 보천교를 아는 사람이 몇 명이나 될까? 보천교에 대한 구체적인 내용까지 아는 사람은 당연히 극소수일 테고, 명칭만이라도 얼마나 알고 있는지 그 숫자가 자못 궁금하다. 국민의 1%나 될까? 전북 정읍시 고창군을 지역구로 둔 유성엽 국회의원이 국회 인사청문회(2017.6.14.)에서 보천교와 관련된 질의를 하였다. "일제 강점기 보천교의 국권회복 및 독립운동자금 모금 등은 당시 우리 민족에게 새로운 희망을 준 민족운동이었다는 의미에서 역사적 재조명이 필요하다고 생각하는데 역사적 재조명을 어떤 방식으로 언제 어떻게 할 겁니까?" 이에 대해 당시 장관 후보자는 이렇게 대답했다. "보천교의 일제 때의 성과에 비해서 굉장히 연구는 덜 되어 있고 또 역사적 재조명도 필요한 상황이기 때문에 〈중략〉 관련 부처와 협의를 해서 재조명의 방식을 찾아보도록 그렇게 하겠습니다." 반갑고도 놀라운 발전이다. 국회에서 거론된 것도 그렇고 정부 차원에서 관심을 갖겠다고 운운한 것도 여지껏 처음이다. 물론 '임명된다면'이란 전제조건이 달렸지만. 대통령도 '잃어버린 가야사 복원'을 언급하는 마당에 '잃어버린 보천교 재조명'까지 더해진다면 그건 아마 '잃어버린 역사의 대개벽the great openin 상황'일 것이다. 그런 만큼 우리에게 보천교는 잃어버린 역사이고 꼭 회복해야 할 역사이다.

보천교는 지금으로부터 100여 년 전, 그러니까 일제강점기의 절망적 상황에서 우리민족에게 숨쉴 여력을 제공해주고 민족독립의 희망을 심어줬던 민족종교이다. 민족종교라 하면 그 시초를 보통 동학에서부터 찾는다. 곧 19세기 중반 수운 최제우(1824~1864)가 동학을 창교한 이래 많은 민족종교들이 모습을 드러냈다. 20세기 초에는 증산 강일순(1871~1909)이 천지공사天地公事(1901~1909)를 집행하여 한국 민족종교사에 한 획을 그었다. 천지공사는 큰병大病이 든 천하를 삼계대권을 주재하여 조화로써 천지를 개벽하고 불로장생의 선경을 건설하려는 설계도이자 청사진이다. 보천교는 이러한 '9년 동안의 천지공사'를 마친 강증산이 1909년 세상을 떠난 후 그 제자였던 월곡 차경석이 조직한 교단이다. 주지하다시피 한반도는 19세기 후반부터 호시탐탐 노려왔던 일본 제국주의에 의해 1910년 강점되면서 식민지로 전락하였다. 식민지 상황에서 기독교나 불교처럼 제도화되지 못한, 더욱이 스승(교조)의 빈자리를 메꾸면서 이제 막 교단을 형성해 나가야 했던 제자(교주)의 운명은 험난할 수 밖에 없었다. 명칭도 없었고 조직도 없었고 심지어 함께 하는 사람들도 많지 않았다. 증산을 따랐던 사람들조차 증산이 세상을 떠나자 실망에 가득 차 뿔뿔이 흩어졌거나 냉담해 버린 상태였기 때문이다.

더군다나 일제 식민권력은 강점 목적을 효율적으로 달성하기 위해 종교단체 형성에 촉각을 곤두세우고 있었다. 식민권력이라 하면 식민 종주국의 구성원이 식민지 지배를 원활히 수행하기 위한 동화정책(다민족 통합과제)을 추진한 권력으로, 식민 모국의 관련조직 및 식민지 관료조직 등으로 구성된다. 넓게는 총독(통감과 총독들)과 행정 관료들, 경찰, 헌병 등 식민관료들 뿐만 아니라 일제에 협력적인 언론 출판인들과 종교인들 및 친일 한국인들까지도 여기에 포함된다. 그들은 식민지 한국사회에 민족종교가 형성되는 것을 달가워하지 않았다. 식민지 상황에서 종교가 갖는 파괴력을 자신들의 역사(특히 메이지 시대) 경험에서 충분히 인지했기 때문이다. 이러한 사면초가의 상황에서 보천교의 씨앗이 뿌려져 활발하게 자라나고 있었다.

보천교의 출발

보천교의 출발은 언제로 봄이 타당할까? 그전에 먼저 '보천교란 무엇인가'에 대한 구체적 설명도 없이 막무가내로 '보천교의 출발'이나 '잃어버린 역사 보천교'를 이야기 하면 그야말로 엎친 데 덮친 격으로 이해를 어렵게 할 것이란 생각이 든다. 그러나 보천교에 대한 상세한 이해는 독자들의 노력에 맡겨야 될 것 같다. 본서, 특히 1부 전체가 그런 내용이고 보면 하나 하나 읽어나가면서 독자 스스로 보천교가 무엇인가에 대한 개념을 잡아나가는 것이 좋은 듯하다. 여기 출발하는 지점에서는 보천교의 의미를 간략하게 살펴보고 왜 '잃어버린'이란 수식어를 덧붙였는지를 설명하고자 한다. 그것이 본 칼럼을 끌어나가는 실마리이기 때문이다.

보천교의 출발을 찾을 경우, 증산의 유지를 계승하여 새로운 교단을 만들려는 의지를 기준으로 본다면, 보천교는 증산이 세상을 떠난 1909년부터 시작되었다고 볼 수 있을 것이다. 그런 연유에서 보천교 교단에서 펴낸 『보천교 연혁사』(1948)도 1909년을 포교 1년으로 보았다. 프랑스의 종교사회학자 에밀 뒤르켐은 종교를 구성하는 4요소를 의례, 감정, 믿음, 조직으로 보았다. 보천교 역시 의례와 교조에 대한 숭배감정 그리고 정당화 신념으로 본다면 1909년을 출발점으로 보는 것도 무리가 없을 것이다. 다만 교조가 만들어 놓은 기존 교단을 그대로 계승한 것이 아니고 새롭게 교의체계를 정하고 새로운 교단 조직, 곧 신자 공동체를 형성해 나가는 것을 기준으로 본다면 문제는 다소 복잡하다.

증산 사후, 증산의 유지를 계승하는 교단들은 여러 분파로 나뉘어졌다. 보천교와 관련된 교단으로 본다면 1911년 고판례(1880~1935)가 창립한 선도교를 최초의 교단으로 들 수 있을 것이다. 고판례는 강증산의 부인이며 차월곡은 고판례의 이종동생이다. 1907년 차월곡의 집에 들렀다가 증산을 만났고 1909년 종통대권을 전수받아 1909년 이후 증산의 유지를 받들면서 차월곡과 함께 교단형성에 노력하였다. 그것이 선도교였다. 그러나 점차 의견차가 생기면서 차월곡과 거리를 두게 된다. 차월곡은 독자적인 활동을 하면서 조직을 구성해 나갔다. 그 대표적인 형태가 1916년의 24방주 조직구성이다. 따라서 보천교의 출발을 조직 구성으로 본다면 1916년 24방주를 조직하고 업무분장한 때로 볼 수 있을 것이다.

또 교단에는 교주와 신도가 사제의 관계처럼 형성되어야 한다. 그렇다면 1921년 차월곡을 공식적으로 '선생'으로 호칭한 때부터 사제지간의 관계가 형성되었다고 보고, 이 해를 기준으로 삼을 수도 있을 것이다. 그리고 명칭으로 본다면 1922년 1월에 보천교라는 명칭을 등록·공개하고 서울에 보천교 서울출장소인 '보천교 진정원'이라는 간판을 내건 해로도 볼 수 있다. 물론 그리 중요한 문제는 아니다. 어느 것이 옳은지 모르겠지만 그만큼 사안이 복잡하다는 이야기이다. 각각의 기준도 문제가 없지는 않다. 대부분의 종교교단 형성이 그렇듯 명쾌한 출발점을 찾기는 쉽지 않은 것이다. 앞서 언급했듯이 그래서 '잃어버렸다'는 뜻은 아니다. 다소 복잡하긴 해도 분명히 교단형성은 1910년 일제 강점과 함께 이루어지기 시작하였다.

강점 직후부터 조선민중의 사상과 행동이 '민족'이나 '독립'과 연결됨을 두려워했던 식민권력은 식민지 한국인의 동향을 일거수일투족 감시하였다. 더욱이 강점과 더불어 각종 사회단체들을 전부 해산시킨 식민권력의 입장에서 종교단체는 눈엣가시 같은 존재였다. 식민권력의 감시와 통제는 주도면밀하게 이루어졌다. 실체를 확인해서 민중과 분리했고 지식인을 동원하여 내분을 일으키고 왜곡시켜 소멸하도록 공작했다. 그런 면에서 결론적으로 본다면 식민권력의 종교 통제정책은 성공했던 것이다. 식민지 상황에서 엄청난 교세를 확보했던 보천교는 1936년 차월곡의 사망과 함께 해체되어 버렸고, 처음에 지적했듯이 해방 이후, 아니 현재 우리들의 기억 속에 거의 남아있지 않기 때문이다. 기억하는 사람들조차 식민권력이 생성해 놓은 부정적 이미지로 남아있을 뿐이다. 친일과 사이비 종교단체의 대명사로 말이다. 당시 보천교가 잘못한 죄라고는 일제강점기에 교단을 형성한 죄, 자칭·타칭 600만이라는 수많은 조선 민중과 함께 했던 죄, 그런 만큼 자금이 많았던 죄, 그리고 식민지라는 어려운 상황에서 국외로 나가지 않고 국내에서 살아남기 위해 발버둥친 죄밖에는 없는데도 말이다. 물론 이런 죄 아닌 죄는 당시 식민권력에게는 심각한 위협을 가했던 요소들이었음은 사실일 것이다.

보천교가 이 세상에 이름을 알린지 어언 100여년에 접어들었다.

이제 이러한 죄 아닌 죄를 끌러주고 보천교에 씌워진 왜곡된 이미지를 풀어주어야 할 때다. 그건 곧 보천교를 향한 식민주의적이고 제국주의적인 시선을 걷어내는 일이다.

불편한 시선들

얼마 전 학교 일로 경북 경주에 출장 간 적이 있다. 거기서 일제강점기 때 일본인 관리와 학자들이 조선고적보호회를 조직하여 관리상태가 부실했던 경주의 고적들을 목적을 둘러쳐서 보호해줬다는 초청강연을 들었다. 물론 보호를 명목으로 고적들을 조선인으로부터 '분리' '배제'시켰다는 '근대'적 시선과, 조선의 역사를 일본의 역사와 연결시켜 식민주의 사관의 근거를 마련하기 위해서였다는 설명도 곁들여졌다. 이런 활동은 그들(일본인 관료, 일본인 학자 등)의 '시선'을 위한 보호였다. 그러나 말미로 가서는 그럼에도 불구하고 '현재 한국사회의 여러 사회문제의 책임을 일제라는 과거(절대악)에 전가시키는 태도'가 현재 진행형이며 안타깝다는 주장도 나왔다. 이는 '일본이 절대적 가해자가 아니고, 우리도 피해자만은 아니다'라는 주장과도 맥락을 같이 하는 말이다. 소위 뉴라이트 식민지 근대화론이다. 안중근을 테러리스트로 보거나 위안부를 자발적 매춘으로 보는 시각과 유사하다. 최근 일본에서 발표된 글에 '제국의 민중들'이라는 개념으로 보천교의 활동을 다룬 경우도 보았다. 내용을 세밀히 살펴보지 않아 무어라 말하긴 그렇지만 보천교를 따랐던 그 많은 사람들을 '제국의 민중들'이란 시각에서 다루었다는 점은 좀 씁쓸한 느낌을 주었다.(물론 식민모국과 식민지를 분절시키지 않고 '제국'이라는 틀로 다루어야 할 필요가 있음도 이해한다.)

더 진행되면 '보천교는 유사종교가 되면서 근대 종교화가 추진되었다'라고 주장하게 된다. 사실 이런 비슷한 주장들이 벌써 발표되기도 했다. 이는 종교의 근대화란 시선에서 보천교를 평가하는 것이다. 종교라는 용어는 기껏해야 1883년 정도에 우리사회에 나타난 개념이다. 그것도 religion이라는 다분히 기독교적 개념을 접했던 일본 학계가 만들어낸 용어로, 이후 조선사회로 유입된 개념일 뿐이다. 그 용어로 민족종교를 재단하는 것, 그래서 근대라는 이름으로 미신(사이비)으로 몰아버리는 것은 다분히 제국주의적 시선이다. 곧 '근대=문명=기독교↔보천교=미신=전근대'라는 틀이다. 이러한 제국주의적 시선은 식민주의적 시선과 연합되면서, 식민권력은 1915년 「포교규칙」을 제정해 보천교를 '종교 유사단체' 곧 '유사종교'로 분류해 버렸다. 요즘 말로 '종교 같지 않은 종교', '종교 아닌 종교'인 것이다. 보천교에 굴레를 씌운 것이다. 보천교=유사종교=사이비 종교단체로 말이다. 식민권력은 이제 이 종교단체를 회유하거나 억압하여 친일단체로 만들거나 제거(박멸)해야 했다. 소위 근대적 종교로 만들거나 인정할 생각은 애초부터 없었던 것이다.

　물론 이는 식민정책의 근본 틀인 동화정책에서 이루어진 결과이

보천교를 주제로
진행된 상생방송
의 좌담회 모습

다. 그런데 식민권력이야 통치상 그렇다 하더라도, 식민지 언론과 종교계 및 지식인 등 많은 주변 세력들이 이에 동조하였다. 그들에게 주어진 반대급부가 뭘까? 이렇게도 볼 수 있다. 당시 기독교, 천도교 등 기득권 종교계는 민족종교와의 분리를 통해 제도화된 근대 종교로 인정받고 보호받을 수 있었을 것이다. 이는 다음과 같은 당시 기독교의 입장에서 충분히 확인가능하다. '보천교만 아니면 우리 기독교를 모든 조선민족에게 선포하는 것이 하룻거리 일로써, 획기적으로 조선에서의 교세를 독점할뻔 하였는데, 보천교는 우리 기독교의 발전에 큰 장애물이며 커다란 악마'라 보고 보천교 박멸을 입에서 입으로 전하였다고 했다. 또 식민지 언론과 지식인들도 '근대'를 지향하는 자신들의 열의와 카르텔을 보호받으려 했을 것이다. 마치 오늘날 학계에서 보여지는 '식민사학의 카르텔' 보호처럼 말이다.

그러나 일본에서 발표된 글 중에는 「보천교-친일인가 항일인가?」라는 제하로 쓴 글도 보인다. 보천교, 친일인가? 항일인가? 왜 우리는 이런 문제제기의 글이 한 편도 없는가? 당연해서? 아니면 관심이 없어서? 후자가 많을 것이다. 그러나 어느 경우든 연구자의 입장에서 보면 참담한 실정이며, 다른 연구자들을 꾸짖기 전에 필자인 내 자신이 반성해야 할 문제이다. 이 글을 쓰면서 다짜고짜 이 제목부터 먼저 써야겠다고 생각했다. 아직 보천교가 무엇인지, 그리고 보천교의 각종 활동들을 잘 모르는 상태에서 읽기가 어렵고 의아해할지 모르나 먼저 다루는 것은 시선이 매우 중요하기 때문이다. 모든 글의 내용을 읽고 난 뒤에 보천교와 친일, 항일 여부를 확인하는 것이 순서이긴 하지만 시선을 바로잡는 것도 매우 중요하다.

2 통탄스러운 친일의 굴레

친일의 굴레

'유죄판결이 확정될 때까지는 무죄로 추정된다.' 죄의 여부를 가리는 형사절차의 기본원리인 무죄추정의 원칙이다. 죄를 입증할 수 없으면 무죄가 선고된다. 보천교의 친일행적이 입증되고 확정되었는가? 무죄는커녕 보천교에 친일의 굴레가 무겁게 씌워졌다면 우리는 그 책임을 통감해야 한다. 보천교에 대한 최초의 연구자로 볼 수 있는 이강오 교수는 차월곡의 반민反民행위를 4가지로 정리하였다.

① 한민족의 경제적 침식侵蝕 : 교도들의 재산 납입
② 민족운동의 외면 : "우리민족의 독립운동에는 한 푼도 준 일이 없었다."
③ 친일사절의 일본파견
④ 시국대동단의 설립과 활동

①은 종교 활동과 관련된 문제이고 직접적인 관련 자료를 찾기는 쉽지 않다. 그리고 ③과 ④는 서로 연결된 사안으로 심층적인 고찰이 필요한 부분이다.(1부에서 다룰 예정이다) 특히 교단기록인 『보천교연혁사』를 한번이라도 찬찬히 읽어봤다면 ③과 ④의 문제가 얼마나 복잡한 상황이었는지를 쉽게 알 수 있다. 시국대동단의 활동 그 자체만 본다면 친일을 말하기에 어렵지 않겠지만, 식민권력이 교주

체포령 및 보천교 말살 단속을 압박하는 가운데 차월곡이 보천교를 살리기 위해 고민하고 동분서주하는 상황에서 벌어진 일인 만큼 그렇게 쉽게 친일로 연결지을 수 있을지는 의문이다.

그런데 이강오 교수의 지적 중 우리의 관심을 끄는 문제는 '보천교가 독립운동에 한 푼도 준 적이 없다'는 ②의 내용이다. 역으로 독립운동 단체에 한 푼이라도 준 사실이 확인되면 보천교의 친일 용의는 벗어나야 하는 것 아닌가? 이 문제는 본서의 마지막까지 확인한다면 어렵지 않게 그 답을 얻을 것이다. 식민권력이 생성한 자료들(『보천교일반』『양촌 및 외인사정 일람』 및 각종 공문서들)을 살펴보면 차월곡은 1910년대에 이미 '국권회복 표방' 혐의로 '갑종 요시찰인'으로 편입되었고 3·1운동 전후로 국권회복 운동과 군자금 모집 활동에 참여하였으며, 1920년대에는 상해 임시정부와 만주의 정의부 활동 및 김좌진 장군의 독립군단과도 연결되어 독립운동에 참여하고 있었다.

일제는 한국을 강점한 후 동화를 식민정책의 주요한 슬로건으로 내세웠다. 이에 따라 한국인들의 민족의식을 약화시키고 일본민족에 동화시키려는 노력을 꾸준히 전개하였다. 여기에 중요한 것이 교육(특히 역사교육)과 종교였다. 일제는 강점 내내 이러한 노력을 중단한 적이 없었다. 아직 채 교단도 안정화되지 않은 형성기의 종교, 특히 소위 유사종교들이 식민권력의 이러한 정책에 저항하기는 쉽지않았다. 더구나 자신들이 강점한 다른 민족들에게 조차 단순한 복종 이상의 것을 요구하는 일본 제국주의의 신권적神權的 천황제를 정신적으로 승인하고 천황을 현인신現人神으로 경배하라는 강요는 민족종교에는 당혹스러운 일이었다. 이미 일본의 오오모토大本교에서도 좋지 않은 기억을 갖고 있었던 식민권력으로서는 타 종교에 비해 새로운 국가 건설을 기도하며 다수의 신도를 확보하고 군자금을 지원하는 등 새로운 세력을 형성하던 보천교는 초기에 박멸하거나 어용화시켜야 할 대상이었다. 외형적으로는 유화정책을 사용하면서 분열과 그 조직의 약체화를 꾀했다. 종교통제 기구도 이원화시켰다. 소위 종교단체는 학무국 종교과에서 담당했지만 유사종교로 분류된 보천교는 총독부 경무국에서 감독토록 하여 강력한 폭력성과 억압성을 띤 통제를 가하였다.

이런 점에서 보천교는 식민지 종교 통제정책의 '하나의 본보기'라기보다는 '주요 대상'이었던 것이다. 이에 대한 근거로 보천교에 대해 『보천교일반』과 같은 보고서, 식민권력 곧 조선총독부, 경찰부, 조선군참모부, 육군성 등에서 생성된 다수의 보고서 및 공문서들을 들 수 있다. 이들 대부분은 비밀문서로 취급되어졌다. 일제강점기에 식민권력이 종교단체를 대상으로 조사 보고한 자료는 기독교(조선총독부 1921) 등에서 찾아볼 수 있으나 그리 많은 편은 아니다. 왜 보천교에 대한 별도의 보고서가 많을까? 대수롭지 않았다면, 또 민중들에게 영향력이 없었다면, 그 규모가 소규모였다면, 곧 식민권력에 덜 위협적이었다면(보천교에 대한 비판적 언사 그대로, 친일 종교단체로 식민정책 수행에 긍정적 영향력을 미치고 독립운동과도 아무런 관련이 없었다면) 식민권력이 이처럼 보천교에 주목했을까 하는 문제의식이다.

그런 종교단체를 친일행위를 한 반민족적 단체로 매도해 버리면 차월곡과 그를 따른 수백만의 민중들은 억울해도 너무 억울할 것이다.

파사현정破邪顯正

새로운 역사적 증거들이 쏟아져 나오고 있다. 끊임없이 새로운 이야기들이 만들어진다. 어릴 때부터 교육 받아 특정 이미지를 주입받아 온 우리들로서는 역사 담론을 뒤집을 만한 새로운 증거가 나올 때마다 혼란스럽다. 학계는 찬반으로 들끓는다. 기존 이미지에 고착된 역사관에 비판적인 견해를 갖고 있는 학자들을 소수minority로 매도해 버린다. 더 노골적으로 이야기하면 기존 이미지는 조선총독부의 시선이다. 조선총독부가 이 땅에서 사라진지는 오래되었지만, 그 총독부가 만들어놓은 시선이 무너지지 않기를 바라는 식민권력 카르텔의 메카시즘적 광풍이 21세기 백주 대낮에도 존재하고 있는 것이다.

유물 한 점의 발견으로 호들갑을 떨며 기존 역사 해석을 버리고 새로운 역사 이야기를 만들어내는 사람들이 버젓이 식민권력이 생성한 다수의 보고서 및 공문서까지 있는데도 이를 부인하려 한다면 그건 도가 너무 지나친 처사이다. 굳이 조선총독부의 시선을 수호하려는 신념으로, 침묵하고 동조할 필요가 있을까? 파사현정破邪顯正이라 했다. 사견邪見과 사도邪道를 깨고 정법正法을 드러내는 일, 쉽게 말하면 그릇됨을 깨뜨리고 올바름을 드러내는 일이다. 잘못된 견해에 사로잡힌 시선을 타파하고 옳은 진리를 향한 시선으로 바로 잡아야 한다. 파사현정破史顯正에서 '邪'를 '史'로 바꿔 보았다. 잘못된 역사를 타파하여 옳은 역사를 드러내야 할 때다. 보천교에 대한 잘못된 시선과 틀에 박힌 부정적 이미지를 바로 잡는 것도 그러한 과정을 위한 첫 걸음이다. 오죽하면 요즘 적폐청산이라 하지 않는가. 바로 적폐를 청산하는 일이다.

3 월곡 차경석은 누구인가

차월곡과 동학

보천교에 대한 글을 시작하면서 아무래도 가장 먼저 주목해야만 하는 주제가 차경석이라는 인물에 대한 이야기일 것이다. 차경석은 1880년 6월 1일 출생하였다. 경석京石은 자字이고 본명은 윤홍輪洪이며 호는 월곡月谷이었다. 그는 강증산이 세상을 떠난 1909년 이후 1910년대 일제강점기의 무단통치하에서 증산의 교의를 계승하여 종교 활동을 시작하였다. 1920년대 전반기에는 자칭·타칭 600만 명이라는 많은 신도를 확보하는 등 다양한 활동을 전개하면서 보천교 교단을 성장시켰으나 식민권력의 집요한 공작으로 1925년경 이후로 교단의 변화·쇠퇴의 길을 걷다가 1936년에 사망한 인물이다.

기록에 의하면, 차월곡은 '1890년 1월부터 1901년 2월까지 정읍군 입암면 안경현安京賢이란 자 밑에서 한적漢籍을 배우고 1904년부터 1908년 3월까지 일진회 평의원이었다. 1907년 6월 16일 김제군 수류면 원평리 주막에서 우연히 강증산과 만난 이후 그 문하에 들어가(차월곡의 종교활동은 고판례가 주도한 선도교와 함께 진행되었고, 고판례는 증산의 부인이며 차월곡의 이종누이이다) 훔치교에 귀의하여 교리의 연구에 몰두하여 마침내 1909년 음력 1월 3일 교통敎統 전례식傳體式을 하여 교도敎道를 전수받기에 이르렀다'고 하였다. 차월곡은 10대에 들어서면서 조선시대 지식인들의 공부법인 한漢나라 서적을 탐독하였고, 19세기 후반기 국내외 정세에도 관심을 가져 동학에도 가입해 활동한 지역 엘리트였던 것이다.

그의 부친은 1894년 동학혁명 당시 동학군의 간부였던 차치구 車致九(1851~1894)이다. 차치구는 정읍시 입암면에서 출생하여, 동학혁명 당시 정읍지역의 접주로 2차 봉기에서는 농민군 5천을 이끌던 수령이었다. 보천교 연구를 주도해온 안후상 선생에 의하면, 차월곡의 부친은 가난했지만 기골이 장대하였으며, 양반들의 횡포에 맞서 완력을 사용하기도 한 당대 민초들의 영웅이었다(안후상, 2000). 그러나 혁명의 패망과 함께 1894년 12월[차월곡 15세] 당시에 흥덕현감 윤석진에게 체포되어 불의의 죽임을 당하였다. 당시 차월곡은 분살형焚殺刑이란 참혹한 형을 당한 부친의 시신을 수습해 삼십리 길을 걸어 선산(족박산)에 모셨다. 이때 어린 차월곡의 울분과 비통한 심정 그리고 앞날에 대한 굳은 의지는 충분히 짐작이 간다.

차월곡도 동학군의 장령將領이었던 부친의 영향을 받아 강한 성격의 소유자였다. 안후상에 의하면, 부친의 한을 가슴에 품었던 차월곡은 1899년 동학 농민군의 잔여세력이 조직한 영학당英學黨에 가담하여 함께 봉기를 일으켰고, 영학당의 패배로 죽을 고비를 넘기기도 하였다. 이후 그는 일진회의 동학운동에 참여하여 활동하

당시 언론에 나타난 보천교주 차경석의 모습

다가, 송병준과 이용구 등이 일제의 앞잡이 노릇을 하자 결별하였다. 또 손병희를 따라 활동한 적도 있었으나 그와도 뜻이 맞지 않아 새로운 길을 찾고 있었다.

이처럼 동학을 신앙했던 차월곡이 강증산을 만난 것은 1907년이다. 기록을 보면, 1907년 5월 아우 차윤경車輪京의 문제로 세무관과 송사訟事할 일이 있어 전주를 가던 차월곡이 용암리 물방앗간 앞 주막에서 증산을 만나게 된다. 이때 증산도 김형렬의 집을 떠나며 "이 길이 길행吉行이라. 한 사람을 만나려 함이니 장차 네게 알리리라." 고 하여 의미심장한 언사를 하였다. 이후 차월곡은 증산으로부터 다양한 종교체험을 하면서 제자로서의 면모를 갖추어 나갔다. 그러나 차월곡에게 전수한 종통에 대해서는 증산 사후 논란이 되었고 김형렬 등 다른 제자들과의 관계도 매끄럽지 못했다. 종통 여부는 본 글의 관심주제가 아니기 때문에 제쳐둔다. 다만 부친의 사망 이후 집안 살림살이가 더욱 기울어 형편이 빈한했고, 나중에 차월곡이 증산을 만난 것에 대해서도 집안에서는 '동학한다고 집안이 망했는데 또 이상한 사람을 끌어들여 집안을 아주 망치려 한다'고 불만이 많았다는 사실이다.

협량소담狹量小膽이라고?

곰곰이 생각해 보자. 차월곡은 개인적으로 울분과 원대한 뜻을 품었다 할지라도 자신 주변의 상황은 매우 어려웠다. 설상가상으로 국가가 식민화되는 상황에서 아직 채 제도화되지 못한, 더욱이 교조의 사망으로 혼란스런 교단을 정비하고 자신만의 새로운 계통의 교단을 제도화시켜야 할 종교가 만난 운명은 절망적일 수밖에 없

없을 것이다. 달리 표현하면 외부적으로는 '식민지'라는 상황과 내부적으로는 뚜렷한 후계자 없는 교단의 분열양상은 특정 종교가의 교단 형성에 분명한 장애물이었다. 이러한 상황에서 교단을 형성하려는 인물이라면 투철한 사명감과 종교적 신념을 지녀야 했을 것이다. 그보다도 큰 배포가 없으면 감히 생각지도 못할 일이었다.

그런데 식민권력의 왜곡은 인물에 대한 왜곡으로부터 시작된다. 식민권력의 보고서는 교주 차월곡의 심성을 이렇게 비난하였다. '협량소담狹量小膽.' 곧 '속이 좁고 담력이 없다'고. 그리고 이러한 차월곡의 속 좁은 것을 다양한 일화로 입증하려 했다. 예를 들어 이렇다. 어느 날, 교주 차월곡이 많은 제자(방주)들을 성전에 모아놓고 잡담을 하면서 '자신의 잘못된 점이나 교教의 불비不備한 내용 등이 있으면 거리낌 없이 말해라' 하고, 또 직접 이야기하기 어려운 내용이 있으면 서면으로 제출하라고 했다. 당시 이 말을 믿고 정직하게 많은 비행결점을 적어낸 자들은 모두 교주의 반감을 샀다는 것이다. 특히 이상호는 교주로부터 절교絶交 선언과 탈퇴 처분을 받았다고 하였다. 이런 예를 제시하면서, '교주는 만사萬事에 속이 좁고 담력이 없어 충성·솔직한 자를 싫어하고 교언영색巧言令色의 간신배를 가까이 했다'고 평하였다. 위의 사례는 요즘 소위 군대에서 소원수리하고 난 뒤 그것을 처리하는 방식을 비아냥거릴 때와 같은 모습이다.

교주 차월곡의 인격에 대한 비난은 계속된다. '교주는 교도들이 성금을 납입할 때는 기뻐해도 성금 납입이 저조할 때에는 비관하고, 의식衣食이 궁핍한 교도教徒들의 고혈膏血을 짜내어 금은옥보金銀玉寶를 산적하는데 사력을 다한다. 계전戒典에 들어 있는 남사·기의濫奢·棄義는 무시하여 버린다.' 그리고 이렇게 만들어진 이미지는 식민지라는 상황에서 식민권력의 의도를 충실히 대변했던 언론 및 모든 출간물들이 쏟아놓은 이미지였다. 당시 대중적인 언론이나 출판물 어느 하나 차월곡과 보천교에 대해 긍정적으로 표현한 문구를 찾아보기 힘들다. '차천자車天子'나 '무식계급 사이에서 세력을 지닌 종교단체'는 그래도 나은 편이다. '백귀가 난무하는 별천지의 미신소굴' '차월곡의 부하는 직업적인 주구배走狗輩' '어리석은 민중의 고름으로 이룬 차천자車賤子의 요마전妖魔殿' 등과 같은 비난들이 쏟아졌다.

심지어 당시의 제도화된 종교단체들과 지식인들이 기대하던 이미지이기도 했다. 해방 이후 글쓰기에서도 이런 이미지는 계속되었다. 식민권력이 성공적으로 만들어놓은 이미지는 아무런 비판없이 그대로 받아들여졌던 것이다.

과연 그럴까? 그러면 차월곡 뿐만 아니라 그를 따라 함께 울고 웃었던 자칭·타칭 600만 명의 조선의 민중들은 분별력이 없었던 '무식계급'이었던 것일까? 당시 전체 인구가 1,800만 정도였으니, 그렇다면 그 중 1/3이 무지몽매한 민중들인 셈이다. 식민권력의 주장대로 그들은 계몽해야 할 대상이었고 따라서 그들을 교육한 식민지배는 나쁘지 않았던 것일까?

속이 좁고 담력이 없다?

그러나 당시 다른 기록들은 식민권력의 기록과는 다른 견해를 보여준다. "내가 정읍에 가기는 1923년 4월 중순경이다. 〈중략〉 비록 현시대의 지식은 결여했다 하더라도 구시대의 지식은 상당한 소양이 있다. 그 외 엄격한 태도와 정중한 언론은 능히 사람을 감복케 할 만하다. 그는 한갓 미신가가 아니오, 상당한 식견이 있다. 〈중략〉 그의 여러 가지 용사用事하는 것을 보면 제왕될 야심이 만만한 것을 추측하겠다."(비봉선인 1923) 자칭·타칭 600만 민중을 호령했던 인물에 적절한 표현이다. 또 선도회禪道會 초대 지도법사 이희익李熹益(1905~1990)의 면담 회고도 보인다. "차천자는 〈중략〉 몸은 뚱뚱하고 큰 상투에 대갓을 쓰고 얼굴은 구리빛으로 까만 수염이 보기 좋게 나 있었다. 그 풍채가 과연 만인의 장 같았다."(박영재 2001) 전혀 다른 시선이다.

이러한 차월곡의 성품을 드러낸 사례들도 다수 보인다. 1915년 어느 날 김송환金松煥의 아들이 차월곡에게 돈을 요구하면서 만약 주지 않으면 교단에 손해를 보게 하겠다고 협박하는 일이 생겼다. 차월곡은 이에 대해 "공갈위협을 하는 자에게는 내 비록 돈을 산더미같이 쌓아 놓았다 해도 한 푼도 줄 수 없다. 내 명命이 하늘에 있거늘 어느 놈이 감히 망언을 발설하느냐"고 일갈한다. 차월곡의 기개와 배포를 충분히 엿볼 수 있는 언술이다. 더군다나 어떠한 국가 제도적 보호 장치도 마련되지 않은 식민지 상황에서 하늘에 근거를 두고 한 조직을 통솔했던 종교가다운 면모이다.

또 다른 일화도 찾을 수 있다. 1919년 10월 경 보천교의 60방주 조직을 만들 때의 일이다. 이때 60방주가 협의하여 차월곡을 '선생'으로 추대해 숭배하려 했다. 이 이야기를 듣고 차월곡은 허락하지 않고 다음과 같이 말한다. "나의 덕이 부족하여 스승의 자리에 오르기는 부당하니 내가 여러분들과 더불어 전과 같이 지내다가 이후에 우리들 중에 도덕이 숭고하여 스승의 자리에 모실만한 사람이 있으면 그때 그 사람을 선생으로 숭배함이 좋을 듯하다." 이 당시에 모든 사람들은 교주를 만날 경우에 '주인장主人丈'이라 존칭하고, 서로 경대하는 언어를 사용하여 상하의 구분이 없이 지내왔다. 이에 차월곡은 아직 자신이 부족한 점이 많아 때가 아니라는 겸양지덕을 보여주며 이전과 같이 지내자는 뜻을 표현한 것이다.

'속이 좁고 담력이 없다'는 식민권력과 그를 중심으로 한 카르텔이 생성한 이미지와 부합하고 있는가? 나는 이 한 사례에서도 차월곡의 당시 인품과 겸양의 덕을 동시에 느낄 수 있다고 본다. '차월곡의 도술'(축지법, 차력법, 호풍환우술, 둔갑장신술 등)을 운운하며 차월곡과 그를 따랐던 사람들을 미신화시켜 버리는 식민권력의 언술을 그대로 받아들이는 것이 얼마나 어리석은가. 교단을 이제 막 형성하기 시작한 어떤 종교가 치고 그런 신비스런 능력에 대한 이야기는 당연한데도 말이다. 총독부에서 만든 이미지를 정설로 삼아 검증도 않고 보천교 죽이기에 나선 식민권력 카르텔의 삐딱한 시선일 뿐이다. 역사 혹은 역사적 인물을 어떻게 읽고 이해하느냐는 단순히 과거에 대한 호사가적 관심으로 처리해버릴 문제가 아니다. 과거에 대한 이해가 현재를 구성하고 그것이 미래로 이어지기 때문이다. 제대로 평가도 받지 못한다면, 아니 평가받을 기회조차 놓쳐버린다면 얼마나 억울할까. 우리는 죄인이 되는 것이다.

4 보천교의 터전, 정읍 대흥리와 600만 교도

평사낙안平沙落雁의 땅

"산천은 의구依舊한데 인걸人傑은 간 데 없네. 어즈버 태평연월太平烟月이 꿈이런가 하노라." 고려 삼은三隱 중 한 사람인 야은冶隱 길재가 멸망한 고려의 수도를 돌아본 소회를 나타낸 싯구절 일부이다. 딱 그런 분위기를 간직한 곳이 또 한군데 있다. 정읍시 입암면 접지리이다.

주지하다시피 접지리는 1920년대에 보천교 본부가 세워졌던 마을이다. 행정명이 접지리이고 대흥리大興里, 대앙리大央里라고도 불렸다. 지금은 100여년 전 당시 보천교 본소의 위용은 사라졌지만, 그 파편화된 흔적들이 마을 곳곳에 남아 있어 촌로들이 길손들을 안내하면서 말벗이 되어주고 있다. 말 그대로 인걸은 간 데 없고 태평연월의 꿈들만 옛 영광의 흔적들에 스며들어 있는 셈이다. 그러나 한편으론 이러한 옛 영광을 기억하는 이조차 많지 않은 실정이다. 설령 기억한다 해도 비난과 조소와 무시의 시선들만이 간간이 느껴지는 곳이다.

필자도 2016년 보천교 관련 최초의 학술대회가 전주시청에서 열렸을 때 이렇게 이야기했다. '비록 선입견을 가졌던 종교일망정, 만약 보천교가 서울이나 그 근교에 둥지를 틀었다면 이처럼 천대를 받았을까?'라고. 어즈버 100년 전의 옛 영광의 역사를 살려보려는 몇몇 힘없는 외침들만이 메아리로 남아있는 곳이다. 꿈을 빼앗기고 스러져간 보천교도들의 한숨소리가 강산을 덮고 있다. 정읍에 터전을 두고 식민지라는 최악의 상황에서 활동하다 스러져간 종교단체, 그러다 보니 알려지지도 않고 거의 한 세기에 가깝도록 연구자들에게도 주목받지 못하고 외면당했던 종교단체이다.

보천교는 왜 이곳에 둥지를 틀었을까? 보천교가 전라북도 정읍 접지리에 근거를 둔 이유는 분명히 있을 것이다.

먼저 이곳은 역사적으로 한이 서린 땅이었다. 1910년대, 한국을 강점한 일본의 국내 경제는 롤러코스트를 타고 있었다. 1914년 발발한 제1차 세계대전으로 일본의 공업화 정책은 전시호황을 맞았으나, 유럽에서 전쟁이 종결되면서 경쟁력이 약한 일본경제는 곤두박질쳤다. 공장에 취업하는 인구가 늘어나면서 농촌 인구가 감소했고, 쌀 가격 등 물가는 폭등했다. 이러한 상황은 1918년에 들어서면서 일본에 쌀 소동을 일으켜 미곡 가격 급등과 정부 반대운동이 급격하게 증가했다.

이를 해결하기 위해 식민지 쌀 수탈이 본격화됐다. 그렇지 않아도 강점하자마자 진행된 토지조사사업(1910~1918)으로 막대한 땅을 강탈한 조선총독부가 수탈을 본격화함으로써 조선의 농촌경제는 파탄지경에 이르렀다. 곡창지대였던 전라도는 그 수탈의 중심지였다. 일제의 산미증식계획은 호남이 중심이 되고 군산항은 수탈한 쌀들을 일본으로 실어 나르는 출구였다. 19세기 말 동학혁명이 그러했던 것처럼, 그러한 아픔의 땅 한가운데 정읍이 있었다. 전주와 광주의 중간 지점, 호남 서해안 지역을 연결하는 교통의 요충지였다. 보천교는 그 아픔을 내팽개칠 수 없었을 것이다.

뿐만 아니라 이곳 접지리는 차월곡의 출생지이다. 서쪽으로는 비룡산, 동남쪽에 입암산과 내장산 연지봉, 그리고 서남쪽에 방장산과 서북쪽에 국사봉으로 둘러쌓인 곳이다. 마을에서 보면 마을 앞은 입암산笠巖山을 바라보고 뒤편에는 삼두산三斗山이 위치했고, 동북방향에는 전북평야, 마을 중앙에는 작은 시냇물이 흘렀다. 평사낙안平沙落雁의 땅이다. 평평한 모래밭에 날아와 앉은 기러기 떼의 모습을 한 땅이다. 그러한 곳이 아픔의 땅으로 변하고 있었다. 결코 내버려둘 수 없는 곳이었다.

한편 접지리는 문천무만文千武萬의 땅이기도 했다. 곧 다수의 문무관을 배출할 형상을 지닌 곳이었다. 보천교 본소가 자리하기에 적합했다. 입암산의 '입笠'은 '관冠'이므로 이 땅에서 반드시 왕자가 나오리라 보았고, 주변의 삼군리三軍里, 필봉筆峰, 군령리軍令里(군사를 일으키는 땅), 대흥리大興里, 국사봉國師峰(국사가 출생하는 땅), 제령리帝令里(제왕이 출세하여 명령을 내리는 곳)는 모두 이와 관련된 지명들이었다. 당시 풍설에도 '호군가護軍街에서 군사를 정비하고, 왕심리旺

대흥리에서 바라본 입암산 전경

畱里(단곡리)에서 왕을 맞이하여, 대왕리大王里(대흥리)에 천도하고, 과거리科擧里(과교리科橋里)에서 과거를 보아 관리채용 시험을 치룬다'고 했다. 접지리는 한반도, 아니 세상의 중심터(=대앙리大央里)였던 것이다.

이러한 정읍 접지리의 본소에 사람들이 몰려들었다. 1922년 말에만 해도 이곳은 12가구 정도의 소수의 사람들만이 거주하던 한적한 마을에 불과했다. 그런데 1922년 중앙본소가 설치된 이후로 호구戶口가 점차 증가했고, 특히 '1924년 갑자년에 교주 차월곡의 천자天子 등극 운운의 설迷說이 유포될 때에는' 각지에서 교도들이 이주해 들어오면서, 마을에는 날마다 인구가 늘어나는 상황에 이르렀다. 1925년 말경이 되면, 마을 호수가 3년 전에 비해 33배 이상으로 증가하여 400호를 넘어설 정도로 변했다. 그 작았던 마을이 교도가 거의 1,900명에 이르러 '보천교 마을'이 형성되었던 것이다.

'600만 교도'의 의미

접지리 뿐만 아니었다. 보천교는 전국적으로 민중들의 '입교 권유에 노력한 결과' 놀랄만한 다수의 교도를 확보하기에 이르렀다.

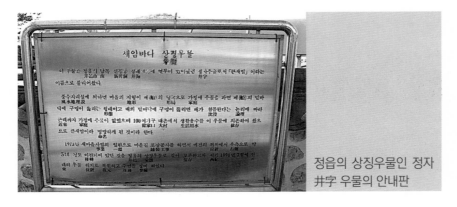

정읍의 상징우물인 정자
井字 우물의 안내판

1920년대 전반기에는 '자칭·타칭 600만 교인'으로 기록될 정도로 보천교는 한때 급성장했던 것이다. 물론 자칭은 교단 내의 주장이고 타칭은 조선총독부 등 교단 외의 발표였다. 당시 조선 내의 전체 인구가 1925년 기준 1,900만 명 정도였으니 600만 명 정도면 조선 민중의 1/3이 믿었다고 볼 수 있는 숫자였다.

그러나 이러한 '600만 명'에 대해서는 논란이 많다. 숫자가 너무 커서 믿을 수 없다는 반응이다. 때문에 보천교에 대해 언급하거나, 관련 학술대회를 할 때마다 소위 '600만 교도'에 대한 질의는 단골로 등장한다. 규모가 너무 커서, 아예 상징적인 의미로 취급해 버리는 경우도 허다하다. 최근 국회서 열린 보천교 관련 학술대회에서도 '상징적 숫자'로 보아야 한다는 주장이 나왔다.

그러면 이를 어떻게 보아야 할 것인가? 실제적인 숫자인가, 아니면 상징적 의미를 지닌 숫자로 봐야 할 것인가. 이를 상징적 의미로 주장하는 사람들은 당시 보천교 교도의 실제 숫자를 50만 명, 150만 명, 200만 명 등으로 다양하게 추정한다. 사실 이 추정치 역시 적은 것이 아니다. 그러나 한 가지 아쉬운 점이 있다면, 그런 추정치 계산의 근거가 확실치 않다는 점이다.

동서고금을 불문하고 정확한 종교인구 수를 확인한다는 것은 불가능에 가깝다. 심지어 그 숫자를 추정하는 것조차 어려운 것이 현실이다. 그렇다고 이를 허구적인 상징이라 치부하는 것은 옳지 못하다. 필자는 '600만 명'을 실제적 숫자로 보고 이를 적극적으로 해석해야 된다는 입장이다. 다만 이러한 숫자를 고려할 때, 몇 가지 사실을 염두에 둘 필요가 있다고 본다.

먼저 600만 명이라는 기록이 어디에서 제시되고 있는가를 살펴

봐야 한다. 물론 교단 내의 기록(『보천교연혁사』, 『도훈』, 『보광』 등)에서 그러한 주장이 강한 것은 사실이다. 1925년 보천교의 남·북선南北鮮 대회에서도 '우리 600만 교인'이라는 표현이 단골로 등장했다. 그러나 식민권력의 보고서에서도 찾아보기가 어려운 것은 아니다. 한 예로, 전라북도 경찰부에서 비밀리에 작성한 보고서인 『보천교일반』은 보천교가 '교의와 내부조직 등을 정비하고 포교에 노력한 결과 일시 교도 600만이라 호언할 정도의 세력勢力'을 지닌 교단으로 성장했다고 기록했고, 『양촌 및 외인사정 일람』에서도 '전북 정읍군 입암면의 차월곡이 대통大統을 전수받아 일의포교—意布敎에 노력하고 교무를 분장하여 24인의 임직을 두고 기미년 10월에는 다시 60방위제를 정해 금일에 이르러서는 교도 600만이라 칭하기에 이르렀다'고 하였다.

당시 언론들도 '보천교 교도 600만 명'으로 대수롭지 않게 기록하고 있었다(예. 신한민보 1927.6.23.). 뿐만 아니라, 1920년대 미국 총영사관의 밀러가 국무장관에게 보낸 정보보고서에도 동일한 숫자가 기록되었다. 물론 이는 "It is said to number more 6,000,000 members."라 하여 간접 인용으로 되어 있다. 당연히 일제 식민권력으로부터 정보를 수집한 것이다. 교단 기록은 그렇다 하더라도, 식민권력의 보고서들이 줄줄이 '600만 명'으로 기록한 것이다. 보통이라면 숫자를 축소해 기록하는 것이 상식적인 관례임은 주지의 사실이다. 이를 어찌 해석해야 될까?

다음으로 '600만 명'이라는 숫자가 근거를 갖고 추계推計된 수數라는 사실도 유의할 필요가 있다. 곧 당시 보천교의 60방주 조직은 간부가 557,700명으로 구성되었다. 교주 차월곡을 정점으로 그 밑에 육임-십이임-팔임-십오임을 두고 있었기 때문에, 이들 간부들을 모두 합하면 이 정도의 수가 되는 것이다. 이 간부들이 각 10명 정도를 포교했다고 한다면 보천교의 전체 교인 수가 600만 명에 근접한다. 실제로 보천교에서 팔임이 되기 위해서는 40명을 모집해야만 했었고, 간부는 100명을 포교해야만 직책이 주어졌다고도 했다. 이렇게 본다면, 600만 명은 그저 수가 많다는 상징적인 숫자로 보기가 어려울 것이다.

참고로 당시 경북경찰부가 발간한 『고등경찰요사』(1934.3.25)의 교세 현황을 보면, 경북도내 종교인 중 47% 정도가 보천교인이었고, 70% 정도가 증산계(보천교+무극대도교)였다. '주요 요주의 유사 단체'로서 보천교는 성금액수도 매우 많았던 것으로 추정되고, '상당한 교세를 지니고 있다'고 하였다.

그래도 여전히 '600만 명'이라는 숫자에 의혹을 떨치기가 어려울 수 있다. 그렇다면 마지막으로 다음과 같은 사실을 함께 고려하면 좋을 듯하다.

먼저 당시 민중들은 동학(천도교)이나 불교 등을 보천교와 분리하여 생각하지 않았다는 점이다. 실제로 보천교의 주문에는 동학 주문인 시천주주侍天主呪 등이 들어있고, 당시 천도교인들도 '천도교도가 되면 장래 조선독립에 즈음하여 물질적 이익을 얻는다'고 믿어 입교한 자들이 있었다. 민중들은 천도교인지 동학인지 보천교인지가 중요하지 않았다. 이는 불교나 타 종교도 마찬가지였다. 김형렬이 위봉사에서 활동했던 경우처럼 보천교도와 불교도가 구분되지 않았고, 심지어 기독교인이면서 보천교 활동을 한 경우도 찾아볼 수 있다.

이는 다음 사실과도 연결된다. 곧 일제강점기에 '소속'만을 기준으로 종교인구를 추계할 수는 없다는 점이다. 사람들이 어느 '한 종교만을 신앙'해야 되고, 더욱이 '하나의 종교교단에만 소속되어야 한다'는 생각은 지극히 서구적인 시선일 뿐이다. 민중들은 어떤 종교단체에 소속되어 있지 않더라도 그것이 방향을 찾아 헤메는 자신에게 심리적 위안을 주고 민족독립에의 열망을 준다면 그것으로 만족했던 것이다. 그래서 몰려들었던 것이다. 이는 종교사회학에서 '소속되지 않은 믿음'Believing without Belonging이라는 테제로 설명한다. 더욱이 민족종교들의 포교는 대부분 개인적 연결관계인 연원제에 바탕을 두고 이루어진다. 그렇다면 600만 명도 충분히 가능한 숫자가 아닐까.

무라야마 지쥰의 『조선의 유사종교』에 들어 있는 '천도교와 보천교 분포도'

'자칭·타칭 600만 교도', 그게 만약 기독교나 불교라도 그렇게 쉽게 의심하고 부정할 수 있었을까? 소위 '보천교는 유사종교'이기 때문에, 그래서 600만이라는 숫자는 설마 아닐 것이라는 선입견이 들어있지는 않았을까? 조심스럽게 자문해 본다. 보다 적극적이고 열린 시선이 필요한 때이다.

5 보천교 교기敎旗와 교종敎鐘 그리고 교당

깃발에 담긴 종교성

1921년 9월, 월곡 차경석은 그동안 뚜렷한 명칭이 없이 활동해왔던 교단의 명칭을 '보화교普化敎'라 정하여 경남 황석산에서 하늘에 알리는[고告] 천제天祭를 올렸다. 몇 달 뒤인 이듬해 초에는 관청에 단체등록을 하면서 하나의 단체로서 구비해야 될 조건들을 갖추어 나갔다. 주지하다시피 이때 대표자로 나선 이상호가 공개한 교명은 '보화교'가 아닌 '보천교'였다. 그리고 1922년 2월 1일에 서울 창신동에 처음으로 '보천교 진정원普天敎眞正院' 간판을 내걸고 공연포교로 나서게 된다.

이와 동시에 교단을 상징하는 깃발도 제조하여 기념 및 치성일에 게양하기 시작했고, 또 같은 달에 정읍 접지리 본소本所에 성전건축도 시작했다. 교기敎旗는 해당 단체의 모든 것을 추상하여 드러내는 중요한 표식이다. 더욱이 종교단체의 깃발은 단순히 자신의 단체를 알리는 의미를 넘어서 교리와 연결된 상징을 넣어 종교성을 충분히 드

보천교 정화사에 있는 산앙문. 정자井字 문양이 그려져 있다.

러내는 것이 일반적이다.

보천교의 교기, 곧 '정자홍기井字紅旗'도 문자와 색상에 풍부한 종교성을 담고 있다. 보천교의 교기에는 '우물 정井' 자字가 새겨졌다. '정井'이란 문자는 보천교를 종교적으로 잘 드러내주는 상징이었다. '정' 자가 지닌 의미를 몇 가지 살펴보면 다음과 같다. 먼저 ①'정井'은 수원水源을 의미한다. 물은 만물을 생성生成하고 자육慈育한다. 우물은 그러한 물을 가두어 널리 그리고 적재적소에 사용할 수 있게끔 저장한 곳이다. 평소에도 사람들에게 갈증을 해소시키고 가뭄시에도 마르지 않는 우물은 뭇 생명을 살리는 기능을 한다. 곧 널리 생명을 살리는 수기水氣가 응축된 곳이다. 이는 최고신 상제上帝의 덕화德化가 널리[보普] 중생에 미쳐 이루어짐을 표상表象한다. 황석산 고천제에서 내걸었던 교명인 '보화普化'를 상징했던 것이다. 고천제 때 설치한 9층 제단의 상층부에도 하늘을 향해 삼실로 만든 줄[마승麻繩]을 종횡하여 '정' 자로 얽혀져 있었다.

그리고 ②'정井'은 정읍井邑을 상징하기도 했다. 당연히 정읍은 보천교 본소가 자리한 대흥리를 포함한 지역이다. 예로부터 정읍은 정주井州, 정촌井村으로 불려졌고 아직도 정井 자 우물로 '큰 새암'이 남아있다. 풍수지리설에 의하면 '새암 바다井海'가 있는 정해마을의 지형이 배[선船]의 형국이고, 도선국사는 주변의 삼성산을 키로 보고 이곳이 민족의 기운을 좌우하는 터로 보았다고도 한다. ③또 정井은 보천교가 내건 정전법井田法을 뜻하기도 했다. 정전법은 네모난[정방형正方形] 토지를 우물 정井 자 모양으로 균등하게 분배하여 경작토록 하는 이상적인 토지제도이다. 이로 인해 보천교가 겪은 해프닝도 있었다. '정井'이 '공共'의 모양으로 바뀌어 당시 한창 논란이 되었던 사회주의와 연결됨으로써 곤욕을 치르기도 했던 것이다. ④마지막으로 이러한 교기에 대해, 당시 식민권력의 보고서인 『보천교일반』(1926)에는 무엇을 의미하는지 판단하기 어려운 내용이 담겨 있다고 기록했다. 곧 "교도教徒의 말을 종합해 보면 '인공회령동사주합국因公回令同舍周合國'을 뜻한다"고 하였다. 이는 정확히 해석하기가 어렵다. 다만 나름대로 보천교 교리를 참조해 풀어 본다면 "천지공사天地公事에 따라 명령을 돌려 함께 살며 두루 힘을 합해 국가[시국時國]를 만들자"라는 뜻 정도가 아닐까 한다. 천지공사는 삼계대권을 주재하여 대병大病이 든 천하를 개벽하고 후천선경을 건설하려는 설계도이자 청사진이고, 시국은 보천교가 이루고자 했던 새로운 나라의 명칭이었다.

그리고 이러한 보천교 교기를 구성한 색상의 배열에도 깊은 의미가 담겨 있다. 교기는 '붉은 색(적색) 바탕에 정井 자가 황색'으로 된

정읍 대흥리에 세워진 보천교 본소의 전경

정자홍기의 모습이었다. 그러나 이러한 교기에 대해서는 많은 사람들이 잘못 알고 있는 경우가 대부분이다. 다름 아닌 '황색 바탕에 정井 자가 적색'으로 알고 있는 경우가 많은 것이다. 심지어 당시 기록들조차 잘못된 경우가 허다하다. 누구든 주의하지 않으면 아무런 의심없이 그런 기록에 의지할 가능성이 있기 때문이다. 정자홍기에 사용된 적색과 황색의 배열은 의미를 지니고 있다. 황색은 토土로 중앙 특히 우주의 중심을 상징한다. 붉은 색은 화火로 황색인 토土를 화생토火生土로 생생하는 관계가 되며, 이는 화를 통해 토를 드러내는 것이다. 또한 토를 생하는 화의 색상인 붉은 색은 혁명을 뜻하고 황색은 광명을 뜻하여, 개벽의 때[시時]를 맞이하여 선천 상극의 질서가 사라지고 상생의 원리에 기반한 밝은 후천세계의 열림을 의미하기도 한다. 그래서 보천교의 『교전』을 보면, '교기도教旗圖'에 "수화금목水火金木 대시이성待時以成 수생어화水生於火 고천하무상극지리故天下無相克之理"라 적혀 있다.

본소와 십일전十一殿

보천교는 교기를 제정한 이 달(1922. 2)에 본소 건축도 시작하였다. 물론 전라북도 정읍의 접지리(대흥리)에 이때 건축된 성전 등 본소는 협소하여 1924년에는 재건축을 계획하게 된다. 1924년 10월 7일, 제5차 강선회綱宣會가 열렸다. 보천교는 교의회教議會를 두었는데, 이러한 교의회는 강선회와 보평회普評會로 나뉘어졌다. 강선회는 방주方主, 정리正理, 정령正領, 선화사宣化師 등 간부들이 망라된 조직이며, 보통 상·하원과 같은 구분에서 상원과 같은 역할을 했다. 여기에 참석한 보천교의 주요 간부들이 협의한 결과, 각 방주가

3천 엔円 씩을 내서 교당을 새롭게 건축하는 방안이 결정되었다. 이에 따라, 같은 해 11월부터 설계를 마치고 공사에 착수하려 했다. 그러나 연이어 규모가 확대·변경되면서 기공이 계속 미루어졌다.

그러다 1925년 1월에 정읍 접지리의 주변 논 38마지기 등을 매입하여 총 공사비 60만 엔을 계상計上하여 공사에 착수했다. 그러나 최종적으로 실제 소요된 공사비는 100만원 이상이었다.(일제강점기에 원과 엔은 동일 화폐단위로 사용되었다) 심지어 〈매일신보〉는 소요된 금액이 150여 만원이라고도 했다. 1920년 무렵, 조선의 3대 건축물 중 하나였던 천도교 대교당과 중앙총부의 건설비가 27만원이었고, 1925년 서울 남산의 약 13만 평에 15개 건물로 들어선 조선신궁의 총 경비가 156만원이었다. 이에 못지 않은 보천교 본소가 정읍에 들어선 것이다. 뿐만 아니라 공사에는 신의주와 만주 등지에서 재목材木을 들여왔고, 경성 등지에서 벽돌과 트럭 등 다수의 공

보천교 성전聖殿인 십일전十一殿(자료 『한국신흥종교총람』)

사 차량과, 목수 150명, 토공 인부 600명, 석공(대부분 중국인) 약 30명과 통역사 등 수많은 인적·물적 자재資材들이 동원된 대공사였다.

이 공사의 진척과정에는 우여곡절이 많았지만, 결국 1929년 완성을 보게 된다. 부지 총평수 2만평에 성전인 십일전十一殿을 위시한 45개 동의 대규모 본소가 완성된 것이다. 당시 『정읍군지』(1936)는 십일전에 대해 이렇게 기록하였다. "중앙에 위치한 최대 건물이 십일전으로 그 의미는 십무극[지地] 일태극[천지]을 응한 것이라 하며, 한편으로는 오행 중 중앙 토土를 응하여 교주가 토방주에 당하였음이라고도 한다. 건평이 136평, 높이가 87척이고 총 공사비가 50만원으로 5년의 시일이 걸렸다[1]. 목조건물로는 그 웅장함과 정교함이 조선내 최대이며 건물내에는 소위 제탑祭塔을 설치했고 주위에는 용두용신을 조각하여 금으로 도색하였으며 높이가 30여 척, 주위가 80여 척이며 27, 8개의 층계가 있었고, 최고 높은 자리의 뒷면에는 상부는 하늘[천지]을 의미하여 일·월·성신[북두칠성], 하부에는 땅[지地]을 의미하여 방장·입암·내장산을 그렸으니 이것은 곧 천지 일·월·성신 삼광영 그림 일폭一幅이라 칭한다. 실로 조각의 정교함과 장치의 찬란함이 보는 자의 눈을 현혹하여 망연자실케 한다."

그리고 십일전 액額에는 "십은 무극이오 일은 태극이라. 천지음양이 나오는 곳이므로 그 불측은 신이라. 삼영을 높이 들어 공경하고 신앙을 심어줌이라(십무극일태극즉천지음양소자출이기불측신야十無極一太極卽天地陰陽所自出而其不測神也 게건삼영지수신앙揭虔三影指樹信仰)"고 적혀 있었다. 김재영(2012)은 음의 마침 수 10, 양의 시작 수 1로 음양과 종시終始를 뜻하며 음양이 순환하여 천지만물을 생성하는 조

---

1 김재영(2012)은 부지 3천 평에 건평 350평, 대들보의 길이 14.4m, 높이가 6m라 했다.

화의 본체로서 태극을 뜻한다고 해석했다. 십일전은 태극전이라는 뜻도 갖는다. 때문에 1928년에 준공하고 1929년 3월 15일 천지신명 봉안식을 거행하려다가 '태극전'이란 명칭 때문에 경찰 당국으로부터 금지되는 수난도 당했다.

건축 당시에 십일전 등에 쓰일 큰 나무가 필요했으나 국내서는 찾을 수 없었다. 따라서 보천교에서 러시아아령과 만주방면으로 수소문했고, 결국 대들보로 쓰일 목재를 만주의 양증산養甑山에서 구해 운반해 왔다. 이 때 매 나무에 1,600원의 비용(가격 합산)이 들어갔다. 본소에는 성전인 십일전 외에 부속건물로 정화당井華堂, 팔정헌八正軒, 육화헌六和軒, 삼진헌三進軒, 태화헌泰和軒, 수정사修整司, 기제실旣濟室, 근성사謹省舍, 동락재同樂齋, 공수실供需室 등 총 45동의 건축물이 세워졌다. 또 주위에는 삼장三丈 정도의 석축담장이 본소 전체를 둘러싸고 있었다. 그리고 문으로는 보화문普化門(돌기둥으로 지어진 2층 문으로 북쪽에 있고, 정문임), 대흥문(동), 영생문, 대화문(남), 평성문(서) 등 바깥문[외문外門]과, 내부에 삼광문三光門, 승평문, 함평문, 중화문이 있고, 그리고 총령원, 총정원, 총의원 등이 있었다.

세상을 깨우치는 종소리

보화문 밖 양측에는 휴게소가 있고, 그 북쪽에는 종각鐘閣이 있었다. 종각에 놓인 보천교의 교종敎鍾은 1925년 3월 15일에 주조되었다. "그(종) 거대함은 경주 에밀레종이나 서울 종로의 보신각 종보다 뛰어나다. 원근 지방에서 관람하러 오는 사람들이 끊이질 않았다"고 놀라움을 표현했던 큰 종이었다. 이러한 교종에 대한 계획은 본소 신축보다 앞서 계획되었다. 1924년 2월 8일 개최된 중앙본소 강선회綱宣會에서는, 중앙본소에 대형 교종을 주조하기 위해 '교도 한 명 당 성의誠意로 숟가락 1개씩을 수집할 것'이 결정되었다. 1925년 1월 23일, 인부 60명을 고용해 조선식 주조 방법으로 숟가락 일만 천여 근斤에 동銅 3천근을 더해, 합계 일만 4천근을 4개의 용광로에 넣어서 용해하여 종을 만들었다.

그러나 이 교종에 새겨진[명기銘記] 문장 가운데 '대통대명大統大命' 등의 문자가 문제가 됐다. 그래서 이를 삭제한 다음에 다시 제2차로 종 만들기[주종鑄鐘]에 착수했다. 인부 64명이 놋쇠[진유眞鍮] 1만 6천 775근[숟가락 약 18만개, 식기, 세숫대야, 기타 약 40근], 청동靑銅 825근 등을 틀에 부어 종을 완성했다. 그 결과 마침내 무게가 1만 8천근, 주위의 직경이 8척, 높이가 12척이나 되는 큰 종이 완성된 것이다. 이 종은 세상을 깨우치는 종이라는 뜻에서 각세종覺世鐘이라 했다. 인부 삯까지 포함하여 종을 주조하는데 약 5,760엔이 들었다. 사람들은 이 것이야 말로 보천교가 장래 동양의 대종교大宗敎가 될 징조라고 기뻐했다. 그리고 1925년 6월 20일부터 이 종에 필요한 종각 건축이 착수되어 7월 5일에 상량식上棟式을 거행했다. 이 종각을 동정각動靜閣이라 했다. 마치 서울에 있는 종각과 그 주변거리를 이곳으로 옮겨놓은 듯했다. 높은 누각에서 대종은 매일 새벽, 정오, 저녁에 3번, 매 번마다 72번씩 쳐 울리며 장관을 연출했던 것이다.

그러나 이렇게 만들어진 교종이나 보천교 본소 건물들은 보천교의 운명에 따라 참담한 최후를 맞았다. 1936년 차월곡이 사망하자, 보천교 해산령이 내리고 본소 건축물들은 경매처분을 당하여 대부분이 뜯겨 도처로 팔려나가 흔적도 없이 사라지고 말았다. 보천교 건물들은 1937년 일제에 의해 강제 경매되었다. 정읍경찰서의 경매방침이 있자, 군내 유지들이 안타까움을 금치 못하여 합자 매수하여 병원 혹은 학교설립을 도모했다. 그러나 일제는 '보천교 신건축을 경매 훼철하려는 것은 보천교의 심리를 근본적으로 박멸할 방침인즉 철거하지 아니할 자는 백만 원을 입찰하더라도 줄 수 없다'(『보천교연혁사』)고 하여 단념했다. 십일전은 처음 1천원으로 경매대금을 책정했으나 팔리지 않자 5백원으로 조정되었다. 결국 이를 매입한 조계사 쪽에서는 12,000원이 들어갔다. 이렇듯 십일전은 각황사 대법당(태고사→현재 조계사), 보화문은 내장사 대웅전으로, 그리고 팔정헌과 청와 건축물인 정화당도 매입되어 흩어졌다. 각세종과 동정각도 4천원에 처분되어 버렸다. 그리고는 허무하게 산소용접기로 산산 조각내어 트럭 5대에 싣고 사라져 버렸던 것이다.

6 보천교의 치밀한 조직

60방주제

보천교 조직에 대해서는 알려진 것이 거의 없다. 혹여 안다 해도 '60방주제' 정도가 보통이다. 그저 '유사종교'라 하니 의당 보천교 조직도 구체적인 것이 없고 그냥 되는대로, 교주의 마음대로 그때 그때 운영되었다고 믿는 사람들이 많을 것이다. 그러나 전혀 그렇지 않다. 보천교의 조직 구성을 들여다보면 볼수록 놀라움을 금치 못한다. 보천교처럼 합리적인 종교 조직체를 구성했던 단체도 드물 것이다. 이를 다 보고 난 뒤 보천교를 평할 수 있었으면 하는 바램이다.

혹자는 보천교가 조선총독부에 교단을 공개하면서(1922. 1.) 근대적 종교조직체로 되었다고 주장하기도 한다. 그러나 이는 옳지 않다. 보천교 조직은 1916년부터 만들어지기 시작했다. 그것이 방주제方主制였다. 방주제는 보천교의 전형적인 포교조직으로, 일종의 지역 성격인 각 방方의 포교를 책임지도록 임명된 방주(간부)들을 중심으로 구성된 포교조직이다. 방方은 4행四行, 4방四方, 4계四季, 24방위, 24절후를 총망라한 방위를 뜻하였다. 따라서 이 모든 방위에 물샐틈 없이 짜여진 조직체를 뜻했고 모든 지역을 망라하여 치밀하게 포교할 수 있는 조직을 뜻했다. 이러한 방方은 공간뿐만 아니라 시간도 의미했으며, 60방주는 시·공의 주재를 의미했다. 교주(차월곡)가 위치한 토土의 자리는 시간적으로 춘하추동을 변화시키는 힘이며, 공간적으로 동서남북의 중앙으로 주재자를 상징하였다.

그리고 3·1민족독립운동 이후인 1919년 말에 들어서면서, 이러한 방주제는 어느 정도 완성을 보기에 이르렀고, 그 이후에도 계속 수정·보완되었던 것이다. 자칭·타칭 600만 교도의 단체에 걸맞게 이루어진 조직이었다. 그리고 보천교 조직은 구성 원리적으로도 구색을 반듯하게 갖추고 있었다.

1916년, 차월곡은 사방에서 조여들어오는 식민권력의 압박을 피해 은피의 길에 올랐다. 동학을 창도한 최수운과 해월 최시형이 그러했던 것처럼, 당시 정치권력은 새로운 종교권력의 탄생과 강성해짐을 원치 않았다. 더욱이 이때는 일제가 강점한 직후라 식민권력의 감시가 강화된 시기였다. 그런 와중에도 차월곡은 교주로서의 역할수행을 위해 교인을 효율적으로 통할統轄할 24방주라는 보천교 간부 조직체를 만들었다. 24방주제는 24절기에서 가져온 것이었다. 그리고 3년 뒤인 1919년 음력 9월, 차월곡은 경남 함양군 대황산大篁山 기슭에서 고천제告天祭를 올리고 포교조직인 24방주제를 60방주제로 확대 개편했다. 이 때 보천교 조직의 근간인 60방주 간부조직이 마련된 것이다. 이 시기는 3·1민족독립운동 직후 아직도 여기저기서 만세운동이 일어나던 때였다. 이러한 민족의 열망을 수람하여 조직을 확대 개편할 필요가 있었던 것이다.

이러한 60방주제는 이듬해인 1920년 말에 이르러 완성되었다. 60방주는 금·목·수·화의 4방주, 동·서·남·북의 4방주, 춘·하·추·동의 4방주, 그리고 24방위에 따른 24포주胞主와 24절후에 따른 24운주運主로 구성되었다. 곧 토土방주인 교주 차월곡을 중심으로

60방주가 금방金方·목방木方·수방水方·화방火方으로 각각 15방주씩 고르게 배열된 것이다. 그리고 60방주 각 한 명 아래에는 대리 1명과 육임六任으로 여섯 명을 두었고, 육임 각 한 명 아래에 십이임十二任으로 12명을 두었다. 십이임 각 한 명 아래에는 또 팔임八任으로 8명을 두는 조직을 구성했다. 그리고 팔임은 40명을 모집한 사람이 맡게 했고, 또 그 40명 가운데서 십오임十五任으로 15명을 두었다. 이를 그림으로 보여주면 다음과 같다.

이렇게 구성된 보천교 조직은 십오임 이상 간부의 수를 합하면 모두 557,700명에 달했던 것이다. 뿐만 아니라 1923년 12월 23일 동지冬至 치성제致誠祭에서는 교주 부인(박씨)도 중요 간부들과 협의하여 남성들의 60방주제에 준하는 조직을 만들기로 하였다. 동·서·남·북의 여방주를 중요간부로 삼아, 그 밑에 각 6명의 방주를 두고, 다른 일반 남성 방주제를 따라 하기로 했다(육임, 십이임, 팔임 등). 점차 이를 발전시켜 60방위제를 완성할 예정으로 노력했다.

그리고 조직을 체계화시켜 나갔다. 방주 중에 금·목·수·화방주는 교정敎正, 동·서·남·북·춘·하·추·동방주에게는 교령敎領의 휘직을 수여하고 그에 상응하는 우대를 했다. 또 그 외의 교인 중에서도 근무에 성실하고 훈공·노력勳勞하는 사람에게는 등별에 의해 휘직을 수여했다. 위계서열도 정해 방주→육임→십이임→팔임→십오임→정령正領→선화사宣化師의 순으로 만들었다. 그리고 나중에는 보천교 청년회 조직도 별도로 만들었다. 이렇게 내부조직을 정하고 열심히 포교에 힘쓴 결과, 한 때는 교도 6백만이라 불렸으며, 그의 잠재력은 참으로 경시할 수 없을 정도였다.

교무기관과 교의회

다음으로 60방주를 포함한 보천교의 교무기관도 구체적으로 조직하였다. 이를 살펴보면, 보천교는 중앙본소와 사정방위, 진정원 및 참정원을 두고 교무를 집행했다. 주지하다시피 본소는 정읍군井邑郡 입암면笠岩面 접지리接芝里 705번지에 두었다. 그리고 본소에는 총정원総正院과 총령원総領院을 두고, 총정원에는 사정방위四正方位, 총령원에는 진정원眞正院 및 참정원參正院, 그리고 진정원 밑에는 정교부正教部를 두었다.

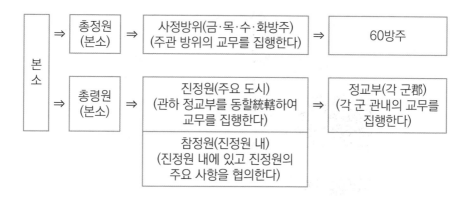

주요 도시에 설치된 진정원은 총령원의 지휘를 받아 해당 관내 정교부를 통할해 교무를 집행했고 참정원은 진정원의 중요한 사항을 협찬했다. 그리고 각 군郡에 설치된 정교부는 진정원의 지휘를 받아 교무를 집행해 나갔다. 이렇게 해서 보천교 조직은 중앙 본소로부터

정읍 보천교 본소자리에 남아있는 총정원의 흔적

정읍 보천교 본소자리에 남아있는 총정원의 흔적.
옆에는 '천' 자가 쓰여 있다.

각 지방조직까지 거미줄망처럼 치밀하게 구성되었던 것이다.

그런데 더욱 놀랄만한 것은 의결기관인 교의회 조직을 둔 점이다. 교의회는 강선회綱宣會와 보평회普評會의 2종류로 이루어졌다. 소위 양원제로 조직했던 것이다. 강선회는 방주方主, 정리正理, 정령正領, 선화사宣化師로 조직되며, 보평회는 사정방위四正方位에서 각각 공선公選된 평사원評事員 4명과 육임으로부터 공선된 평사원 60명, 십이임으로부터 공선된 평사원 60명 그리고 각 진정원으로부터 공선된 평사원 12명으로 조직되었다. 보천교의 모든 교무는 교의회의 통과를 필요로 했다. 현대사회의 의결기관인 국회와 동일한 기능을 하고 있었다. 교헌 및 교의회의 규정 외에 각 내부 정리에 필요한 규정을 제정하거나, 교주가 교직원을 임면할 때도 교의회의 협의를 통해야 했고, 교인들도 교의회에 청원을 제출하여 중앙본소에 의견을 진술할 수 있었다. 더욱이 교의회 회원은 보천교를 위험케 하는 죄 외에는 개회 중에 책벌을 면할 수 있는 면책특권도 갖고 있었다.

교단조직과 근대성

일제강점기는 근대성과 민족성이 사회의 최우선적 존재조건으로 자리했던 시공간이다. 종교조직의 형성 역시 이러한 존재조건을 피해 나갈 수 없었다. 종교조직들도 근대성modernity을 추구했고 민족성을 중심에 두고 고민하고 있었다. 근대적인 토대를 가지고 있지 않은 종교의 경우에는 근대성의 수용에 따라 미신으로 치부되면서 사회적으로 부정적인 시선이 형성된다. 슬라보이 지젝은 저서 『죽은 신을 위하여』(2007)에서 종교의 근대성을 이렇게 규정한다. "근대성이란 종교가 더 이상 특정한 문화적 삶-형식 속에 온전히 통합되지도 않고 그러한 삶-형식과 동일시 되지도 않는 사회 질서—종교가 자율성을 획득하는 사회 질서, 따라서 하나의 종교가 여러 문화 속에서 명맥을 유지할 수 있는 사회 질서—를 말한다. 이렇듯 종교가 특정한 문화적 삶-형식에서 뽑혀 나옴으로써 종교의 세계화 globalization가 가능해진다."

초창기의 종교교단은 포교자와 전도자의 인연(교연敎緣, 법연法緣이라 한다)에 의해 자연적으로 생겨난 종縱적 조직을 기반으로 한다. 여기에는 포교자와 전도자와의 상호간에 깊은 감정적 유대가 형성되어 있다. 반면 지역적으로 확대되면, 정보전달 및 공동행동의 불편이 생겨 비능률적인 경우를 초래하기도 한다. 그래서 일정한 규모로 발전한 종교교단의 경우에는 일정 시점 이후가 되면 교단의 기본조직을 횡橫적인 그룹형태로 전환되기 시작한다. 횡적 조직은 종적 조직과는 달리 최단(가장 가까운) 원칙에 의해 조직되고 정보전달 및 공동행동에는 편리한 조직이다. 그렇지만 성원 상호간의 정서적인 결합이 약할 수 있다는 것이 약점이다. 이러한 횡선 조직은 인사, 재정, 기획, 활동 등 각 차원에 있어 교단중앙으로 일원화되어 있다. 이러한 일원화는 효율성을 가져 종교교단의 발전을 가능케 하는 요인이 된다.

그러나 대부분의 종교가 형성 초기부터 합리적인 조직형성을 갖지 못하며 상당한 시일과 다수의 교도를 확보한 뒤에서 그런 요청을 받는다. 그러나 보천교는 포교를 시작한지 얼마 되지 않아 그러한 요청을 받았다. 이는 순수히 종교의 근대성이라는 차원의 요청이 아니다. 식민지 치하에서 근대성은 합리성rationality이라는 미명 아래 하나의 보편적 억압의 체계를 만들었고 합리성 뒤에 숨어 있는 논리는 결국 지배와 억압의 논리였던 것이다. 근대성은 과거와 전통에 대한 존중보다는 전근대적인 사회질서의 포기를 의미한다. 그러므로 근대성은 이전까지 진행되어 오던 역사적인 여건과 상황들과의 분명한 단절 뿐만이 아니라 내부적으로 끊임없이 파열되고 분절될 수밖에 없는 창조적 파괴creative destruction 과정을 이끈다. 강점된 식민지 사회는 근대성의 본질은 내버려진 채 '모던'적 허위의식만이 횡행했던 '왜곡된 근대'의 상태였다.

이제 막 강점된 상태에서 민족모순은 당시의 모든 사회단체에 가장 시급한 존재조건이었던 것이다. 보천교의 입장에서도 근대성보다는 민족성이 더 필요했다. 소위 비밀포교 조직은 민족성을 확보하는 데는 유용한 시스템이었다. 그러나 1920년대 초반 다수의 교도를 확보하면서 식민권력의 회유에 의한 교단 등록과 공연포교는 민족성을 약화시킬 조직의 근대화를 지향할 수밖에 없었다. 60방주 포교조직과 교무기관 그리고 의결기관인 교의회를 조직하면서 신뢰성을 높이려 노력하고 있었다.

조선의 민중들은 서구문물의 유입과 동학혁명의 발발 등으로 '근대'를 엿보았으나 탐욕스런 일제 강점에 의해 아직 근대국가의 맛도 보지 못한 상태였다. 그런 와중에 보천교가 보여준 근대적이고 민주적인 조직체는 식민지 조선민중들의 마음을 설레게 하기에 충분했다. 그것도 종교조직체에서 말이다. 물론 이전에도 동학을 통해 민주·인권·평등 등의 이념들을 접했던 경험은 있었다. 보천교는 민중들에게 그런 희망을 다시 제공했고 직접 추진하고 있었던 것이다.

7 보천교와 물산장려

실력양성운동의 대두

보천교는 1916년 말에 들어서야 첫 교단조직인 24방주제를 마련하며 종교교단으로서의 체제를 갖추어 나가기 시작했다. 그러나 드러내놓고 포교활동을 할 수 없었기 때문에 차월곡은 식민당국의 눈을 피해 다니며 비밀포교에 전념할 수밖에 없었다. 그러던 중 발생한 3·1민족독립운동은 보천교에도 큰 영향을 미쳤다. 3·1운동에 교단 차원의 적극적 참여를 표방하지는 않았지만, 3·1운동의 열기가 파도처럼 한차례 지나가면서 그 여파는 보천교 교단의 성장에도 큰 영향을 미쳤던 것이다. 곧 보천교에 사람(교도)들이 모여들었다. 보천교 교단은 1919년 말 60방주제로 확대 조직되었고 교도들의 수적인 증가로 교금敎金도 상당히 확보되고 있었다. 이렇듯 1920년대 초반기는 보천교의 입장에서 괄목할 만한 성장을 보여주면서 그 역량을 확보할 수 있었던 시기였다. 그런 만큼 보천교 교단으로서는 사회활동이나 민족운동에도 활발히 참여할 수 있는 여력을 확보하고 그러한 기회를 맞고 있었던 것이다.

민족운동 차원에서 본다면, 1920년부터 민족운동의 방향은 새로운 차원으로 자리잡기 시작했다. 곧 3·1운동의 실패와 그 이후 국내에서 직접적인 항일투쟁이 거의 불가능해졌다는 사실뿐만 아니라 파리강화회의나 태평양회의 등 국제회의에서의 각종 외교운동의 좌절 등은 반일 독립운동의 전략·전술에 변화를 줄 수밖에 없었다. 그런 와중에 국내에서는 일본 통치자와의 정면 충돌을 피하고 먼저 산업·교육문화 등을 향상시킬 필요가 있다는 이른바 실력양성론이 다시 고개를 들기 시작했다. 총독부 당국도 3·1운동 이후는 소위 '문화정치'를 표방하며 헌병경찰제를 보통경찰제로 전환하였다. 또 언론 통제를 완화하여 최소한의 출판의 자유를 허용하고 한글신문의 간행을 허가하면서 회유공작을 펴고 있었다. 이러한 상황에서 해방과 독립을 직접적인 투쟁으로 성취하려는 활동들은 표면상 후퇴하거나 국외로 거점을 옮겼고, 소위 계몽주의적 활동들이 서서히 전개되었던 것이다.

1920년대 초, 이러한 실력양성론을 가장 먼저 제창한 것은 〈동아일보〉였다. 〈동아일보〉는 1920년 4월 창간사에서 문화운동을 제창했다. 그리고 그 방법으로 "①조선 사람은 한 덩어리가 될 것, ②널리 세계에 눈을 떠서 문명을 수입하고 완고함을 버릴 것, ③경제의 발달을 도모하고, 교육을 확장하며, 악습을 개량할 것" 등을 주장하였다. 1920년 8월 미국 의원단의 방한 이후부터는 실력양성론이 본격적으로 제기되었다. 미국 의원단은 내한하여 "학술과 공업에 노력하여 모든 것을 향상케 하라"는 말을 남기고 떠났는데, 이후 〈동아일보〉는 "세계가 변화한다 하더라도 실력이 없으면 개인이나 민족이나 그 존재를 유지하기 어렵다"면서 실력양성론을 본격적으로 펼치기 시작했다. 이러한 실력양성에 대한 주장은 1920년 창간된 천도교 청년회의 『개벽』지에도 실려 있었다. 이돈화는 '우승열패의 세계에서 조선민족이 기사회생할 수 있는 유일한 방법은 실지운동實地運動에 착수하는 것이며, 실지운동은 실력양성운동이며 신문화건설이다. 이러한 신문화건설을 위해서는 지식열의 확장과 교육 보급, 즉 소학교 증설과 서당개량이 필요하며, 농촌개량, 전문가 양성, 사상 통일이 필요하다'고 주장하였다.

이러한 실력양성론, 신문화건설론 위에서 전국 각지에서 청년회가 만들어지고, 야학이나 강습소가 만들어졌으며, 물산장려회 같은 것도 만들어졌다. 곧 1920년대 초, 실력양성론의 핵심은 '경제적, 교육적 측면에서의 실력양성'이었다. 1922년경에 이르면서 실력양성론은 더욱 세력을 얻어 나갔다. 앞서 언급했듯이 이 무렵은 차월곡 교단도 일정 정도 세력을 확보하면서 교단의 모양새를 갖추고 사회운동에도 관심을 돌릴 수 있는 여력을 지닌 시기였다. 기존의 교단조직을 60방주제로 확대 개편한 뒤, 1921년에는 경남 황석산에서 '교명敎名 고천제告天祭'를 통해 보천교의 태동을 알렸다. 그리고 이듬해인 1922년 1월에는 처음으로 '보천교'라는 교명을 사용하여 경성의 창신동에 보천교 진정원을 개설하였다(이후 가회동으로 옮김). 보천교가 이러한 시대적, 사회적 분위기를 모를리 없는 상태였다. 어떤 형태로든 교단의 입장이 드러났을 것이다.

물산장려운동을 함께 하다

경제적 측면에서의 실력양성은 1920년대의 실력양성론 가운데 중요한 부분이다. 경제적 실력양성을 주장하는 자들은 경제적 실력이 정치적 권리의 요구에 앞서 이루어져야 한다고 주장했다. "우리 민족의 생존과 번영을 도모하려면 혹은 정치적 방면의 활로도 있을 것이오 여타 각 방면으로 우리의 힘을 조직화하는데 여러 가지의 방법이 있을 것이나 그중에도 가장 직접直接하고 긴절緊切한 정도가 즉 경제방면의 활로에 지날 것이다. … 위기에 처한 우리의 자위책으로는 다시 여러 말할 것 없이 조선사람 조선 것, 우리는 우리 것으로 살자는 방책밖에 다시 활로가 없을 것"이라고 주장했던 것이다. 이처럼 경제적 실력양성론자들은 경제문제가 '독립'의 관건이 된다고 보고 있었다.

이러한 경제적 실력양성으로 물산장려운동이 대두하게 된다. 물산장려운동은 1920년 8월 평양에서 처음 시작되었다. 평양의 조만식曺晩植 등 70명은 조선물산장려회를 발기하여 '자작자급' 운동을 실천할 것을 주장하였다. 〈동아일보〉는 1922년 초에 경제적 실력양성론으로 '자작자급운동'을 본격적으로 내걸었다. 그 내용으로는, 경제적 자립을 위해 "첫째, 조선인은 조선인 상점에서 매매買하며 조선인 상인을 통하여 매賣하고 둘째, 조선인은 조선인의 제작품製作品을 사용하며 조선인의 편익을 도모하고 셋째, 이와 같이 하여 경제적 자립을 기하되 근면하며 검소하며 저축하며 협동하고 일면으로 경제적 지식을 수득修得하는 동시에 다른 면으로는 과학적 경영방법을 채용하라"고 하였다.

평양의 조선물산장려회가 전국적 차원으로 확대된 것은 1923년에 들어서였다. 1923년 1월 조선물산장려회의 발기준비회가 구성되었고, 20일 발기총회를 가져 25일에는 조선물산장려회의 창립대회가 서울의 조선청년회연합회 건물에서 열렸다. 여기서 조선물산장려회는 "조선 사람의 물산을 장려하기 위하여 조선물산장려회를 조직하고, 첫째 조선 사람은 조선 사람이 지은 것을 사서 쓰고, 둘째 조선 사람은 단결하여 그 쓰는 물건을 스스로 제작하여 공급하기를 목적 하노라. 이와 같은 노력이 없이 어찌 조선 사람이 그 생

평양에서 물산장려운동을 시작했던 고당 조만식 선생(위)과 비문(아래)

활을 유지하고 그 사회를 발전할 수가 있으리오"라고 그 취지를 알렸다. 그리고 회會의 목적을 달성하기 위한 세칙 2조에서는 산업장려産業獎勵, 애용장려愛用獎勵, 경제적 지도指導를 그 구체적 방안으로 제시하였다. 그리고 물산장려회는 제1기 실행조건을 정했는데, 의복은 남자가 두루마리周衣, 여자는 치마를 음력 정월 1일부터 조선인 산품 또는 가공품을 염색하여 착용할 것, 음식물은 식염·설탕·과일·청량음료를 제외하고는 모두 조선 물산을 사용할 것, 일용품은 조선인 제품으로 대용하는 것이 가능한 것은 이를 사용할 것 등이었다. 즉 제1기의 운동 방침은 토산애용의 보급에 중점을 둔 것이었다.

그러면 당시 보천교 교단은 물산장려운동에 어떤 형태로 참여하고 있었을까?

1923년 2월의 〈조선일보〉와 〈동아일보〉 기사를 보면, '보천교 교단도 자작회自作會를 만들어 음력 1월 1일(양력 2월 16일)부터 물산장려운동에 참가'하기로 했다.

보천교에서는 계해년(1923) 음력 정월 1일부터 자작자급을 하기로 결의하야 만장일치로 가결된 바 순 조선산朝鮮産으로 의복제도를 개량하며 일상생활에 대한 일용품도 가급적 조선산만 사용하기로 각 지방에 통지하고 모범模範하기 위하야 정읍 중앙본소에서 제1보로 실시에 취就하얏다더라.(〈조선일보〉 1923. 2. 6.)

보천교에서도 오는 음력 정월 초하루부터 물산장려를 실시하기로 결정하였다더라.(〈동아일보〉 1923. 2. 13.)

보천교는 정읍 본소를 위시한 교단적인 차원에서 자작회를 만들어 물산장려운동에 직접 참여한 것이다. 조선물산장려회에서 음력 정월 초하루부터 조선산 의복 등을 착용하기로 결의했던 것처럼, 보천교 교단 차원에서도 물산장려운동을 실행하여 의복과 일용품 등을 조선산 제품만 사용하기로 결의하고, 정읍의 본소가 먼저 모범적으로 실천하고 있었다. 또한 이러한 자작자급운동을 실시할 것을 각 지방의 진정원으로 통보하였다. 이에 따라 경성진정원 뿐만 아니라 지방에 설치된 보천교의 지방조직들이 물산장려운동에 동참하여 토산장려를 실행하고, 또 이를 시행하기 위한 산업기관을 설치하고 있었다.

　충남 홍성의 보천교도들이 본소와 마찬가지로 음력 정월 초하루부터 "토산土産을 장려하기 위하여 의복·음식을 음력 정월 1일부터 조선산朝鮮産으로 실행하기로" 결의했다. 또 평양의 평남진정원에서도 1923년 12월에 자급자족과 산업장려기관인 보광사普光社를 설립하기로 결의하고 기금모집을 시작했고, 제주도의 서귀포에서도 서귀西歸보광사를 조직하여 '조선물산을 장려하며 생활상 직접 필요한 조선물화朝鮮物貨로부터 점차 공동구매 또는 생산제조를 할 것'을 내걸고 있었다. 물산장려운동의 추진조직에 관련된 보천교의 신지식인들이 몰려 있었던 경성진정원의 참여는 말할 것도 없었다.

　사실 보천교 경성진정원에 소속된 몇몇 인사들은 1920년대 조선물산장려운동의 추진조직에 처음부터 참여하여 주도적인 활동을 전개하고 있었다. 조선물산장려회 발기준비회와 이사회에는 이득년李得年과 고용환高龍煥, 임경호林敬鎬, 주익朱翼 등 보천교 신도들이 참여하고 있었고, 설태희와 김철수, 이순탁은 보천교와 직·간접적으로 긴밀한 관계를 유지하고 있던 자들로 알려져 있다. 고용환은 보천교 경성진정원(원장 이종익)에 소속된 교도로 총령원 수호사장修好司長이었으며, 이득년은 1924년 7월 〈시대일보時代日報〉를 인수하기 위하여 임경호와 함께 보천교 측 대표로 파견되어 이사로 활동하였던 자였다. 또 임경호는 보천교의 충남진정원장이며 보천교의 수위 간부였고, 주익은 경성진정원에 소속된 교도로, 실력양성을 표방하면서 물산장려회 이사로 참여했다. 이 외에도 물산장려회 회원으로 참여한 자 중에는 1923년 보천교 경성진정원장이었던 이종익과 경성진정원 소속 김유경金有經 등이 들어 있었다.

또 조선민우회와 물산장려회 회원으로 참여했던 임규林圭도 있었는데, 그는 동경의 경응의숙慶應義塾에 유학한 뒤 국내에 들어와 3·1운동에 참여하여 일본정부와 귀족원·중의원에 조선독립에 관한 의견서와 민족대표 33인이 서명한 통고문 등을 전달한 자였다. 이 때는 '천도교측에서는 임규'라는 기록이 있으나, 이후 보천교의 평양정교부 창립기념식에 "진정원에서 파견한 임규," 또 차월곡은 "임규 한 사람만 사 가지고 자기가 신임하는 이상호李祥昊와 함께 경성 시내에 보천교 진정원을 설립하게 하였으며"라는 기록으로 볼 때, 아마 임규는 천도교인에서 후에 보천교인으로 바뀌었던 것으로 보인다. 그의 직위는 경성진정원의 형평사장衡平司長이었다.

고용환과 임경호는 조선물산장려회의 기관지인 『산업계』의 운영에도 개입하며 사무를 맡고 있었다. 그리고 『산업계』의 인쇄는 보천교가 운영하는 보광사 인쇄부가 담당했으며, 『산업계』 창간호(1923. 12.)에는 보천교 경성진정원과 보광사의 축하광고가 각각 실려 있었다.

그러면 보천교 교단 내에서는 물산장려운동과 관련되어 어떠한 활동을 하고 있었는가?

　보천교 교단 내에서는 토산장려와 자급자작을 생활화하고 있었다. 물산장려운동의 대표적 구호인 토산장려土産獎勵는 차월곡이 토포만 입을 것을 고집했을 때의 평소 지론이었다. 보천교 본소가 자리한 정읍 대흥리에는 일본제품을 쓰지 않기 위해 마련된 유리공장, 염색공장, 직조공장, 농기구 공장 등이 세워졌다. 보천교인들이 흰색 옷을 입고 상투를 유지했던 것도 전통문화의 보존 등 다른 사유도 있었겠지만 조선산 제품을 애용한다는 측면도 있었다. 주지하다시피 물산장려의 핵심은 자급자작이었다. 보천교는 1924년 6월에 중앙본소 총령원總領院에서 보천교도 노동자 약 300명을 모아 기산조합己産組合을 창립했다. 이 조합의 사업은 '①직업 소개 ②물품 매매 소개 ③조합원의 상호 재난 구호'로 정했다(「기산조합 규칙」 제13조). 그러나 이 조합은 노동자의 생존이나 노동자의 구제뿐만 아니라 교인들의 일상용품과 식품을 공동구입해서 일반 신도의 편리에 도움 되도록 할 것을 결의하고, 경성에서 오래된 인력거 7대를 5백 엔에 구입해 인력거 사업을 시작하여 일반 신도의 편리를 제공하기도 했다. 또 한편에서는 '일본 내지의 제품에 대해 비매동맹非買同盟' 활동도 하여 조선산 제품만 애용함으로써 일제경찰 당국의 주의를 받고 있었다.

　이러한 보천교 교단의 활동은 외부의 물산장려운동과 직접 연계된 활동으로 볼 수 있기도 하나, 애초부터 차월곡의 지론에 따라 교단 내부에서 나름대로 자급자작을 위한 실천활동을 전개해 나갔음을 보여주는 단서들로 볼 수 있을 것이다. 곧 보천교가 근본적으로 지향하고 나아갔던 활동이기도 했다.

8 보천교와 근대교육

민립대학 설립운동에 참여

　3·1운동 이후, 민족주의자들은 독립을 준비하기 위해서는 교육을 통한 실력양성 운동이 중요하다고 보았다. 이 무렵 〈동아일보〉에는 「조선교육의 근본문제」라는 제하로 다음과 같은 내용이 게재되었다.

> "교육은 대문제다. … 개인으로 보면 개인의 일생의 운명이 결정되고 민족적으로 보면 민족의 백년의 운명이 결정되는 것이다. 만일 어떤 민족이 흥한 원인이 교육에 있다 하면(이것은 진리다) 어떤 민족이 망한 원인도 또한 교육에 있을 것이다(이것도 진리다)."

　3·1운동 이후에 들어서면서 교육열이 급격히 고조되었지만, 학

보천교의 간부들
(자료: 『한국신흥종교총람』)

생들을 수용할 학교가 크게 부족했다. 또 제2차 조선교육령에 따라 고등교육이 가능해졌지만, 실제로는 초등교육과 실업교육에 한정되었으며, 고등보통학교는 거의 증설되지 않았다. 뿐만 아니었다. 사립 고등보통학교의 설립조건을 까다롭게 만들어 설립을 거의 불가능하게 했고 고등사범학교 제도를 인정하지 않아 교사양성을 어렵게 만들었다. 또 대학설립은 '1918년 제정된 일본의 대학령을 따른다'고 하여 대학설립의 법적 근거를 마련했으나 조선총독의 인가를 받도록 만들었다.

그러나 가만히 기다릴 수만은 없었다. 1920년 6월에는 한규설, 이상재, 윤치소 등 91명이 조선교육(협)회 발기회를 개최하면서 민립대학 설립에 대한 논의가 나타났다. 물론 민립대학 설립논의는 1910년에도 나타났으나 테라우치 총독의 거부로 무산된 바 있었다. 이번에는 좀 더 강하게 나가야만 했다. 그러나 조선인 본위의 교육과 인재 양성을 목표로 조속한 시일 내에 민립대학 설립을 결의하고 조선총독부에 대학 설립을 요구했으나, 이번에도 받아들여지지 않았다. 그러다 1922년 1월 들어 조선교육협회가 인가되면서 민립대학 설립문제도 본격적으로 공론화되기 시작했다. 〈동아일보〉는 1922년 2월에 「민립대학의 필요를 제창하노라」는 사설을 게재했고, 4월에는 조선청년회연합회의 3차 총회가 시작되면서 여기서도 민립대학의 조속한 설립이 결의되었다.

이러한 노력으로 1922년 11월 23일 조선민립대학기성준비회가 조직되면서 민립대학 설립운동이 본격적으로 시작되었다. 준비회에서는 발기인 모집운동을 진행하여 1923년 1월 중순경에는 250여 명이 모집되었고, 3월 말까지 지속되면서 전국적인 호응을 얻어

232개 부府·군郡·도道 중 80%에 달하는 186개 지역에서 1,170명의 인사가 참여하는 성황을 이루었다. 조선인 학생들이 다닐 수 있는 민립대학을 우리 민족의 힘으로 설립하려는 운동이 큰 호응을 얻으며 일어난 것이다.

이러한 민립대학 설립운동에 보천교가 어떻게 참여하고 있었는가를 살펴보자.

역시 물산장려운동과 같이 보천교인들은 조선교육협회나 민립대학기성준비회 그리고 발기회 등에 참여하고 있었다. 먼저 1920년 민립대학 설립을 구상한 조선교육협회의 발기인에는 이득년이 포함되어 활동하였고, 1922년 민립대학기성준비회에는 고용환이 들어 있었다. 그리고 1923년 초의 민립대학기성회 발기인에도 보천교인들이 참여했는데, 고용환·이득년·임경호·주익·김응두金應斗·신찬우申贊雨 등이 각 지역이나 개인적으로 참여·활동하고 있었다. 김응두는 보천교 혁신회 고문이었으며, 신찬우는 보천교도로 1919년 3·1운동 이후 경기도 진위군(현재 평택시)에 1921년 진위청년회를 조직하여 소비절약과 토산품장려를 실행하는 한편 민립대학 설립 후원과 문맹퇴치 등 청년운동과 문화운동을 주도해 나갔다. 1923년에는 만주의 김좌진 장군이 보천교의 차월곡을 만주로 초치招致하여 독립운동에 가담시키려고 국내로 밀정을 파견했을 때, 김좌진이 직접 편지를 보내 밀정을 돕도록 당부했던 인물이었다.

멀리 제주도에서도 보천교 제주진정원장이었던 장용견張容堅은 1923년 6월 전국적으로 민립대학 설립운동이 확산되자 양상룡梁翔龍과 더불어 '민립대학 설립추진 제주도 지부' 창립총회를 갖고 후원자로 활동하였다. 또 1923년 3월에 창립된 민립대학기성회의 위원은 발기인들 중에서 선출되었는데, 이 가운데 중앙부 집행위원 30명에는 고용환과 주익이 포함되었다. 이후 고용환은 민립대학 제1회 중앙집행위원회에서 상무위원으로 피선되었고, 이득년은 민립대학 경성부 발기인 총회에서 감사원으로 선정되어 활동하였다. 조선물산장려회에 참여했던 보천교의 인사들은 대부분 동일하게 민립대학 설립운동에도 참여하고 있었던 것이다.

보천교의 교육 계몽활동

그러면 보천교 교단차원에서 전개된 교육 계몽활동은 어떠한 것이 있었는가?

먼저 보천교 내에서는 자체적으로 민족대학 설립을 추진했으며, 그 추진인이 임경호였다는 주장도 있다. 그러나 이에 관한 확실한 자료는 보이지 않고, 차월곡의 후손인 차용남의 증언에 의존하고 있어 진위가 불분명하다.

그 외에 교단 차원의 교육운동은 보흥여자사립수학普興女子私立修學의 설립과 보천교 청년단 조직이 있었다. 1926년 당시 전라북도 경찰부의 보고서인『보천교일반』에는 보흥여자사립수학에 관해 이렇게 기록되어 있다.

> 종래 보천교도는 자제에 대해 소위 신학문을 못 배우게 하는 방침을 채택했기 때문에 점점 시세를 못 읽고, 이러한 것들이 보천교 쇠퇴의 한 요인이 되고 있었다. 이를 회복하기 위해 금번 교주의 친여동생인 차윤숙車輪淑이 주창하여, 신지식을 배워 잘 양육하여 장래 사회에서 활약케 함으로써 보천교 진흥을 도모하려고 했다. 본년 5월경 본소 소재지로 이주한 여성교사 김

옥선金玉善을 교사教師로 세웠다. 김옥선은 경북 의성군 의성면 출신이고 당시 18세였다. 차윤숙의 객실客室을 교실로 사용하고 6월 8일부터 15명의 여자를 모아, 별도로 일과표를 만들어 '보흥여자사립수학'이라는 명칭 아래 매일 오전 9시부터 오후 4시까지 교습教習을 실시하였다.

곧 보천교 교단은 기본적으로 근대교육에 부정적 태도를 지녔기 때문에, 보흥여자사립수학은 교단적 차원이 아닌 보천교 본소 부근의 여성들만을 위해 마련한 교육기관으로 볼 수 있다. 이는 당시 조직되었던 여성 포교조직인 여방주제에서 추진된 교육운동으로 보인다. 여방주제는 남성 교도들로 조직되었던 60방주 조직과 동일한 구성이었고, 보흥여자사립수학을 설립했던 차윤숙을 중심으로 짜여진 조직이었다. 이러한 보천교의 부인방주조직에 대해 『보광』은 "이 새로운 사실은 우리 포교사상의 신기원을 일으켰을 뿐만 아니라 우리 반도여자사회에 새로운 빛을 비침이며 또한 세계여자해방사에 첫 장을 기록하게 된 것이외다"라고 하였다. 당시에는 실력양성운동의 일환으로 여성야학들이 설립 운영되었고, 여기서는 15세 이상의 여성 40~50명을 대상으로 주로 산술, 국어, 한문, 지리, 재봉, 그림 등을 가르치고 있었다. 비록 교단 전체 차원의 여성에 대한 합법적이고 체계적인 신교육 활동은 아니었지만, 부분적으로나마 근대교육에 관심을 두었다는데 보천교 교육운동의 의의를 찾을 수 있을 것이다.

본소에는 또 보천교 청년단도 조직되었다.

교도 이봉진李捧振(당시 24세)은 교리 연구 및 신지식 주입을 위해 만 16세 이상 35세 이하의 사람으로 '보천교정의단普天教正義團'을 조직하려고 했다. 그래서 5월 27일 동지 30여 명을 자택에 모아 협의회를 개최했는데, 이것에 보천교 간부들이 반대하게 되었다. '정의단'이란 명칭이 관헌의 주의를 끌기 때문에 해산하라고 요구했던 것이지만, 오히려 이봉진이 이에 반발하였다. 그렇다면 명칭만이라도 변경하면 가능하다고 하여, 6월 4일 '보천교청년단'이라고 개칭했다. 또 청년단의 사업으로 가까운 시일 내에 야학회 개최를 고민하였다.

비록 신지식 교육만이 아닌 교리연구와 병행한 조직이었으나, 여기에서 본소 부근에 거주한 청년들(16~35세)은 근대교육을 접할 수 있었을 것이다. 더욱이 청년단의 사업으로 야학회를 준비함으로써 이 야학에서 본소 부근에 거주했던 어린이들이 교육을 받은 것으로 추정된다.

보천교의 지방조직인 진정원에서도 교육관련 활동들이 전개되었다. 진주지역에서는 경남진정원 내에 '보효普曉여자야학회를 설치하여 목하 50명의 학생을 3부部에 나누어 가정에 필요한 보통교육을 시행'하고 있었고, 또 보효여자야학회 내에 '보효유치원을 설치하여 만 3세 이상 6세 미만의 아이들을 모집하여 유년幼年교육'도 병행하였다. 유치원은 개원 당시 38명이던 것이 이후 130명에 달할 정도로 인기를 끌고 있었다. 이 외에도 진주의 경남진정원에서는 사회일반의 지식향상을 위하여 도서관을 설치할 계획도 했고, 진주 보천교 청년회와 보천교 소년회, 그리고 보천교 소년군을 조직하여 회원을 모집하고 사회사업에 노력하면서 사회봉공社會奉公의 필요과목을 학습시키고 있었다.

보천교와 근대교육

그러나 본소 차원에서 직접 모범을 보이며 전국 진정원에서 실행할 것을 독려했던 물산장려운동과는 달리, 보천교 교단은 근대교육에 대해서는 다소 부정적 태도를 견지하고 있었다. 앞서 보았듯이, 보천교 본소와 진주의 경남보천교 진정원에서 설립한 것은 여성을 위한 교육기관이었다. 그리고 여기서는 누구나 받아야만 하는, 그리고 가정에 필요한 보통교육으로 산술, 국어, 가정, 수신, 요리, 재봉, 그림 등을 가르쳤던 것이다. 이처럼 남성들보다 여성들을 교육시켰던 것은 신학문을 거부하는 보천교의 방향이 주로 남성들에게 해당되어 남성들은 서당을 중심으로 한문고전과 시문을 주로 교육받았으나, 상대적으로 교육기회가 적었던 여성들을 위해 근대교육의 기회를 제공했기 때문으로 볼 수 있다. 때문에 1924년 보천교 본소에 대립해 경성의 신지식인들을 중심으로 한 보천교 혁신회가 출범할 때도 이러한 신교육에 대한 교단의 부정적 인식문제가 제기되었다.

> "후천에는 모다 도통道通이 된다 하고 교육을 부인하야 교인敎人의 자녀로 하여금 학교에 취학就學함을 금지하고 신문화를 배척하야 사회의 원시상태에 퇴화함을 열망한다."(보천교혁신회 경고문)

이러한 사실은 실력양성에 앞장섰던 당시 신문들로서는 좋은 기사거리였다. 신문들은 나름대로 추측까지 곁들이면서 보천교를 성토하는데 이용하였다. '차월곡이 등극하면 교육을 못 받은 사람도 살 수 있을 것인즉 교육받을 필요가 없다 하여 교도의 자녀들을 가르치지 말라는 교육금지령이라는 것을 발표하고서, 자기의 자녀들은 비밀히 독선생을 두고 가르치는 중'이라는 기사 등 보천교의 근대 학교교육 거부문제를 다루면서, 보천교에서는 구학문과 한문교육을 하고 있음을 강조하였다.

당시 『보광』에는 근대교육에 대한 보천교의 입장이 잘 드러난 문답이 있다.

> 문: "귀교에서 현대교육을 부인하고 자제의 취학도 금지한다니 참말인가요?"
> 답: "그렇다고도 하겠지요. 그러나 도덕을 먼저하고 지식을 뒤로 함은 종교가의 진면목이 아닌가요? 그리고 종교가 즉 교육가가 아니요. 양자 간에 엄정한 분과적 의미도 있으려니와 영적 건설의 초단初段에 있어서 본무本務에 분망奔忙한 우리 교敎에서는 교육뿐 아니라 모든 사회적 사업을 장려할 여가도 없게 됨은 유감이지만은 부득이의 사세事勢외다. 이리하여 자연히 세간의 오해를 받는 것이겠지 어대! 교의敎義상으로야 교육을 반대할 리가 있나요. 만일 여력만 있다하면 그런 일에 용력用力할 것은 물론이지요. 그런데 개인으로는 현대교육을 비난하는 사람도 없지 않아요. 우선 나부터 그렇소."
> 문: "왜요?"
> 답: "교육 그것을 부인하는게 아니라..."
> (필자 주: 이후 응답을 정리한 1페이지 가량의 내용이 검열로 모두 삭제되었다. 그러나 내용은 충분히 추정이 가능하다. 근대 학교교육은 보천교의 교의와 들어맞지 않은 비열한 교육 곧 교육내용과, 제도가 교육 본래의 목적과 기능을 잃었고, 식민지 교육이기 때문이라는 내용으로 추정된다.)

그러나 어떤 경우이든, 보천교가 근대교육을 권장하기보다는 고전교육에 치중할 것을 강조했던 것은 사실이다. 뿐만 아니라 이로 인해 사회적 비난의 대상이 된 것도 사실이다. 그러나 이를 그렇게 단순하게 생각해서는 안된다. 곧 식민지 시기 일개 신생 종교교단으로서의 다양한 활동들을 종교성을 내버린 채 사회운동만으로 평가하기엔 곤란한 면들도 있다. 1920년대 들어 보천교 교단은 인적·물적 수단의 확대로 민족운동이나 사회운동에 참여할 수 있는 역량이 충분하였다. 그리고 사회적으로 기대감도 있었다.

보천교는 일반적인 사회운동 단체나 민족운동 단체가 아닌, 교단 형성에 뜻을 두고 10여 년을 '심산궁곡深山窮谷에 은거隱居'하며 포교하다 1920년대 초에 들어서야 이제 막 교단을 사회에 드러낸 신생 종교교단이었다. 그러나 다행스럽게도 이 당시 보천교는 자력·타력으로 많은 신도를 확보하면서 자신의 역량을 확장시켜 나갔다. 따라서 3·1민족독립운동 직후 민족운동이 활발하게 전개되고 있었던 사회적 분위기는 보천교 교단이 고려해야만 될 상황임은 분명했다. 그러나 차월곡은 사회운동가가 아니라 종교지도자였다. 애초부터 서구 근대문명을 비열한 것으로 보았던 그에게, 토산장려는 사회운동이 나타나기 전부터 우리민족이 가야 할 길이었지만 근대교육 문제는 달랐다. 대부분의 보천교도들 중에는 유학한 자가 극소수였고 일부 한학 지식을 가진 자와 교육을 받지 못한 농민층이 대다수였다. 그들과 함께 해야 하는 교단의 상층부는 고민하지 않을 수 없었을 것이다. 수백 만 명, 그 중 대다수가 배운 것 없는 농민인 교도들을 지도해야 했던 종교지도자에게 근대교육 문제는 달랐다.

당시 신문화를 적극적으로 수용하기보다는 민족의 옛 문화전통을 보전保全하려는 측면이 강했던 것이다. 종교교단은 이상적인 종교공동체를 설계한다. 차월곡은 정읍 접지리에 종교공동체를 꿈꾸었다. 그리고 강하게 되기 위해 허약하게 만든 질병의 원인을 찾아내고, 보천교의 보편적 가치 위에 사회를 재구성하려 했다. 증산의 가르침대로 '판안에 드는 법法으로 일을 꾸밀려면 세상에 들켜서 저해를 받기 때문에 판밖에 남 모르는 법으로 일을 꾸미고, 말없는 가르침으로 백성을 교화敎化하여 세상을 고치려 했다.' 그리고 민족을 '개조'하기보다는 민족을 '보전'하려 했다. 그런 다음 우리민족이 '적자適者'가 되어 생존경쟁에서 살아남고 인류를 상생세계로 인도하도록 최선을 다하려고 하였다.

본소에서는 나라를 되찾는 일과 더불어 나라를 되찾은 이후의 일까지 생각하는 공동체를 구상하고 실천하였던 것이다. 안타깝게도 종교교단으로서 취하는 바가 다소 달랐던 것으로 보인다. 대중문화운동으로 100여 명으로 편성되는 대규모의 보천교 농악단을 조직하여 풍물을 적극 권장한 것도 그렇고, 상투를 고집하여 보발保髮을 주장하며 근대교육보다는 서당교육을 권했던 것은 당시 시대적 흐름인 근대교육을 통한 계몽의 출발보다는 고유문화를 보전하여 민족혼을 보전함이 더 중요하다고 보았던 종교운동가 나름의 소신이라 볼 수 있지 않을까. 한반도로 몰려드는 서구 열강과 제국주의의 물결, 그리고 강폭한 일제의 지배 아래 그 격동과 고통의 역사현장을 두 발 딛고 살아가야 했던 신생 종교교단으로서는, 이러한 선택들이 종교적 신념에 처한 나름의 나라와 민족에 대한 깊은 번민의 결과였을 것이다.

역사를 보는 데도 여러 상이한 시선들이 있듯이, 당시의 종교교단들에 대해서도 동일한 시선으로 바라볼 필요는 없다. 존재조건이 다르고 역량이 다르기 때문이다.

9 소위 '유사종교'라는 굴레

종교인 듯 종교 아닌 종교

식민권력은 민족종교에 소위 '유사종교'라는 굴레를 씌웠다. 종교일 경우 종교탄압의 지탄을 받을 수도 있었지만, 유사종교 단체에는 종교단체에 요청되었던 정교분리政教分離를 권유할 필요도 없었고, 종교가 아니니 종교의 자유를 핍박한다는 비난을 들을 일도 사라졌다. 유사종교단체는 마음놓고 경찰력을 동원하여 탄압, 박멸해도 될 대상으로 만들어 놓았던 것이다. 총독부로 봐선 종교와 유사종교 단체의 분리는 식민전략으로 꽤 성공적인 작품이었다. 일제강점기에 민족종교 통제에도 매우 효율적이었고, 해방 후에도 사라지지 않고 거의 반세기 동안 민족종교 단속에 작동되었으니 말이다. 식민권력은 사라졌으나 그들이 만들어 놓은 종교 통제의 메카니즘이 청산되지 못한 채 '자율적으로' 그리고 '자동적으로' 해방후에도 적용되었던 것이다. 도대체 유사종교란 뭔가? 왜 이토록 오랫동안 민족종교의 활동들을 구속해왔을까?

우리사회에서 '종교'란 용어의 쓰임은 그리 오래된 것이 아니다. 기껏해야 1883년 전후부터 찾아볼 수 있는 용어였다. 그것도 메이지 시대(1868~1912) 일본이 서구문물을 받아들이면서 'religion'을 '종교宗教'로 번역했던 데서 출발한다. 이를 우리가 다시 수입한 것이다. 그런 만큼 '종교'라는 말에는 처음부터 서구 기독교의 냄새가

배어있었다. 그러나 우리에게는 그 이전에도 유·불·선이 있었고 동학이 있었다. 그것은 '종교'라는 용어로 재단될 수 없는 사상 혹은 믿음체계였다. 오히려 굴러들어온 돌이 박힌 돌을 빼내고 주인 자리를 차지한 격이었다.

설상가상으로 '유사종교'라는 용어는 1915년 「포교규칙」의 제정으로부터 나타난 개념이다. 1910년 강점된 이후 한국의 종교지형은 기독교와 불교, 신도神道 그리고 일본에서 들어온 각종 종교들과 민족종교인 천도교와 보천교, 대종교 등이 서로 복잡하게 얽혀 활동하였던 시공간이었다. 이러한 상황에서 일제는 강점 목표를 효율적으로 달성하기 위해 동화정책을 전개해 나갔다. 이러한 식민권력의 식민지 동화정책의 중심에는 말할 것도 없이 교육과 종교가 있었다.

한국을 강점한 메이지 정부는 종교를 경시하지 않았다. 아니 경시할 수 없었다. 종교가 소위 국민을 통제·동원하는데 주요한 요소임을 직시하고 있었던 것이다. 메이지 정부는 1889년 2월 「일본제국헌법」을 공포하면서 국가의 '안녕질서'를 방해하지 않고, 또 '신민臣民의 의무'를 위반하지 않는다면 종교신앙의 자유를 인정한다고 발표하였다. 기독교를 신앙하는 것만으로도 처벌을 받았던 이전에 비해 한정적이기는 해도 신교信教의 자유가 법률로 명문화된 것이다.

그러나 당시 헌법 기초에 참여했던 이토 히로부미伊藤博文의 말에 주의할 필요가 있다. 그는 "무릇 종교란 국가의 기축을 이루어 사람의 마음깊이 침투하여 인심을 국가로 귀일시켜야 할 것이다. 그러나 일본에는 종교라는 것이 힘이 약하여 국가의 기축이 될 만한 것이 없다. 일본에서 국가의 기축이 될 만한 것은 오직 황실뿐이다"라고 주장했다. 결국 신앙의 자유는 인정하지만 그것은 무조건적인 것이 아니며, 국가의 기축은 모름지기 일본왕실이며 종교단체도 왕실에 대한 사회적 기대를 수행해야 함을 강조했던 것이다.

이에 따라 메이지 정부는 일찌감치 일본왕실을 떠받드는 국가신도 체제를 확립하고 이에 초종교적 지위를 부여했다. 그러면서도 '이는 종교가 아니다非宗教'라고 했다. 그리고 일왕이나 왕실을 비방하거나 그 존재를 부정 또는 의문시할 수 있는 종교적 교의敎義와 선포는 불경죄에 의해 처단되었고, 신궁神宮에 대한 불경도 엄격히 다루어졌다. 이러한 불경죄는 종교에 있어서 매우 성가신 존재였다. 유일신교 혹은 신앙대상이 뚜렷한 종교 교의들은 소위 만세일계萬世一系의 천황제와 대립되는 면이 강했고, 또한 어떠한 종교 교의 전파행위일지라도 그것을 단속하는 당국이 미신적·주술적 언설言說 및 행위라고 인정해버리면 좋든 싫든 처벌을 받을 수밖에 없었기 때문이다.

이처럼 법률상 신교信敎의 자유를 조건부로 인정하면서, 아울러 공인종교公認宗敎 정책을 통해 종교교단의 설립과 활동을 통제했다. 국가는 '자의적인 기준'에 따라 '공인 종교'와 '비공인 종교'로 분리하여 종교를 통제해 나갔다. 이에 따라 종교단체가 정치적 결사結社를 맺을 가능성이 있다고 판단되면, 국가는 강력한 의지로 제한을 가했던 것이다. 그 때문에 새로운 종교교단 설립은 거의 불가능에 가까운 일이었다. 이러한 분리통제와 더불어 '비공인 종교'를 '사이비 종교'로 간주하여 철저한 통제, 탄압과 심지어 박멸까지 획책하고 있었다. 여기에는 당시의 언론 등도 동원되었고 사회여론도 함께 조작되었다.

　이러한 메이지 시대의 종교 통제정책이 식민지 한국에도 동일하게 적용되었던 것이다. 강점과 함께 '비종교'인 신사神社를 설립하여 일본왕실을 식민정책의 근간으로 삼으려는 구상과 더불어, 식민권력은 1915년 부령 제83호로 「포교규칙」(전문 19조)을 공포하여 종교단체 통제의 기반을 마련했다. 서구 세력과 연결된 기독교의 통제는 물론 조선조의 19세기 후반부터 형성된 새로운 종교단체, 소위 민족종교들에 대한 통제도 조선총독부의 당면과제가 되었다. 그러나 강점 초기 민족종교 단체로는 천도교만 어느 정도 신자를 확보하고 있었고 아직 그 규모가 미미한 상황이었다. 보천교는 이제 막 출발하여 교단을 형성하려는 단계였고 아직 교단의 명칭도 없는 상태였다.

　이러한 상황에서 총독부는 「포교규칙」에서 "종교라 칭함은 신도, 불도 및 기독교를 말함"이라 하여 종교의 범위를 정해 놓았다. 또 "조선총독은 필요한 경우 종교 유사한 단체라 인정한 것에 본령을 준용함도 가함"이라 하여 '종교' 외의 종교단체는 '종교유사단체', 소위 '유사종교類似宗敎'라 하였던 것이다. 유사종교는 요즘 유행하는 말로 '종교인 듯 종교 아닌 종교 같은 너'가 되어 버렸다. 종교인지 아닌지 너도 모르고 나도 모르는 상태였다. 오직 식민권력의 판단에만 맡겨진 구분이었던 것이다.

민족종교를 말살하라

　요즘은 종교뿐만 아닌 모양이다. 여기저기서 때 아닌 '유사'라는 말로 곤욕을 치르는 분야들이 생겨난다. 유사역사학, 유사과학

第十三條　神社又ハ寺院ハ其ノ所有スル不動產及寶物ニ關シ左ノ事項ヲ
　具シ朝鮮總督ニ屆出ヘシ其ノ異動アリタルトキ亦同シ
　一　土地ニ在リテハ所在地、地番號、地目、面積及境内地、境外地ノ區別
　二　建物ニ在リテハ所在地、建坪、名稱、構造ノ種類及境内地、境外地ニ在ルノ
　三　境外地ニ在ルモノハ其ノ名稱、員數、品質、形狀、寸尺、作者及傳來ノ
第十四條　神社又ハ寺院ハ財產臺帳ヲ備ヘ其ノ所有ニ屬スル不動產及寶物ニ
　關スル前條各號ノ事項ヲ登載スヘシ
第十五條　不動產又ハ寶物ヲ左ニ揭クル場合ニ於テハ朝鮮總督ノ許可ヲ受クヘシ
　一　不動產又ハ寶物ヲ賣却、讓與、交換、質入者ハ抵當ト爲サムトスルト
第十八條　本令ニ依リ屆出ハ其ノ事故ヲ生シタル日ヨリ二週間内ニ之ヲ爲
　寺院ヨリ提出スル願書ハ其ノ所屬宗派管長ノ意見書ヲ添附スヘシ
第十七條　第五條第一項但書、第七條、第九條、第十五條ニ依リ
　目ノ外ニ濫ニ之ノ使用ヲ變シ又ハ使用セシムルコトヲ得ス
第十六條　境内地及建物ハ許可ヲ受クルニ非サレハ神社又ハ在リテハ
　テハ祭典儀式ノ執行、寺院ニ在リテハ傳法、布教、法要執行及僧尼止住ノ
三　負債ヲ爲サムトスルトキ
　二　境内地ニ立竹木ヲ伐採セムトスルトキ
第十九條　本令中寺院ニ關ル規定ハ内地ニ於ケル佛道各宗派ニ屬スルモノ
　ニ限リ之ヲ適用ス
第二十條　許可ヲ受クシテ神社寺院又ハ之ニ類似ノ建造物ヲ設ケタル者ハ
　一附則　二百圓以下ノ罰金ニ處ス
　本令ハ大正四年十月一日ヨリ之ヲ施行ス
　本令施行ノ際現ニ存在スル神社又ハ寺院ハ本令施行ノ日ヨリ五月内ニ第一條
　又ハ第二條ノ手續ヲ爲スヘシ

　　　　　　　　　　　　　朝鮮總督
　　　　　　　　　　　　　　伯爵　寺内正毅

朝鮮總督府令第八十三號
布教規則左ノ通定ム
　大正四年八月十六日
　　　　布教規則
第一條　本令ニ於テ宗教ト稱スルハ神道、佛道及基督敎ヲ謂フ
第二條　宗敎ノ宣布ニ從事セムトスル者ハ左ノ事項ヲ具シ布敎者タル資格ヲ
　證明スヘキ文書及履歷書ヲ添ヘ朝鮮總督ニ屆出ツヘシ但シ布敎管理者ヲ置
　キタル敎派、宗派又ハ朝鮮ノ寺利ニ屬スル者ニ在リテハ第二號ノ事項ヲ省
　略スルコトヲ得

一　宗敎及其ノ敎派、宗派ノ名稱
二　敎義ノ要旨
三　布敎ノ方法
前項第二號ニ揭クル事項ヲ變更シタルトキ十日内ニ朝鮮總督ニ屆出ツヘシ
第三條　神道各敎派又ハ宗派又ハ内地ノ佛道各宗派ニ於テ布敎ノ爲サムトスルトキハ
　其ノ敎派又ハ宗派ノ管長ハ布敎管理者ヲ定メ左ノ事項ヲ具シ朝鮮總督ノ認
　可ヲ受クヘシ
一　宗敎及其ノ敎派、宗派ノ名稱
二　敎規及其ノ宗制
三　布敎ノ方法
四　布敎管理者ノ權限
五　布敎監督ノ方法
六　布敎事務所ノ位置
前項第二號ノ事項ヲ變更セムトスルトキハ朝鮮總督ノ認可ヲ受クヘシ
　布敎管理者ノ氏名及其ノ履歷書
第四條　朝鮮總督ハ布敎管理者ノ權限及布敎監督ノ方法ハ
　其ノ布敎管理者ヲ變更セムトスルトキハ朝鮮總督ノ命令スルコトアルヘシ
第五條　布敎管理者ヲ認メ不適當ト認ムルトキハ其ノ變更ヲ命スルコトヲ要ス
　布敎管理者ハ毎年十二月三十一日現在ニ依リ所屬布敎者名簿ヲ作リ翌年
　一月三十一日迄ニ朝鮮總督ニ屆出ツヘシ
前項ノ布敎者名簿ニハ布敎者ノ氏名及居住地ヲ記載スヘシ
第六條　朝鮮總督ハ安寧秩序ヲ紊シ又ハ風俗ヲ壞亂スルノ虞アリト認ムルトキハ
　對シ布敎管理者ニ於テ必要アリト認ムルトキハ第三條第一項各號ノ事項
前項ニ依リ布敎管理者ヲ置カムトスルトキハ十日内ニ第三條第一項各號ノ事項
第七條　前條ニ依リ布敎管理者ヲ付スルニ之ヲ變更シタルトキハ亦同シ
第八條　前條以外ノ布敎者ハ敎會所、說敎所又ハ講義所ノ類ヲ設立スル
　止シタルトキ宗敎ノ用ニ供スル敎會堂、說敎所又ハ講義所ノ類ヲ設立セムトス
第九條　宗敎ノ宣布ニ從事スル者ハ其ノ敎派、宗派又ハ布敎ヲ
　者ハ左ノ事項ヲ具シ朝鮮總督ノ許可ヲ受クヘシ
第三條以外ノ敎宗ノ用ニ供スル敎會堂、說敎所等ニ準用ス
　ト名稱及所在地
一　敎名及其ノ敎派、宗派ノ名稱
二　敷地ノ面積及建物ノ坪數、其ノ所有者ノ氏名並圖面
三　設立ノ要スル事由
四　宗敎ノ增任者ノ資格及其ノ選定方法
五　布敎ノ管理者及其ノ支辨方法
六　設立費及其ノ支辨方法

pseudo-science… 말 그대로 '역사가 아닌 역사, 역사 비슷한 역사'라는 비난이고 '과학이 아니면서 과학인 척 한다'는 비아냥이다. 이는 과학철학에서 소위 '구획문제demarcation problem'라 한다. 이 문제를 처음 제기한 학자가 칼 포퍼Karl Popper였다. 그리고 이러한 구획문제에 대한 해답이 '반증가능성falsifiability'이었다. 최근 대학수학능력 시험에도 등장했던 문제가 하나 있다. '모든 백조는 희다'는 과학적 주장인가? 아니면 유사과학적 주장일까? 하얗지 않은 백조가 발견된다면 이 주장은 귀납에 의해 반증 가능하다. 그래서 이 주장은 과학적 주장이 된다. 그러나 '내가 말하는 이것이야말로 절대적 진리이다'라고 주장하는 순간, 그것은 유사과학이 되어 버리는 것이다.

유사역사학이란 괴롭힘도 큰 폭력이다. 역사에는 사실이냐 아니냐가 있을 뿐인데, 불리할 듯하면 상대방을 유사역사학으로 공격해 버린다. 그러나 역사학 분야에서는 수긍되는 면도 없지는 않다. 상고사의 경우란 문헌자료와 고고학적 자료가 완비되지 않은 상태라, 파편화된 자료에서는 해석의 차이가 생기게 마련일 것이다. 그래도 옳지 않고 떳떳치 못한 태도임은 분명하다.

그런데 문제는 '유사'를 곧바로 '사이비'로 왜곡시켜 버리는 태도이다. 이 연결을 종교에 적용했던 것이다. 그러면 종교의 구획 기준은 뭘까? '신이 세계를 창조했다'는 가설은 반대증거를 제시할 수 없다. 그러나 어느 누구도 유사과학이라 말하지 않는다. 이는 종교교리이지 유사과학이 아니기 때문이다. 그런데 식민권력은 이런 논리적 근거로 종교와 유사종교를 나눴던 것도 아니다. 그저 자신들의 시선에서 식민정책에 위험스럽다고 생각된 민족종교를 유사종교로 분류하여 종교와 분리시켰던 것이다.

그것은 철저히 제국주의적이고 식민주의적 시선이었다. 프랑스의 종교사회학자 에밀 뒤르켐E. Durkheim이 들었으면 놀랄만한 시선이다. 그는 "그릇된 종교란 없다. 모든 종교는 나름대로 진실하다. 그 방법들은 서로 다르다 할지라도 모든 종교는 인간존재의 주어진 여건들과 부합된다"고 선언한다. 일제강점기에 밖에서 들어온 신도·불교·기독교만 종교로 취급하고 이 땅에서 자생한 민족종교들에 '유사종교'란 굴레를 씌우는 것은 어처구니 없다. 적반하장도 유분수다. 무엇이 종교이고 무엇이 유사종교인가.

이 땅에서 만들어져 일본열도로 건너간 신도신앙이나, 한 때 유태인의 민족종교였던 기독교를 종교로 인정하는 시선으로 본다면, 유교나 불교가 종교와 거리가 있는 유사종교가 아닐까? 오히려 민족종교가 좀 더 종교에 가까운 면이 있을 것이다. 그러나 어찌되었건 일제강점기 민족종교인 보천교는 소위 유사종교의 대명사로 취급되었다. 이러한 '종교'와 '유사종교' 분리는 이후 계속하여 종교정책에 적용되어 소위 민족종교들이 유사종교로 통제를 받게 되었다. 감독 혹은 단속 기관도 분리되었다. 소위 '종교'인 신도, 불교, 기독교는 학무국學務局 소관이었고, 그 외의 '유사종교' 단체들은 헌병경찰기관의 담당이었다. 1919년의 관제가 개정된 후에는 총독부 경무국 보안과 아래 두었다.

식민권력이 가장 고심한 것 중의 하나가 민족문제였다. 그런데 유사종교단체들은 추종자 대부분이 과거 지배층으로부터 소외되고 억압받던 사람들이었고, 그 교의도 후천개벽의 새로운 시대가 열릴 때에는 억압받는 한민족이 세계의 중심민족이 된다는 등 한민족의 자존감과 자주의식을 고취하면서 민족문제와 연결되기 쉬운 단체들이었다. 더욱이 유사종교는 이러한 시대적 전환기에 민족애와 조선 고유의 전통을 강조함으로써 민중들의 마음을 붙잡고 절망하던 사람들의 마음에 침투하여 희망을 주기에 충분했다. 또 보국안민輔國安民을 주장하며 민족운동과 연관될 수 있는 여지가 많았다.

강점 직후에 유사종교 중 식민권력이 가장 주목한 단체는 천도교와 대종교였다. 그러나 천도교는 강점 후 국권회복을 위한 직접적인 항일운동보다는 장기적인 민족교육과 실력양성을 통하여 국권을 회복하겠다는 방침을 채택하여 1910년 12월 보성전문학교를 인수하는 등 전국에 강습소를 설치하고 교육사업에 주력했다. 대종교는 만주지역으로 옮겨 교세를 확장시켜 나갔다. 식민권력은 이들 종교에 대한 감시와 탄압을 강화하면서, 당시 새로운 세력으로 급부상하고 있던 차월곡 교단에 주목했다.

차월곡 교단은 1894년 동학혁명의 세력들과 연관되어 있었다. 차월곡의 부친 차치구도 동학혁명 당시 동학의 접주로 처형당했고, 강증산도 동학혁명의 전 과정을 직접 목도했고 혁명군을 따라 다녔다. 그 제자들이나 차월곡의 추종자들도 과거 동학혁명과 연관되어 있는 자들이 많았다. 이러한 요소들은 차월곡 교단이 충분히 민족운동과 연결될 수 있는 실마리를 보유한 것으로 보였기 때문에 동학혁명 당시 동학군과 치열한 전투를 벌였던 식민권력으로서는 긴장하지 않을 수 없었던 것이다.

그러던 중 1919년에 발발한 3·1운동은 식민권력으로 하여금 1910년대 전개해온 종교정책을 재검토할 수밖에 없게끔 만들었다. 3·1운동 주도세력이 종교단체와 긴밀하게 연결되어 있었고 유사종교의 대표격인 천도교가 주도적인 역할을 담당했다고 판단했기 때문이었다. 식민권력은 경찰권력에 의한 강력한 유사종교 단속에도 불구하고 유사종교가 근절되지 않고 지하에 잠복하여 계속 존속했으며, 식민지 조선의 민중들 다수는 여전히 유사종교에 친밀감을 보이고 있다고 인식했다. 이에 따라 3·1운동에서 나타난 민족주의 세력을 분열시키고 잠복된 조직을 확인하여 말살시키려는 전략을 노골적으로 드러냈다.

1910년대 그 실체가 드러나지 않은 채 많은 교도와 자금을 확보하고 있었던 차월곡 교단은 이러한 식민권력의 유사종교 통제정책의 주요 대상으로 등장하였다. 식민권력은 보천교로 하여금 비밀스런 교단 조직을 스스로 세상에 공개토록 회유공작을 펼치기 시작했다. 공개하면 '유사종교'를 벗어나 '종교'로 공인해 주겠고, 차월곡에 대한 체포령도 풀어주겠다고 약속했다. 지피지기知彼知己, 곧 모르는 적은 위험했고 두려운 존재였기 때문이다. 차월곡 교단은 그동안 유사종교로서의 활동의 서러움을 생각하면서 '보천교'라는 교명 등록과 함께 교단을 공개했다. 그러나 교단 공개 이후에도 사정은 달라지지 않았다. 오히려 상황이 더욱 악화되었다. 식민권력은 공개 전의 약속과는 달리 각 지역에 설립된 진정원眞正院 단속은 물론 교주 체포령도 거두지 않았다. 드러난 조직을 토대로 보천교 교단을 수월하게 요리해 나가면서 교단분열은 더욱 가속화되었던 것이다.

조직이 백일하에 드러났으니, 이제 거칠 것이 없었다. 일제의 회유정책과 물리적 탄압을 동시에 구사하는 정교한 말살책이 실효를 거두었던 셈이다. 이와 함께 신지식인들과 언론 등도 통제하여 여론을 조작해 나갔다. 식민권력의 집요하고도 교활한 탄압으로 보천교의 교단 공개와 함께 노출된 조직은 손쉬운 여론조작 대상이었다. 유사종교=사이비 종교로 등식화시켰다. 성공적이었다. 기독교 등 소위 기득권을 지닌 '종교'세력과 '근대'적 겉멋에 취해 있었던 소위 신지식인들이 앞다투어 보천교를 성토했다. 당시 언론들도 공개된 보천교를 공인종교로 인정키보다는 비인륜적인 미신이나 사이비 종교로 거칠게 매도해 나갔다. 공인되지 않은 종교는 유사종교이며 유사종교는 곧 사교邪敎라는 언론의 사고는 식민권력의 의도와 정확히 일치하고 있었다. 역사도 일천하고 이제 막 날개를 달아 하늘을 훨훨 날려던 보천교는 사면초가의 상황에서 좌절할 수밖에 없었던 것이다.

10 차월곡, 갑종 요시찰인 편입

갑종 요시찰인

식민권력의 보고서는 1910년대 월곡 차경석에 대해 '갑종甲種 요시찰인要視察人으로 편입編入'되었다고 기록했다. 곧 "차경석은 교조 강증산의 뒤를 이어 교주가 되어 교도의 신망信望을 얻으면서 신인神人으로 숭배되었고, 은밀히 교세확장의 수단으로 국권회복을 표방하기에 이르러 1917년 4월 24일 갑종 요시찰인으로 편입되었다"는 내용이다. 차월곡에 관한 1910년대의 기록은 찾아보기 쉽지 않다. 보천교의 활동이 주로 1920년대에 치중되어 있기 때문에 그렇다. 그런 만큼 이 기록은 많은 것을 생각케 한다.

요시찰인은 어떤 사람들인가? '요시찰'은 특정 인물이나 단체를 대상으로 일정기간 동안 주기적으로 감시했던 제도였다. 요시찰인의 조사는 당연히 조선총독부가 담당했다. 그리고 시찰은 담당 순사가 전담했고 필요에 따라서는 형사刑事순사가 맡는 경우도 있었다. 차월곡은 요시찰 대상 중에서도 '갑甲'이었다. 요즘 '갑질한다'의 갑인 것이다. 가장 엄중한 시찰이 이루어졌다. 요시찰 대상자는 갑호甲號의 경우 매월 3회 정도 시찰 받았다. 을乙과 병호丙號가 2회, 정호丁號가 1회 정도였다. 시찰 내용은 어느 한 방향에 치우치지 않았다. 시찰 대상자의 범죄행위 유무나 가정, 직업, 평판, 교제인물, 출입자, 여행지와 목적, 통신의 유무 등 제반 상황을 면밀히 감시·조사했다. 그러다 소재불명이 되어 3년이 경과하거나, 아니면 개전의 정이 현저하여 범죄 우려가 없으면 명부에서 삭제할 수 있었다. 물론 나이가 들어 노쇠하거나 신체에 중대한 장애가 있을 경우에도 제외 가능했다.

당시의 『조선사상통신』에도 요시찰 제도에 대한 기록이 보인다.

경무국警務局의 눈으로 보면 사상불온思想不穩하던가 또는 총독정치總督政治에 불만을 갖고 찬성하지 않거나 또는 불만행동을 취하는 인물들이 요시찰인이라 불리웠다. 여기에는 갑甲, 을乙의 두 종류로 하여 항상 그 행동을 감시하여 왔으며, 금번에 갑·을의 종류를 폐지하고 조선 전체의 명부名簿를 작성중이라 한다. 현재 당국의 요시찰인으로 확인되는 인물은 전全 조선에 전부 3천여 명에 달하며 만세소요 당시(1919년)는 약 1천 명 내외에 지나지 않았으나 그 후 점차 증가하였다.

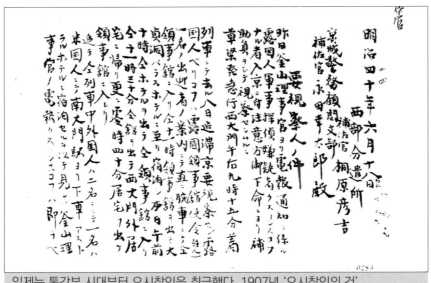

일제는 통감부 시대부터 요시찰인을 취급했다. 1907년 '요시찰인의 건'

조선공산당 책임비서였던 김철수金綴洙의 회고록(『김철수 친필유고』)에도 요시찰 명부에 관한 이야기가 나온다. 그는 "서울서 동지들과 회합을 갖고 전북과 부산으로 제주까지 갔다가 다시 나와서 양산에 거주했던 와병臥病 중인 이규홍李圭洪을 찾아갔다가 체포되었다. 일본인 경부警部가 두꺼운 명부 책을 가지고 나를 끌어내어서 '전북 부안 사는 김철수지요? 우리는 취조할 권한도 없고 전북으로 가게 됩니다' 하면서 요시찰 명부를 보여주었다"고 했다. 조선 전체를 포함한 명부가 작성되어 각 도에 배부된 사실이 확인 가능하다. 이러한 요시찰 명부의 작성은 1919년 3·1운동을 계기로 독립에 대한 열망이 급격히 고조되면서 치열하게 전개된 민족해방운동의 양상과 밀접하게 관련되었던 것이다. 3.1운동 당시에는 약 1천 명의 요시찰인이 있었다. 이로 미루어 1910년대에도 소수일망정 요시찰인의 존재를 추정하기는 어렵지 않다.

그리고 그들 대부분은 식민권력, 곧 조선총독부의 식민통치의 안정화와 영속화에 대해 심각한 위협이 된다고 판단될 경우 치안대책의 일환에서 요시찰 대상으로 편입되었다. 총독부 경무국은 사상 불온자와 총독정치에 불만자들을 모두 요시찰 대상으로 분류하고 있었다. 그러다 점차 정치·사상·민족운동의 구분이 쉽지 않게 되면서 이들을 모두 통합시킨 명부를 만들었던 것이다. 이러한 요시찰인 선정은 경찰의 일이었다. 앞으로 위법행위, 곧 일제의 조선지배에 저항하거나 불평불만을 토로할 가능성만 보이면 대상이 되었다. 식민권력이 보기에 방법과 정도의 차이가 있을 뿐, 모두 소위 '불령선인不逞鮮人' 곧 불온하고 불량한 조선인이었던 것이다.

요시찰인은 그 심각성에 따라 갑·을·병·정호로 구분하여 취급되었다. 그러나 1925년, 조선총독부가 당시 상해 임시정부 요인들의 행적 등을 조사·작성한 기밀서류를 보면 종별이 갑·을 두 경우로 축소되고 있었다. 주지하다시피 이러한 종별 분류는 요시찰인의 특성과 온건·과격의 정도에 따라 세분된 것이다. 그 세밀한 분류기준은 현재로서는 알 수 없지만, 어떤 경우이든 차월곡이 받았던 갑종 요시찰인은 시찰의 정도가 강한 측면에 속한다. 식민지배와 관련해 그 위험도나 비중 면에서 위법행위를 했거나 할 가능성이 농후한 자들이다.

국권회복운동에 나서다

참고로 차월곡 이외에도 갑종 요시찰인에 편입되었던 인물들이 있다. 예를 들어, 일제강점기의 언론인이자 사학자였던 문일평文一平(1888~1936)도 1917년 1월부터 경찰의 갑종 요시찰 인물로 편입되어 감시를 받았다. 그는 1919년 3·1운동이 일어나자 적극적으로 참여하였다. 또 조선어학회 중진으로 항일투사이자 평북 영변의 3·1운동을 주도하고 목숨 걸고 민족 얼을 사수한 이윤재李允宰(1888~1943)도 1925년 독립운동을 도왔다는 이유로 경찰은 '갑종 요시찰인'으로 분류하고 감시하였다. 그리고 광주·전남 근현대사 및 한국기독교사에서 자주 거론되는 최흥종崔興琮(1880~1966) 목사는 3·1운동에 참여했다가 1년간 옥고를 치렀으며, 1920년에는 조선노동공제회 광주지회장으로 노동운동을 시작했다. 그 때문인지 그는 1921년에 식민권력으로부터 '갑종 요시찰인'으로 편입되었다.

그러면 1910년대, 정확히 말하면 1917년 차월곡은 어떤 행동을 했기에 갑종 요시찰인이 되었을까? 1910년대 차월곡에 대한 자료도 거의 찾아보기 힘든 상황에서, 더욱이 그 사유를 밝혀주는 직접적인 자료를 찾기는 매우 어렵다. 다만 여러 자료를 종합하여 추정해 보는 것은 어느 정도 가능하다고 본다.

당시 강증산의 제자들 중 차월곡과 박공우, 신경수 등이 동학교도들이었고 증산도 동학혁명을 직접 목도하고 따라 다녔다. 그런 점에서 동학과 동학혁명은 증산사상의 형성 그리고 차월곡의 보천교 성립의 필요조건인 셈이었고, 일제 식민권력이 차월곡과 보천교를 좌시할 수 없게 만든 이유 중 하나였다. 더욱이 일제 식민권력은 1910년 8월 29일 한국강점 이후 한민족의 반일저항운동의 가능성을 전면 차단시키고 있었다. 강점 직후 부령府令으로 3인 이상의 옥외집회를 일체 금지(1910.8)시키면서 「집회취체령」을 공포했고, 전국의 정치·사회단체들을 모두 해산시켰다(9월). 민족의식을 말살하기 위해 한국인이 저술한 각 학교용 교과서를 몰수하는가 하면 학교 교과서를 조사하여 식민통치에 방해되는 문구나 학생들에게 구국사상을 고취시킬 수 있는 창가 등도 삭제했다. 소위 식민지 치안에 방해가 된다고 생각하는 모든 것을 통제·말살해 나갔다.

그러나 종교단체에는 다른 방법이 필요했다. 19세기 서구열강을 배경으로 본격적으로 활동을 시작한 기독교(천주교와 개신교) 단체들과, 1910년 전후 조선에 들어와 활동하고 있었던 일본불교와 기독교 및 교파신도 단체들을 통제해 나가야 했다. 물론 일본에서 들어온 종교단체들의 경우는 큰 어려움이 없었지만, 서구 선교사들이 활동했던 기독교와 19세기 동학으로부터 비롯된 식민지 조선의 민족종교들은 민족의식과 구국사상 고취라는 점에서 항시 감시의 눈을 뗄 수 없는 단체들이었다.

식민권력은 이러한 종교단체들을 방치할 수 없었다. 식민권력은 어렵게 획득한 식민지의 안정을 유지하기 위해 끝없이 노력하지 않을 수 없었고, 종교단체는 그 균형을 깰 수 있는 가능성을 지녔다고 보았기 때문이다. 특히 민족종교들은 그럴 가능성이 높다고 생각했다. 『조선의 유사종교』를 정리한 무라야마 지준村山智順에 따르면, "조선의 신흥 유사종교는 항상 사회운동의 주체가 되어서 근세 이후의 조선 사회운동에 대단히 큰 역할을 수행해 왔다. 그 운동이 조선사회의 진동進動에 크게 기여했다는 점에서 결코 경시해서는 안 될 것"이라며 주의를 촉구했다. 또 "조선 유사종교단체의 대부분이 이름을 종교라고 빌린 정치운동 단체라는 세평世評은 종래 자주 들은 바이지만, 유사종교의 조선 및 조선민중에 준 영향 중 정치적 색채를 띠는 것을 관찰하면 그 수는 결코 적지 않다"고 했다.

곧 유사종교는 혁명의식과 민족의식을 고취시킬 가능성이 농후하여 19세기 말의 동학혁명, 그리고 일제강점기 발생했던 3·1운동과 같은 항일운동으로 확산되기 쉬운 비종교적인 단체로 보고 있었던 것이다. 1921년 요시가와 분타로吉川文太郎도 『조선의 종교』에서 종교 유사단체는 "종교라기보다는 오히려 어떤 동일한 주의를 표방하는 무리들이 모여서 하나의 단체를 조직한 것"이라 할 정도였다. 난잔타로南山太郎 역시 「비밀결사의 해부」라는 글에서 직접적으로 "조선 내의 비밀결사란 바로 종교 유사단체를 일컫는다"고 적시했다. 그리고 그러한 비밀결사를 소유한 종교 유사단체들 중 하나로 보천교를 지적했던 것이다.

이런 인식에서 강점 초부터 동학과 여러모로 연결되었고, 종교포교와 함께 비밀결사 조직을 만들어가는 차월곡의 움직임은 식민권력의 입장에서는 좌시할 수 없는 문제였다. 더욱이 "전북 정읍 보천교의 경우, 교주 등극설을 유포하여 민심을 현혹하고 혹은 시국을 빌미로 불온언동을 일삼고 또는 풍속개선, 단발장려에 반대를 표명하는 등의 일이 한 두 번이 아니다"라는 사례들도 확인된 상태였다. 그러한 사유들로 인해 차월곡은 갑종 요시찰인으로 편입된 것이다. 그래서 식민권력의 보고서도 차월곡이 '은밀히 교세확장의 수단으로 국권회복을 표방'했기 때문이라고 기록하고 있었다.

11 제주도 법정사의 항일항쟁

제주도 최초의 대규모 항일운동

제주도 서귀포시 중문지역에 위치했던 법정사法井寺에서 1918년 발생한 항일투쟁으로, 보천교와 관련된 항일운동 중 집중 조명된 사건일 것이다. 관련 학술대회도 열렸고 많은 연구 결과물도 나왔다. 3·1운동 직전에 발생함으로써 그 의의가 더욱 컸으며, 때문에 제주지역 항일운동사에서도 비교적 규모가 큰 운동으로 알려졌다. 그러나 아쉽게도 '보천교'라는 명칭은 사라지고 주로 불교계 항일운동으로 다루어져 왔다. 어떤 내용이며, 왜 그렇게 되었을까?

먼저 식민권력의 보고서에 기록된 내용을 살펴보자.

차월곡은 신도모집을 위해 각지를 전전하다가 1918년 국권회복國權恢復의 미명하에 경상북도 영일군 출신 김연일金蓮日 등과 서로 모의하여, 9월 19일 우란분회盂蘭盆會 때 법정사法井寺에 교도 약 30명을 소집했다. 여기서 왜노倭奴는 조선을 병합하고 우리 동포를 학대하며 가혹하게 다루어, 실로 왜노는 조선민족의 구적仇敵에 가깝다. 이제 불무황제佛務皇帝 출현하여 국권을 회복함으로써 교도는 우선 먼저 일본인 관리와 장사치를 살육하거나 몰아내야 한다고 설법하였다. 그리고 김연일은 스스로 불무황제라 칭하고 대오를 정리한 후 부근 각 면·이장面里長에게 '일본관리를 제거하여 국권을 회복하는데 직접 장정을 거느려 참가하라. 만일 따르지 않으면 군율에 비추어 엄벌에 처한다'라는 내용의 격문을 배포하고 제주성내를 향해서 행동을 개시했다. 가는 도중에 경찰관 주재소를 습격하여 방화 전소全燒시키고 일본인들을 살상하였다. 그 때 여기에 참가했던 38명은 검거했지만 차월곡, 김연일 등의 간부는 수 만 엔을 갖고 소재를 감추어 지금 행방이 불명하다.

이 기록으로만 본다면, 분명히 차월곡과 관련된 항일기록임은 의심할 나위없다. 차월곡에서 시작하여 차월곡으로 끝을 맺고 있기 때문이다. 차월곡은 이미 1914년과 1915년에도 '조선독립, 황제등극' 등의 명목으로 고발되어 구금된 적이 있었고 1917년에는 '국권회복을 표방'했기 때문에 '갑종 요시찰인甲種要視察人'으로 편입되었다. 그 해에 그는 은피隱避의 길을 택해 비밀포교에 나서면서 몇 해 지나지 않아 수만 명의 교도를 획득하는 실적을 올렸다. 그리고 이 무렵 차월곡이 '조선을 독립시키고 정전법井田法을 시행하여 평등하게 토지를 분배할 것'이라는 소문도 나돌았다. 이 때부터 식민권력은 정읍 대흥리 차월곡의 교단을 밤낮을 가리지 않고 감시하고, 또 꼬투리를 잡아 지속적으로 탄압했다. 1919년 3·1운동이 발발하기 직전에도 차월곡의 모든 행동은 식민권력의 신경을 곤두서게 하고 있었던 것이다.

이러한 법정사의 집단 항일운동은 일제강점(1910) 이후 제주도에서 발생한 최초이자 가장 큰 규모의 항일운동이었다. 이 운동에 보천교도들, 더 정확히는 선도교나 태을교도들이 참가하여 국권회복과 반외세의 기치를 내걸었던 것이다. 한 예로, 1916년 신도가 되어 이 운동에 참가했다가 이후 서당을 열어 계몽운동에 힘썼던 강상백姜祥伯(1898~1941), 봉개리 출신으로 1917년 입교하여 활동하다가 체포되어 옥고를 치룬 강석구姜錫龜(1882~1968) 등이 대표적 인물이다. 식민권력은 이들을 불경죄, 육·해군 형법, 보안법, 범인 은닉, 수렵 규칙 위반, 총포 화약 취체법 위반 등 온갖 범죄로 옭아 매어 구속하였다. 그리고 체포를 벗어난 다수의 교도들은 전북 정읍의 보천교 본부로 이주해 버렸던 것이다.

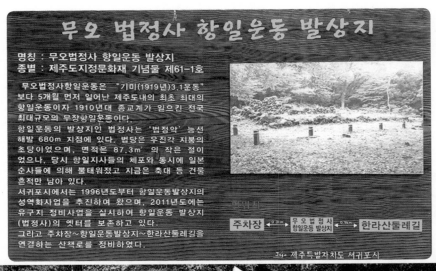

법정사 항일항쟁 유적지 기념비 및 알림판

무오 법정사 항일운동

무오법정사 항일운동(戊午法井寺抗日運動)은 기미(1919) 3·1운동보다 5개월 먼저 일어난 제주도내 최초 최대의
항일운동이자 1910년대 종교계가 일으킨 전국 최대 규모의 무장항일운동이다. 1918년 10월 7일(월)서귀포시 도순동
산 1번지에 있는 법정사에서 청소 일본제국의 통치를 반대하던 불교계의 김연일(金蓮日)·방동화(房東華)등 승려들이
중심이 되어 법정사 신도와·지역주민·선도교도 등 칠백여명이 집단으로 무장하여 2일 동안 조직적으로 일본에 항거한
항일운동으로서, 1919년대의 3·1운동을 비롯하여 민족항일의식을 전국적으로 확산시켜나가는 선구적인 역할을 하였다.
무오법정사항일운동은 당시 법정사 주지인 김연일 스님 등 30여인에 의하여 1918년 5월부터 10월 7일 거사일 까지
무장항일거사 계획을 연밀하게 추진해 나가면서 "우리조선은 일본에 탈취 당해 괴로워하고 있다. ...... 1918년 (음) 9월 3일
오전 4시 하천리에 집합하라. 그래서 (음) 9월 4일 대저 제주향(濟州鄕·제주시)을 습격하여 관리를 체포하고 보통
일본인을 추방하라." 라는 격문을 만들어 법환리·호근리·영남리 등 각 마을 구장에게 격문을 돌리도록 하고 10월
7일 (음 9.3)새벽 무장 항일운동을 전개하였다.
공격의 1차 목표는 서귀포순사주재소였으나 이의치 못하자 2차 목표인 중문리 순사주재소를 습격하였다. 이 과정에서
큰내(江汀川)를 가로지르는 전선과 전주 2개를 절단 무너뜨렸고, 하천리에 이르자 항일항쟁에 참여한 가담자가
400~700명에 이르렀다. 중문순사주재소를 습격하기 위해 중문리로 향하던 일병은 하천리에서 일본인 고이즈미세이싱
(小泉淸身)·장로교의 훈식봉(尹植明)과 일병 무용현(夫容絃)을 때려 상처를 입히고, 중문순사주재소에 불을 질렀다.
이후 연락을 받고 출동한 서귀포순사주재소 순사들에 의해 습격을 받고 좌절하면서 흩어지게 되었다.
무장 항일운동에 참여했던 주요 가담자 66명은 체포되어 광주지방법원 목포지청으로 송치되었다. 그중 48명이 소요보안법
위반으로 기소되었고, 1919년 2월 4일, 실형 선고 31명, 벌금 15명, 재판 전 옥사 2명, 수감 중 옥사 3명, 물기소 18명이었다.
항일운동의 발상지인 법정사는 '법정악'능선 해발 680m 지점에 있다. 법당은 유진각 지붕의 초당이었으며, 면적은
87.3㎡ 정도의 작은 집이나, 당시 항일지사들의 체포와 동시에 일본순사들에 의해 불태워졌고 지금은 축대 등
일부 건물 흔적이 남아 있다.
무오법정사항일항쟁성역화사업은 1992년 재판기록이 발굴되면서 부터이다. 이전까지는 보천교도의 난동으로
평하여 왔으나, 1994년 명예회복을 위한 지역주민들의 청원이 있었으며, 1995년 중문 JC에서 광복 50주년 기념
사업으로 묵모 서례와 안내대형진을 시작하였고, 1996년 무오법정사항일항쟁성역화사업추진위원회가 결성되면서
성역화사업이 본격 추진되어, 2004년도에는 700인의 합동신위와 66인의 영전을 모신 의열사 등이 준공되었다.

항일운동 송치자 66인 형사사건·수형인 명부(당시 나이)

김연일(金蓮日, 본명 基寅) 48세	이승빈(李昇斌) 29세	송을생(宋乙生) 45세
강창규(姜昌奎) 40세	이종강(李宗昌) 39세	김창호(金昌鎬) 41세
박주석(朴周錫, 이명 明洙) 55세	문남은(文南恩) 45세	이원문(李遠榮, 이명 遠遠) 45세
방동화(房東華, 이명 河龍) 32세	오병윤(吳東允, 본명 丙用) 23세	이봉规(李奉奎) 42세
김상언(金商彦, 이명 楅彦) 48세	김성수(金成洙, 본명 誠叔) 22세	박경흡(林京洽) 44세
김삼만(金三萬) 56세	김두삼(金斗三) 25세	이자춘(李自春) 43세
양남구(梁南求, 이명 南久) 29세	이달생(李達生) 32세	원성춘(元性春, 이명 乙春) 24세
장림호(張林虎) 64세	최신일(崔信日) 43세	김병일(金丙日) 33세
최대유(崔泰裕, 이명 泰佑 太兪) 46세	김기수(金基洙, 이명 基水) 52세	김인호(金仁浩) 38세
정구룡(鄭龜龍, 이명 久龍 九縮) 30세	김명돈(金明敦) 42세	고기동(高基棟) 22세
문남규(文南奎) 50세	이춘삼(李春三) 63세	조인혁(趙仁赫) 48세
고용석(高用錫) 53세	양 봉(梁 鳳) 29세	문남진(文南振) 52세
김인수(金仁秀, 이명 敬泰 景泰) 21세	김항율(金恒律) 30세	강영춘(姜英俊) 20세
강주오(姜周五) 미상	원인수(元仁水) 52세	이무현(李戊賢) 21세
강춘근(姜春根) 27세	김인송(金仁松) 42세	이세인(李世仁) 30세
김봉화(金奉和, 이명 基和) 39세	지표생(池표生) 43세	최문수(崔文洙) 52세
강봉환(姜奉煥) 52세	강두옥(康斗玉) 63세	한윤옥(韓允玉) 18세
김무석(金武錫, 이명 戊錫) 32세	현무생(玄戊生) 33세	김운석(金殞錫) 58세
조계성(趙桂成) 37세	지갑생(池甲生) 31세	강 익(姜 翼) 42세
강민수(姜敏洙) 39세	오인식(吳寅植) 24세	현재천(玄才千) 46세
김용충(金用忠) 30세	강순봉(姜舜奉) 36세	강기추(姜基秋) 35세
이원평(李元平) 33세	강태하(姜太河) 23세	오인석(吳仁錫) 38세

이뿐만 아니다. 이해(1918) 11월에는 제주도의 신도였던 이찬경 李燦京이 밭에서 수확한 면(실면實綿)과 실면에서 씨앗을 제거한 후 얻은 솜(조면繰綿) 19포대를 배에 싣고 목포로 옮기면서 그 배안에 비밀스럽게 많은 돈을 은닉하여 들여왔다가 목포경찰서에 단속된 사건이 발생했다. 이는 원래 선도교 간부 박종하가 제주도의 교도 로부터 모은 현금 12,500원을 목포발 열차로 정읍(본소 재무계)에 보내려 했고, 같은 해 음력 3월과 9월에도 2천5백 원을 본소 채규일에 교부하려는 사실이 발각된 것과 동일한 맥락의 사건이었다. 주지하다시피 교금은 식민권력이 특히 경계하는 대상이었다. 이는 독립운동 자금과 연계될 수 있는 소지가 충분했기 때문이었다. 이에 대해 식민권력은 보안법 위반 및 사기취재죄詐欺取財罪로 교인 19명을 체포하였고, 이 때도 차월곡은 소재불명으로 기소중지 처분을 받았다. 신도의 이름(이찬경, 강대거, 문인택 등)과 현금 액수(7만원, 10만원 등)는 자료에 따라 상이하지만, 내용은 대동소이하다. 이 때 1916년 만들었던 24방주 조직이 노출되었고, 강증산의 부인이자 차월곡의 이종누이였던 고판례도 목포검사국에 체포 구금되었다.

법정사 항쟁은 보천교의 항일운동

이러한 제주도 법정사 항일운동과 관련하여 두 가지 점을 생각해 보고 싶다.

하나는 제주도에 보천교(태을교, 훔치교)를 신앙하는 신도들이 다수였던 이유가 뭘까라는 점이다. 유사 이래 한민족은 내·외의 우환을 종종 겪으면서 비참한 삶의 질곡상태로부터 자신을 구원해줄 '참사람(진인眞人)'을 대망待望하여 왔다. 기독교에서 말하는 일종의 메시아였다. 하늘에서 내려온다거나 땅에서 솟아났다고도 생각했다. 그런데 언제부턴가 우리를 질곡에서 구해줄 참사람이 남쪽 바다의 섬에서 올 것이라는 믿음이 생겨났다. 곧 '진인은 바다의 섬에서 나온다(진인해도출眞人海島出)'거나 '남쪽 바다에서 온다는 믿음(남해출봉지설南海出逢之說)'(『일성록』) 등으로 남쪽 바다의 섬에서 올 것이라는 믿음을 갖고 있었다는 점이다. 따라서 1801년 신유사옥辛酉邪獄 때도 '바다 가운데의 섬(해중도海中島)'과 '큰 배(대박大舶)' 그리고 그와 함께 오는 참사람의 상징이 결부되어 있었다. 또 당시 문초를 당했던 김이백金履白도 '바닷속 섬에 진인이 있다(해중도유진인海中島有眞人)'는 믿음을 갖고 있었던 것이다.

이는 그 구체적 연원을 확인하기는 불가능하나, 오래 전부터 민중들 사이에 전설로 혹은 도참으로 퍼져있었던 민중사상의 핵심이었음이 분명하다. 한 예로, 연담 김운규에서 시작되어 김치인(호 광화光華)의 오방불교로 전개된 남학당南學黨도 전라도를 거쳐 제주도로 집단 이주하여 활동한 일도 이와 어느 정도 관련이 있다고 보인다. 민족종교에 들어있는 후천개벽과 연결된 남조선 신앙 등도 이러한 민중들의 믿음에 확신을 주기에 충분했다. 이러한 상황들이 제주지역에서 보천교 성장에 도움을 준 요인들로 보아도 무리가 없을 것이다.

그리고 또 한가지는, 그럼에도 불구하고 제주도 법정사 운동이 왜 불교계의 항일운동으로 자리매김되고 있는가의 문제이다. 물론 아직은 보천교라는 교명 자체가 나타나지 않은 시기이다. 때문에 보천교 항일운동으로 자리매김하기에는 어려움이 있을 것이다. 그러나 차월곡에서 시작해 차월곡으로 끝나는 보고서로 보아 넓게는 증산계열의 항일운동으로 보기에는 무리가 없다. 또한 김연일이 법정사 주지이고 운동에 불교도가 다수 활동했다는 사실도 보천교 운동으로 보는데 고민이 될 것이다. 이제 와서 불교니 선도교(보천교)니 나눌 필요가 있을지 모르겠지만, 필자는 당시 이렇게 뚜렷이 구분한다는 것 자체가 큰 의미가 없다고 보는 입장이다.

증산 역시 대원사 칠성각에서 득도했고, 증산 사후에도 금산사를 중심으로 제자들의 종교활동이 이루어졌다는 사실도 고려할 필요가 있다. 불교와 보천교를 명확히 구분하려는 것 자체가 지극히 현대적 시선이고, 아전인수격 해석이 될 뿐이다. 그러한 사례들은 많지만, 한 가지만 더 예를 든다면, 증산의 제자였던 김형렬의 항일운동 기록을 참조해도 좋을 듯하다. 김형렬이 위봉사의 주지 곽법경과 더불어 항일운동을 하였다는 사실에 주목할 필요가 있다.

1918년 8월 16일, 김형렬은 곽법경을 찾아가 '태을교는 미신교로서 관헌의 단속이 엄중하여 공공연하게 포교하는 일이 가능하지 못하나, 곽법경은 다행히 현재 절 신도의 권유에 힘쓰고 있기 때문에 우리 교도를 표면적으로 절의 신도로 취급을 받도록 한다면, 위봉사의 경비는 물론 승려의 수당 등도 부담을 할 것'이라고 부탁하였다. 이에 곽법경도 승낙했다. 이로써 태을교도는 표면적으로 위봉사의 신도가 되어 공공연하게 위봉사와 그 말사末寺인 금산사 그리고 위봉사 전주포교당에서 회합하여 태을교 포교를 하기에 이르렀다.

김형렬은 위봉사 전주포교당에서 스스로 절의 신도 총 대표가 되어 경기, 충청남북, 전라남북, 경상남북, 황해, 평북 및 강원도 각 도에 절의 신도 총대總代 백 명을 두고 태을교의 입교를 권유하면서

3·1운동 전후의 민심을 이용하여 조선의 독립을 언급하였다. 당시 위봉사에 비치된 태을교에 속한 절의 신도 명부에 의하면 약 4천 5백 명이 등재되어 있고, 미등재된 사람도 적지 않았다. 곽법경은 금산사 승려 김익현金益鉉에게 '태을교도로서 불교에 귀의한 자 현재 7천여 명에 달하고 이후 더욱 증가할 경향이 있다. 따라서 장래 조선의 일을 이야기하고 또 이를 단행함에 모두가 단체의 세력에 기대하면 그 목적이 도달될 수 있을 것이다. 자신은 김형렬과 모의하여 이러한 의미에서 태을교도를 위봉사 절의 신도로 만들고, 암암리에 단체의 세력을 키운다면 장래 조선이 독립될 것'이라고 자신의 계획을 말하였다.

당시에는 이런 일들이 비일비재했을 것이다. 자료에 의하면, 위봉사 주지 곽법경도 태을교도로서 불교에 귀의했다고도 한다. 당시 구속된 자들도 모두 위봉사의 신도들로 기록되었다. 그러면 김형렬의 항일운동도 불교계 운동인가? 아무도 그렇게 생각하지 않는다. 한 때 동학혁명도 '동학'을 붙이느니 마느니 논란이 있다가 이제 '동학농민혁명'으로 공식화되었다. 어쩌면 법정사의 주지 김연일은 승려이기 이전에 곽금곡처럼 보천교도였을 수도 있고, 차월곡과 서로 협력하는 관계였을 것이다. 오늘날 보천교가 힘이 있고 긍정적 이미지를 지녔다면 과연 이렇게 주장할 수 있었을까라는 의심조차 든다. 자괴감이 든다. 다만 필자가 아직 풀지 못하는 한 가지는 차월곡의 행방이다. 서두와 말미에만 잠깐 나오고 그 행방이 묘연하다는 사실이다. 제주에 가서 항일운동을 함께 했을까? 그런 것 같지는 않다.

12 황석산 고천제와 천자등극설 유감

황석산 고천제

흔히 보천교의 폭발적 교세 성장의 배경에는 이른바 '천자등극설'이 자리했다고 한다. 이는 '일정한 때가 되면 차월곡이 국가를 만들어 천자의 위位에 오를 것이며 그 때에는 교도들도 그동안의 활동에 상응하는 관직을 받게 될 것'이라는 설이다. 이러한 천자등극설은 일제강점기 크게 두 차례(갑자년, 기사년)에 걸쳐 나타났다. 식민권력은 이를 '혹세무민의 유언비어'로 지목하여 보천교를 미신사교迷信邪敎로 몰아붙이는데도 활용했다.

천자는 누구인가? 일개 국가의 왕이 아닌 하늘 아래 세상의 중심을 말한 것이다. 서슬이 시퍼런 식민지 치하에서 천자를 주장함은 위험천만하기 그지 없는 일이다. 아니 목숨을 내놓지 않고서는 감히 말할 수 없는 주장이다. 2천 년 전에 사형 당한 예수도 죄목이 '유대인의 왕'이었다. 물론 문자 그대로 왕이기 때문에 죽인 것은 아니었고 로마의 식민지 하에서 유대인들을 실질적으로 이끌며 내란·선동을 주도했던 죄목이 될 것이다. 당시 로마가 지배하고 있던 여러 나라 중 유대인들은 조금 특이한 민족이었다. 유독 로마에 대한 저항이 심했다. 그래서 로마는 유대인들의 자치를 폭 넓게 허용하면서 '정치범'만은 직접 챙겨 처형했다. 이는 로마와 식민지 사이의 지배-피지배 관계를 유지하는데 아주 중요한 문제 중 하나였다.

예수가 로마 총독에게 직접 처형을 당했다는 사실은 그가 당대 유대인들 사이에서 정치적인 지도자로 인식되었고 그 영향력 또한 무시할 수 없을 정도였음을 뜻했다.

그런데 왕도 아닌 천자를 주장했던 것이다. 보천교에는 비난이 쏟아졌다. 조선총독부만이 아니었다. 언론기관과 신지식인들, 심지어 천도교 등 종교단체의 시선도 곱지 않았다. 미신사교이자 사이비라고. 천자라면 의당 다스릴 나라가 있어야 했다. 이를 시국時國이라 하였다. 그러니까 일정한

운곡마을 입구

경남 운곡마을에서 바라본 대황산大篁山. 차월곡은 1919년 말 이 산 아래 덕암리德庵里에서 60방주를 고명告名 고천告天하였다.

때(갑자년 혹은 기사년)가 되면 시국을 개국하여 차월곡은 천자가 되고 보천교 간부들은 관직을 얻게 될 것이라 보았다. 자연히 일본은 이 땅에서 물러가고 민중들은 행복하고 평화로운 삶을 영위하게 될 것이라는 예언이다.

그러면 이러한 갑자년(1924) 천자등극설은 언제, 누가 말했는가? 갑자등극설의 정체는 무엇인가? 흔히 이러한 천자등극설은 황석산 고천제와 연결시켜 말하는 경우들이 많다. 1921년 지금껏 특정 명칭이 없이 활동해 왔으나 이제 교단의 명칭을 지어 하늘에 알리는 천제(고천제)를 준비했다.

황석산 고천제와 그 전후상황을 살펴보자.

차월곡은 60방주 조직을 정비하고 난 뒤 교명敎名 고천제告天祭를 준비해왔다. 천제天祭 일자를 1921년 9월 24일로 정하고 천제 장소를 덕유산 산기슭 황석산黃石山으로 정한 뒤 준비에 차질 없도록 지시했다. 고천제를 거행하기 위해 전년부터 차곡차곡 준비했던 터였다. 그 제수용 과일 품목들을 생산지 교인에게 미리 부탁하여 지극히 정결하게 따도록 단속하고 백미 및 일반 곡류는 산중에 가서 전답을 새로 개간하되 농구를 전부 새 것으로 구입하고 비료도 분변糞便이나 불결한 용품을 일체 금하고 흰 소금으로 하게 하며 파종 및 개간 시로부터 수확 시까지 일꾼이 대소변 후에는 필히 깨끗이 목욕해 씻으며 침과 가래 등 모든 부정한 것들이 접촉하지 않도록 주의하며 밭을 가는 소의 분뇨도 전답 중에 떨어져 흘러내리지 못하도록 큰 빈 그릇으로 받아 다른 곳에 던져 버리도록 했다.

모든 준비를 마치고 각 도道 간부들을 독촉하여 각 군郡 포장布長을 속히 선정하고 천제天祭시에 빠짐없이 참석케 지시했다. 황석산의 산비탈 수백 평을 평평히 깎아 오좌자향午坐子向으로 제단을 쌓았다. 단은 9층에 높이가 7척 2촌이고, 넓이가 최상층은 사방이 9척이며, 하층은 사방이 15척이었다. 면포(백목白木)를 길게 연결하여 사면으로 휘장천막을 두르고 동서남북에 출입문만 개방하고 공중에 삼실로 만든 줄을 종횡하여 우물 정井 자로 구성하고 백랍으로 정제한 등촉을 28수宿로 높이 걸고 60방주方主와 360군 포장布長 매 인 아래 등촉 하나씩 내걸고 큰 화톳불에 불을 지펴 불빛이 하늘에 이어졌다. 단상에는 병풍을 세우고 한지에 붓글씨로 구천하감지위九天下鑑之位, 옥황상제하감지위玉皇上帝下鑑之位, 삼태칠성응감지위三台七星應感之位라고 크게 쓴 신위神位 3위를 모셨다.

신유년(1921) 가을 9월 24일, 경신庚申 신신시에 차월곡은 3층 단상에 올라 제례祭禮를 봉행했다. 방주方主, 포장布長, 정리正理를 차례대로 열 지어 세우게 하니 사람 수가 천 명에 달했다. 초헌初獻 후 축문을 읽고 교명敎名을 하늘에 고告天하여 보화普化라 하였다. 제례를 마치고 비어있는 방주方主 7인을 보결補缺했다. 얼마 후 10월에는 차월곡이 교주의 위치에 앉는 것을 허락하니 이때부터 사제師弟의 규모가 성립되었다.

그리고 비슷한 시기(1921.10.), 교인 둘이 차월곡에게 양해사諒解事(총독부에 교주의 정체를 공개하고 단체를 세상에 공개하는 건)를 물어보자, "교敎는 한 사람의 교敎가 아니오 많은 사람의 교敎이거늘 중론을 듣지 아니하고 내가 홀로 처단할 수 없다. 교안은 경상도가 제일 많고 그 중에 두령은 김정곤金正坤과 전해우全海宇 등인데 그 사람이 완강히 거부 불응하면 나 역시 어찌할 도리 없다"고 응답하였다. 차월곡은 항상 일제 협력에 미온적인 태도를 보였다. 내심 믿기지 않앗던 것이었다. 별로 공개하고 싶지 않다는 뜻을 보이면서 교주 홀로 처리함이 옳지 않다고 강조했던 것이다.

그런데 황석산 고천제 어디서도 '교명敎名을 보화普化로 한다'는 내용은 보이지만 시국時國에 관한 언급은 보이지 않는다. 그런데 이강호는 논문의 각주에서 "축문에는 '국호왈시國號曰時'라고 되었다"고 했다.

천자등극설 유감

문제는 차월곡 본인도 이를 극구 부인했다는 사실이다. 1931년 9월 하순, 보천교 본소에 있었던 차월곡을 방문하여 3일 동안 식사를 같이 하며 대화했던 기록을 살펴보자. 여기에서는 "갑자년 천자 등극설은 차경석 자신은 절대로 부인"하였고, "최초에 차경석의 출발한 본지였는지 아니었는지, 혹은 차경석의 직접 말한 것인지 또는 간부의 주장인지는 아직도 모르겠다"고 인터뷰 소회를 피력하였다. 그 구체적 문답을 보자.

> 문: "사람들이 천자 차車 모씨라 하니 어떠한 연유입니까?"
> 답: "남아가 천하에 뜻을 두고 세상에 나아감에 한 개의 창생도 남김없이 제도濟度함이 옳거늘 그까짓 천자가 다 무엇입니까. 나는 모르는 말이지만 간혹 신문지상에 그같이 떠들지만 한 사람의 신문기자도 나를 방문하여 나의 참된 소회所懷를 듣고 간 사람이 없이 자기들 마음대로 떠드는 것은 도리어 웃어버리고 말 일이지."
> 문: "그렇다면 갑자등극설도 허무맹랑하고 황당무계한 이야기인가요?"
> 답: "그야 더군다나."

문: "그러나 항간에서는 갑자년 등극설을 믿던 자들은 이제는 전부 사라졌다는데 신도층에 이로 말미암아 동요가 많을 것이오."
답: "한때는 자발적으로 믿지 않고 남의 바람에 믿던 신도들은 물러갔겠지만은 참다운 신도는 지금도 전날에 비하여 별로 변동이 없느니."

월곡은 "교敎가 삿邪된 것이 아니라 세상이 삿되어…"라고 대답하며 말을 흐린다. 이 뿐만 아니라 1923년 말부터 출간된 보천교의 기관지인 『보광』에도 문답법으로 항간에서 회자되고 있는 갑자년 천자등극설에 대해 이렇게 답하였다.

"그거야 어디 보천교 특유의 것인가요. 어디 보천교가 창조한 것인가요. 오백년 동안 내려오는 조선민족의 전통적 신념이 아닙니까. 음양술수자 부류는 더 말할 것 없거니와 유생도 그 신념이 있고 동학, 북학도 떠든 소리요, 30세 이상된 남자의 태반은 그것에 미혹된가 합니다. 우리 교인도 그 민족의 일원인 이상에 아주 그 신념이 없다고 하겠습니까마는 그것은 민족적으로 있는 것이지 교리는 아니외다. 이 미신이 조선인의 보편적 고유설임을 알면서도 세간에서는 그것을 우리 교에 전가시키려 함은 억하심정인지 아마 고의적 곡해인가 봅니다."

곧 갑자년 천자등극설은 보천교의 교리가 아니라 조선민족이 오랫동안 기다려온 진인대망론이며, 이를 보천교와 연결시키는 것은 분명히 보천교를 왜곡할 이유가 있다는 대답이었다. 1924년 신년을 맞아 발간된 『보광』 4권의 「갑자신년」이란 제하의 글에서도 갑자년 등극에 관한 언급은 전혀 찾아볼 수 없다. 당시 식민지 상황에서 새로운 국가 건설과 천자등극 주장은 매우 위험한 사상이었다. 차월곡이 그런 사실을 모를 리 없었고 더구나 대종교처럼 만주 등지로 나가지 않고 국내에서 활동하리라 마음먹은 상태에서 자충수를 둘리 없었다. 그런데 왜 이런 주장이 나왔을까?

'우리 민족의 보편적 고유설'과 '보천교 왜곡설' 이외에 또 한 가지 가능성은 포교 확대를 위한 간부들의 전략이었을 수도 있다. 차월곡은 1919년 60방주 고천告天을 마친 후에도 계속하여 관리의 수색과 외부인들의 고발이 있자, 숨어있으면서 다수 교인을 불러 만나고 이야기하는 것이 불편하여 대표인을 지명하여 전수傳授케 하였다. 김홍규, 채규일, 김영두, 김해우, 이상호였다. 천자등극설은 이들에 의해 나타났을 가능성이 높다. 안 그래도 1914년부터 줄곧 "조선을 독립시켜 황제가 되려 한다"는 명목으로 고발되면서 식민권력의 추적을 끊임없이 받고 있었던 터였다. 다만 시국이나 천자등극이라는 말만 없었던 상황이었다. 그렇다면 시국은 황석산에서 시작된게 아닐 것이며, 차월곡이 말한 것인지도 의심된다.

누가 천자인가?

그러나 차월곡 역시 시국이나 천자를 전면적으로 부정하지는 않았다. 이민족의 침략과 피지배 상태에 놓인 약소국은 민족의 생존을 생각지 않을 수 없기 때문에 민족주의나 애국심은 중요하다. 히브리 민족에게 선민사상이 없었다면, 어떻게 2천년이 넘도록 디아스포라를 겪으면서도 공동체를 유지하고 나라를 다시 세울 수 있었겠는가. 19세기 후반 한반도에 몰려든 세계열강들 사이에서 한민족이 말살되지 않고 역사를 이어온 원동력에는 동학 등 민족종교도 어느 정도 역할을 하고 있었다. 조선조 동학이 알려준 다시개벽은 민중의 희망이었고 그것은 동학혁명을 일으키며 민족종교로 면면히 이어졌다. 보천교의 새로운 나라 '시국' 건설도 그러한 '조선조 개벽사상의 연결'이었던 것이다.

동학혁명 이후 고종은 1897년 원구단에서 조선이 독립국임과 '대한'이라는 국명을 천제를 거행하여 하늘에 알렸다. 그리고 왕이 아닌 천자의 자리인 황제의 위에 올랐다. 그러나 나약한 대한제국은 국가를 지탱할 능력이 없었고 결국 일제의 강점으로 식민지 상태로 전락했다. 1919년 망국의 군주였던 고종이 승하하였다. 심지어 독살설까지 나돌면서 조선사회의 사정은 흉흉했다. 시국과 천자등극설은 이 즈음부터 나타난다.

시국時國 건설의 꿈은 잃어버린 나라 건설의 꿈이었다. 독립을 염원하고 현 삶에서 탈출하려는 민중들의 바람이었다. 중국적 질서로 국명國名을 풀어 본다면, 고종의 큰 '한韓'에 이은 '시時'국國이었다. 주지하다시피 1자字 국명은 천자의 나라인 천하의 중심국임을 의미한다. 2자字 국명은 주변국(예. 조선, 안남), 3자字 국명은 먼 변방국(예. 오지리)이었다. '한韓(1897)'이 역사적 변화의 주체인 선민(한민족) 의식을 내포하고 (공간)세계의 중심을 알려준 것이라면, '시時'는 개벽의 선·후천 변화의 중심인 시·공간의 중심을 의미했다.

그런데 시국과 천자등극은 식민권력에 의해 부정적 의미로 도배되었다. "갑자등극의 희망은 그 해(1924)에 이상호의 보천교 혁신운동으로 등장하여 교단내에 일대소동이 생겼는가 하면, 또한 고대하였던 시국의 창립은 겨우 시국대동단이라는 친일단체로 등장하였으며, 제왕이 되었어야 할 차경석은 겨우 조선총독부 정무총감 시모오카下岡忠治의 명령에 복종하여야 하는 친일주구로 등장하여 관민의 굴욕이 되고 말았다."(이강오) 심지어 시국대동단의 시국時局도 시국時國에서 따왔다고 했다.

'자칭 타칭 600만 교도', 보천교 신도의 급성장에 대해서는 여러 가지 이유를 열거할 수 있을 것이다. 우선 당시 『정감록』 비결을 믿어 새 왕조 출현을 기대했던 민중들이 '천자등극설과 연계'하여 모여들었을 가능성도 있고, 또 동학의 실패로 '다시개벽'의 꿈을 기대하여 몰려든 민중들일 수도 있다. 그리고 종교적 의미에서, 방황하는 민중들로 하여금 차월곡의 '축천축지, 신출귀몰하는 도술조화'에 관한 소문이나, '장차 한국이 세계 중심국이 되고 여기서 참 주인이 등극하리라는 설'이 사람들의 입을 통해 선전된 효과도 있었을 것이다.

그러다 보니 식민권력은 보천교 교도들을 '우매한 농민'이라거나 '무식계급'으로 폄하하는 경우가 많았다. 600만 명 정도면 별의별 사람들이 다 모여들었겠지만, 간부들을 보면, 그들은 새로운 진인이 출현하기를 갈망하는 자들로, 주역이나 천체운행, 천문현상에 대한 상당한 수준의 지식을 수록한 정감록 등을 볼 수 있는 양반 지식층들이었다. 60방주들도 대부분 한학에 능통한 사람들로 의식에 곤란을 겪지 않는 사람들이었다.

간부를 임명할 때도 '신언서판身言書判 구비자'와 '포교에 성실한 자'를 골랐다. 신언서판이라면 예전에 인물을 골랐던 네 가지 조건으로 신수身手, 말씨, 문필, 판단력을 이른다. 이른바 지식인들이다. 근대적 지식을 습득한 신지식인들도 있었다. 그들은 〈시대일보〉도 인수해 경영하려 했었고 각종 인쇄물도 출판하고 보천교 혁신운동도 주도하고 있었다. 물론 삶의 무게에 힘들어 하던 농민들이 다수였다. 일제에 강점 당하고 국가나 어느 누구로부터도 보호받지 못하던 사람들, 토지조사사업의 까다로운 신고절차에 백주 대낮에 눈 뜨고 경작하던 땅을 빼앗기고 소작농으로 전락한 자들이었다. 그렇다고 이들을 무식계급이라고 비하할 수는 없다. 그렇다면 식민지 시대 유식계급은 어떠했는가. 그 중에는 만주나 해외로 나가 민족독립운동에 헌신한 자들도 있었지만 나라를 일제에 팔아먹고 총독부 권력과 부화뇌동하면서 개인의 안일을 영위하던 자가 다수이지 않았던가?

13 보천교 진정원 불온문서 사건

만세운동을 꿈꾸다

　1923년 9월 1일, 일본에서 관동대지진이 발생하였다. 일본 도쿄 남쪽에 위치한 가나가와현神奈川県을 진앙지로 발생한 지진은 수많은 인명과 재산 피해를 발생시켰고 민심을 흉흉케 했다. 문제는 이런 자연재해를 정략적으로 이용하려는 일본 제국주의 권력이었다. 당시 일본내에서는 일본공산당이 설립되면서 계급투쟁이 격화되었고, 식민지로 강점된 한국과 중국에서는 민족해방운동이 활발히 전개되고 있었다.

무오(1918)독립선언서 석판 인쇄본 대한독립선언서. 한국에서 발표된 최초의 독립선언서.(자료. 3·1운동 100주년기념사업추진위원회)

일본은 이러한 대내외적 위기상황에 직면하여 한국인과 사회주의자를 탄압할 기회를 엿보던 중이었다. 대지진은 좋은 기회를 제공하였다. 내무성은 각 경찰서에 "조선인들이 방화와 폭탄에 의한 테러, 강도 등을 획책하고 있으니 주의하라"는 내용을 하달했고, 이에 '조선인들이 폭도로 돌변해 우물에 독을 풀고 방화약탈을 하며 일본인들을 습격하고 있다'라는 소문이 나돌기 시작했다. 수도 도쿄東京과 가나가와현, 사이타마현埼玉県, 지바현千葉県에 계엄령이 선포됐다. 계엄령 아래에서 군대·경찰이 조직적으로 움직였고 각지에서 자경단이 조직되었다. 그리고 그들에 의해 한국인과 사회주의자가 수없이 피살되었는데, 약 6,000명 가량의 한국인이 학살당했다.

이러한 관동대지진의 소식은 식민지 조선에도 금방 전해졌다. 민심이 동요되었고 사회가 불안하였다. 그런데 보천교 진정원에서 이 기회를 이용하여 소위 '불온문서'를 만들어 배포하려던 사건이 발

적십자사 소책자에 실린 공원에서의 3·1만세운동 모습(자료. 3·1운동 100주년기념사업추진위원회)

생했다. 그 간단한 내용은 이렇다.

"경성부내 보천교 진정원은 동경지방 관동대지진에 수반된 민심의 동요를 이용하여 오는 부업품공진회副業品共進會 개최에 맞춰 사람 출입이 왕성함을 기해 불온문서를 산포散布하여 민심을 선동하려는 불온계획을 착착 진행하였다. 이미 일부의 준비를 마쳤고 진정원 간부 등은 이름을 보천교 의식참열儀式參列이라 칭하며 전북 정읍 소재 보천교 중앙본소를 향해 출발준비 중이라는 정보를 접하였다."

불온문서의 내용이 자못 궁금할 것이다. 선전문宣傳文은 '순리循理의 천도天道는 악자惡者를 증오하며 폭자暴者를 감찰한다. 전 달에 도이왜적島夷倭敵의 제도帝都인 동경東京에서 일어난 진재震災' 운운하면서 시작된다. 종교단체답게 불온문서는 '하늘의 순환이치'에서 시작하여 악한 자와 난폭한 자는 결코 하늘에서 용서치 않음을 서두에 내세웠던 것이다.

그리고 관동대지진은 '섬나라 오랑캐 왜적[도이왜적島夷倭敵]'의 수도인 도쿄東京에서 발생했으며, '역사적 광채가 빛나는 한민족이 금일 망국에 이르렀으나' 다시 한번 기회를 맞아 일어설 것을 촉구하는 내용으로 이루어졌다. 1919년 3·1민족독립운동도 고종이 독살되었다는 소문이 계기가 되었고, 고종의 인산일인 1919년 3월 1일에 맞추어 봉기한 독립운동임은 주지의 사실이다. 다시 제국주의의 도시[제도帝都]에서 발생한 대지진을 기회로 한민족이 분연히 일어설 것을 촉구했다. 강점 치하에서 일본을 '섬나라 오랑캐 왜적'으로 표현하였다는 사실만으로도 민족 독립운동에서 보천교의 위상에 대한 새로운 평가가 가능하다. 비록 성공하지 못하고 체포되었지만 보천교를 재평가할 수 있는 하나의 자료로 보아도 무리가 없을 것이다(식민권력은 본 사건을 조사한 결과, 정보제공자가 보천교에 대한 불만으로 사건을 조작했다고 보고 정보제공자를 구속하면서 사건을 축소·종결지었다. 그러나 이 시기를 전후한 식민권력의 관련 공문서 및 보천교의 상황 등 여러 정황을 볼 때 한 두 명이 조작하였다고 보기에는 의심의 여지가 많다).

그 뿐만 아니다. 관동대지진이 발생하기 전인 1923년 7월, 경성부京城府에 살았던 부여扶餘 사람 김목현金穆鉉의 활동으로 발각된 사건이 있었다. 만주 독립군단 총사령관 김좌진 밀사 참모인 유정근兪政根이 검거된 것이다. 유정근은 천안 출신으로 본명이 유민식兪民植(1888~1969)이며 김좌진 장군과 함께 청산리 전투를 승리로 이끈 주역 중 한 명이다. 그는 일제에 강점 당하던 해에 만주 망명 길에 올라 국권회복운동과 상해 임시정부 수립에도 참여하는 등 민족운동에 활발히 참여하였다. 대종교 활동도 했으며, 아호를 후단後檀 곧 '단군의 후예'로 할 만큼 항일의식이 투철한 투사였다.

그는 1922년 2월경 김좌진 장군이 '조선독립 착수에 필요한 병력과 무기가 필요하나 자금이 부족하다'는 이야기를 듣고 밀명을 받아 보천교도인 신찬우申贊雨와 함께 국내에 특파되었다. '자금을 조선 내 유력자로부터 모집하고 독립군 병력을 충실하게 하기 위하여 약 300만 명의 신도를 갖고 있는 보천교 교주 차월곡을 북만주에 초치招致하고, 조선독립운동에 가입하게 할 목적으로 김좌진으로부터 박영효, 한규설, 차월곡 등에게 보내는 서장書狀을 지니고'(판결문서) 들어온다. 그 서장에는 김좌진 장군이 전하고 싶은 내용이 적혀 있었다. '우리들은 서로 연락과 원조를 게을리해서는 안된다. 조선독립이라는 대사에 전심으로 2천만의 대동원으로 한꺼번에 일본을 축파蹴破하고 조국을 부흥시켜야 하니 이의 완성에 진력하기 바란다'는 내용이었다.

그리고 당시 조선에서 교세가 대단했던 보천교 교주 차월곡을 만주로 데려가려 했던 것이다. 그러나 유정근이 체포되면서 이 계획은 실패하였지만 모금된 군자금은 만주 독립군에게 전달되었다. 이 때 유정근의 검거로 김좌진과 보천교 간부의 긴밀한 연락망이 적발되었던 것이다. 이 사실 역시 국내의 어려운 상황에서 보천교가 이면에서 끊임없이 민족독립 활동과 연결되어 있었음을 보여주는 명백한 증거이다. 이후 유정근은 다시 만주로 건너가 1925년 3월 10일 영고탑에서 결성된 신민부에서 경리부 위원장 및 각 군사위원장 등을 역임하면서 군사령관 김좌진과 활동을 계속해 나갔다.

이러한 기록들을 보면, 앞서 지적한 '일제 강점기 보천교가 친일親日, 사이비 유사종교의 대명사로 이미지화된 평가'가 얼마나 잘못된 것이지 쉽게 알 수 있다. 보천교에 씌워진 제국주의적, 식민주의적 굴레를 벗기고 제대로 평가해야 할 필요성을 보여주는 것이다.

보천교의 고민과 행동

그러나 해(1923)를 넘기면서 당시 보천교는 어떤 행동을 취해야 할지 기로에 서 있었다. 1924년 2월의 자료에는 이러한 보천교의 고민과 행동방향에 관한 내용이 보인다.

"보천교의 부침浮沈은 실로 기로에 서 있다고 해도 과언이 아니다. 〈중략〉
독립운동을 시도해도 손병희의 3·1운동(1919. 3. 1)에도 미치지 못할 것이 분명하며, 연기延期의 방책으로 만주방면으로 차경석 이하 출동하여 일대一大 포교布教를 시도함으로써 기대를 실현 □□□□□□ 이에는 상당한 비용과 당국의 주목을 받아 생각보다 효과 심히 적어서 채용하지 못했다. 〈중략〉 교도敎徒의 신용 상 제1로 천도교당 이상의 교당敎堂 신축, 학교의 신축, 사회사업 시설을 경영하여 인기를 획득하는 수단으로는 100만 엔의 자금을 요하고 있다.”

이 내용은 당시 보천교의 상황을 잘 드러내고 있다. 보천교는 재편된 내부조직(60방주제 등)을 토대로 1920년대 들어 적극적인 활동을 전개하였고 자칭·타칭 600만이라는 교도를 확보하기에 이르렀다. 특히 앞서 보았듯이 3·1민족독립운동 이후에는 군자금 모집과 만주의 독립운동단체와도 연결되어 활동하여 왔다. 그러나 1924년에 들어서면서 기로에 선 것이다.

왜 이 해가 고민인 것일까? 1924년은 갑자년이다. 그런데 보천교는 1921년 황석산에서 고천제告天祭를 하면서 시국時國 건설을 내세웠고, 갑자년이 되면 교주 차월곡이 천자天子의 자리에 오르고 그를 보필하던 사람들도 재상宰相의 자리를 얻는다고 선전하였다. 소위 ‘갑자년(1924) 천자등극설’이다.(물론 이 설을 그대로 받아들이기에는 논란의 여지가 있으며 본 칼럼에서도 다루었다). 이러한 천자등극설이 이루어지지 않으면 보천교 내부에서는 보천교의 부침浮沈을 고민할 수밖에 없었다. 보천교 정책의 중대문제로서 분기점을 맞게 된 것이다. 보천교의 고민과 행동방향이 논의될 수밖에 없었다.

3·1운동과 같은 독립운동을 시도해도 성공 가능성이 희박했다. 인원으로만 본다면 충분한 숫자이지만, 성공하기에는 이미 대내외

적 환경이 녹록치 않았다. 식민권력의 집요한 공작과 끊임없는 감시도 강화되었고, 보천교의 대외적 이미지도 천자등극설로 긍정적이지도 않았을 것이다. 이전 해에도 소위 '불온문서 사건'을 경험한 터였고, 혹여 성공한다 해도 3·1운동에 미치기에는 역부족일 것이라 생각되었다. 대안이 필요했다. 신도들과 일반인들의 관심을 끌기 위한 각종 방안들이 제시되었다. 김좌진과 유정근이 계획했던 '만주 방면으로 진출하는 방안'도 있었고 '천도교당 이상의 교당[성전聖殿] 건축 방안'과 '학교 신축' 및 '사회사업 시설 경영 방안' 등이 제시되었다. 비록 100만 엔의 큰 자금이 필요했지만.

먼저 만주 방면으로 진출하는 방안에 대해서도 고민이 많았다. 이에 대해서는 뒤에 '보천교의 만주 이주계획 이야기'에서 구체적으로 다루고자 한다. 다만 소위 '조만식 사건'(안후상은 '권총단 사건'이라 명명한다)의 신문訊問 과정에서 나온 내용을 간략히 소개한다. 조사관이 물었다.

"권총을 가지고 자금을 모집하고, 그 금액을 지금 공사가 중지 중인 보천교 성전을 완성하려는 목적이 아닌가?"

대답은 이러하였다.

"자금을 얻어 만주개척을 하려는 생각이었다. 〈중략〉 성전공사의 사실은 들은 기억이 없다."

다시 물었다.

"만주개척을 해 가면서 독립단의 사업을 원조할 생각이었는가?"

대답은 간결했다.

"그렇다."

그리고 교당 건축안은 실제로 실행되었다. 1920년 무렵, 조선의

3대 건축물은 조선총독부, 천도교 대교당, 명동성당으로 알려졌다. 특히 김구는 임시정부 귀국 연설에서 이렇게 연설하였다.

"천도교 대교당이 없었으면 3·1운동이 없었고, 임시정부가 없었고, 독립이 없었을 것이다."

이러한 천도교 대교당과 중앙총부의 건설비가 27만원이었다. 보천교는 결국 이후 보천교 중앙 본소 성전을 신축하게 된다. 거의 100만원을 들여 공사를 진행했다 하니 '천도교당 이상의 교당'의 방안은 이루어진 셈이다.

학교 설립의 경우는 보흥여자사립수학普興女子私立修學을 들 수 있다. 종래 보천교도들은 자녀들에 대해 소위 신학문을 가르치지 않는다는 방침을 따르고 있었다. 그러나 차월곡의 여동생인 차윤숙은 보흥여자사립수학의 설립을 주장하였다. 이 학교에서 자녀들은 신지식을 함양하고 장래 사회에서 활약함으로써 보천교 진흥을 꾀할 수 있다고 보았던 것이다. 차윤숙의 객실客室을 교실로 충당하고, 경북 의성군 의성면 출신의 교도인 김옥선(18세)을 교사로 채용하였다. 여기에 15명의 여학생을 모집하여 별도의 일과표를 만들어 매일 오전 9시부터 오후 4시까지 교습시켰다. 여학생만을 위한 학교라는 점이 다소 아쉽지만(그러나 당시 사회상황을 고려할 때 여학생만을 위한 교육기관 설립도 중요한 의미를 갖기도 한다), 보천교는 나름대로 신지식을 지닌 인재양성에 힘 쏟고 있었다. 또 뒤에서 적을 기회를 마련하겠지만, 보천교 본소가 있는 대흥리에 기산조합을 설립하여 생활이 어려운 노동자들의 생활과 권익을 보호하기도 했다. 보천교는 어려운 상황이었지만, 고민했던 방안을 하나하나 행동으로 옮겨 나갔던 것이다.

14 김좌진 장군의 독립운동을 돕다

만주의 독립운동과 김좌진 장군

한국인 중 보천교나 차월곡을 모르는 사람은 많지만 김좌진 장군을 모르는 사람은 잘 없을 것이다. 장군은 1918년 만주로 건너가 만주벌판을 누비며 독립운동에 헌신하였고 청산리 전투를 승리로 이끈 독립운동의 영웅이다. 이러한 김좌진 장군이 보천교와도 인연이 있었다는 사실을 안다면 사람들은 종종 놀란다. 앞에서 지적했던 "보천교는 독립운동에 한 푼도 기여한 적 없다"는 비난에 익숙한 독자라면 더더욱 놀랄만한 이야기일 것이다.

김좌진 장군은 북로군정서 총사령관으로서 독립군 편성에 주력하였다. 그는 1920년 2월에 길림성 왕청현 십리평十里坪에 사관연성소士官鍊成所를 설치하여 독립군 지휘 간부들을 길러내었다. 이 해 9월에는 처음으로 사관연성소 졸업생 298명을 배출했다. 명실공히 만주지역에서 가장 강력한 무장독립운동단체를 양성하기 시작했던 것이다. 그리고 무장투쟁을 성공적으로 이끌어내기 위해, 그는 군자금 모집과 무기 구입 등도 적극적으로 추진하였다. 주지하다시피 이러한 노력을 바탕으로, 김좌진 장군은 1920년 10월 21일부터 26일까지 6일간 청산리 일대에서 벌어진 전투(홍범도, 이범석과 함께)에서 큰 승리를 거뒀다.

일제 강점기 민족적 쾌거였고 독립전투의 금자탑이었다. 단비를 기대했던 조선민중으로서는 큰 선물을 받았고 독립에 대한 확신과 심기일전하는 계기를 만들어 주었다. 그러나 전투의 승리 이후 만주의 상황은 악화되었다. 일본군은 패전을 설욕하기 위해 계속 증파되었다. 그들의 만행도 가일층 심해졌다. 일본군은 여기저기서 아무 죄도 없는 재만 한인들에게 패전의 분풀이를 하기 시작했다. 한인부락을 초토화하는 작전도 전개되었다.

김좌진 부대는 후일을 기약하면서 전략상 소련과 만주 국경지대인 밀산密山으로 향했다. 무기와 식량의 보급, 앞으로의 행보 등이 큰 문제였다. 독립군이 점점 흩어지기 시작했다. 김좌진 부대는 다시 북만주 지역으로 이동한다. 1922년 김좌진은 수분하綏芬河(흑룡강성 목단강 시市지역)와 북만주 일대에서 대한독립군단을 재조직하여 총사령관으로 활동하였다. 본부는 중·소 국경지대인 동녕현東寧縣에 두었다. 여기서도 김좌진은 당시 총사령관으로서 군자금 모집과 독립군 징모 등에 상당히 고심하였다(박환, 2010).

3·1운동 직후에는 대중적인 지지 속에서 군자금을 모집할 수 있었다. 하지만 1920년 일본군의 만주출병 이후부터는 상황이 크게 변

김좌진을 악마라 표현한 경성일보의 기사

했다. 일본군의 횡포에 대한 두려움으로 재만在滿 한인사회가 크게 위축되었기 때문이다. 김좌진은 군자금을 모으기 위해 많은 노력을 기울였다. 그러나 설상가상으로 이러한 군자금 모금활동은 주민들로부터 원성을 사게 된다. 당시 주민들은 일본군들로부터는 생명의 위협을 받았고, 경제적인 면에서도 생활이 궁핍한 상태였다. 때문에 그들은 독립군의 군자금 모금에도 마음과는 달리 큰 부담을 느꼈던 것이다.

따라서 만주지역의 독립활동을 위한 군자금 모집활동이 국내로까지 확대되었다. 이 때에도 김좌진 장군은 보천교와 연결되었다. 앞에서 보았지만, 이미 김좌진 장군은 1922년 초에 유정근을 밀사로 특파하여 보천교의 차월곡에게 협력을 청하는 서장書狀을 보낸 상황이었다. 그리고 가능하면 자신이 소속했던 대종교처럼, 차월곡의 보천교도 북만주로 옮겨 함께 독립운동에 진력할 것을 요청했었다. 그러나 유정근이 체포되면서 뜻을 이루지 못했고 군자금만 모집해 만주로 보낸 상태였다. 이후에도 필요한 군자금 모집은 계속되었고, 김좌진 장군과 보천교의 접촉도 계속 진행되고 있었다.

김좌진 장군에게 군자금 제공
1924년 11월, 일본 관동청 경무국의 보고 내용을 보자.

"근년 김좌진은 자금 부족 때문에 부하를 해산하여 전혀 활동 불능 상태가 되었다. 이번 봄 조선 내 보천교 교주 차경석車景錫과 연락하여 만주 별동대로서 행동하게 되었다. 지난 10월 초순 교주 대표 모某가 영고탑寧古塔에 와서 2만여 엔의 군자금을 주었다. 이로써 김좌진은 이 돈으로 옛 부하를 소집해 삼차구三岔口에 근거를 두고 포교와 무장대의 편성을 계획해 동지를 인솔해 동녕현東寧縣에 들어가려 했다.”

'김좌진, 군자금을 확보하다'라는 문건이다. "근년 김좌진은 자금이 부족하여 부하를 해산하고 활동불능 상태가 되어"라 하였다. '근년'은 당연히 1923~24년을 말한다. 김좌진과 김혁 등이 주도했던 대한독립군단과 대한독립군정서 등 북만주 지역 독립운동 단체들은 효과적으로 항일투쟁을 전개하기 위해 1925년 3월 10일 영안현寧安縣 영안성寧安城에서 신민부를 조직하였다. 이 때 김좌진은 대한독립군단의 대표로 참석하였다. 신민부에서도 김좌진은 우선 대한독립군단에서와 마찬가지로 군자금을 모금하는 데 큰 노력을 기울였다. 군자금은 무장투쟁을 하는 데 있어 필수적인 요건이기 때문이다. 군자금이 없으면 무기를 구입할 수 없고 무기를 구입하지 못하면 당연히 군사작전도 할 수 없다.

상황이 이렇게 되자, 김좌진은 국내에서 군자금을 모금코자 모연대募捐隊를 조직하여 국내로 파견하였다. 그러나 이 또한 일제의 감시로 순탄하게 이루어지지 못했다. 1920년대 이러한 김좌진 장군의 상황을 고려하면 앞의 기록 내용은 매우 일치하는 점이 많아 보인다. 이미 유정근을 통해 일찍부터 접촉했었던 상황에서, 보천교의 차월곡에게 만주 별동대 자금을 제공받은 일은 큰 무리가 없다. 그리고 이 자금으로 무장대와 포교를 계획하였다. 김좌진 장군의 정치지향의 키워드는 대종교였기 때문이다. 그는 대종교에 바탕을 두고 독립운동을 전개했던 것이다.

그러나 김좌진은 동녕현으로 들어가지 못하고 영고탑으로 되돌아 왔다. 왜냐하면 이 때 최진동崔振東이 동녕현에서 체포되었기 때문이다. 주지하다시피 최진동은 1919년 3·1독립운동이 일어나자 만주에서 그를 포함한 3형제가 무장독립군을 훈련시켰고, 이후 봉오동과 청산리 전투에도 함께 참여하여 전쟁을 승리로 이끄는데 기여한 독립운동가이다. 1924년 1월, 길림성장吉林省長이 동녕현지사東寧縣知事에게 "그(최진동)를 단장으로 하는 대한도독부의 독립군의 수가 4,119명, 장총 4,059정, 기관총 27정, 대포가 4문 등이다"라고 보고하여 규모가 컸으나, 1924년 9월에 동녕東寧 경찰서에 체포되었다.

이 때 김좌진 장군이 보천교로부터 받은 금액이 2만여 원이라 했다. 그런데 11월의 다른 자료도 있다. 거기에는 "동녕부에 근거를 둔 김좌진은 9월 상순 태을교 본부(보천교) 교주 차월곡으로부터 5만 원을 받아 동녕부에서 옛 부하를 소집하여 무력행동에 나섰다"고 기록하였다. 같은 시기의 기록인 걸로 보면 동일사건이기는 한데, 액수가 차이가 있다. 2만 원이라 하여도 작지 않은 돈이지만, 5만 원이라면 지금 시세로 본다면 20억 정도로 추정 가능하다. 일제시대 1원이 순금 두 푼(750㎎), 1925년 급여 40원이 쌀 2가마에 해당하였다는 사실 등을 고려한다면 당시 1원은 현재 약 4만원 정도로 볼 수 있기 때문이다. 이 액수라면 부하들을 재소집하여 무장대를 편성할 수 있는 충분한 금액이다. 더욱이 1925년 초 신민부가 조직되어 많은 자금이 필요한 때인 만큼 조직구성과 독립운동 자금의 용도로 사용되었을 수도 있고, 그렇다면 2만 원과 5만 원도 각각 별개의 사건으로 모두 7만 원이 제공된 것으로도 생각해 볼 수 있다. 보천교에 대한 시선을 바꿀 수 있는 이야기이다.

15 보천교와 의열단

의열단에 가입한 보천교도들

일제강점기 의열단義烈團을 알고 있는 독자들이 많을 것이다. 작년(2016)에 개봉한 송강호 주연의 '밀정密偵'이란 영화가 있었다. 다소 각색은 있었지만, 실제 의열단의 인물들과 그 활동을 다룬 영화였다. 의열단은 1919년 만주의 길림성에서 조직된 비밀 항일독립운동단체였다. 김원봉이 단장을 맡고 신흥무관학교 출신들이 중심이 되어 결성된 급진주의 단체이다. 중국 본토와 만주지역에 활동하던 다수의 독립운동 단체가 온건한 독립운동을 전개하고 있는데 대한 반발로 급진적이고 과격한 폭력투쟁을 목적으로 설립된 단체였다. 보천교는 이러한 의열단과도 관련을 맺고 있었다.

강일姜逸과 배치문裵致文이 그 주인공들이다. 강일은 본명이 강홍렬姜弘烈(1895~1958)이고 호는 학암鶴巖이다. 3·1운동 때 영남지역 학생대표로 독립선언문을 비밀리에 합천지역에 배포했고 합천시장에서 독립만세 시위를 벌였다. 1923년 초에 상해에서 개최된 한민족 국민대표회의에 보천교 청년회 대표자격으로 참가했다. 이 국민대표회의에는 100 여명 정도가 참석하였는데 그 중에 보천교 대표가 공식적으로 참석하고 있었던 것이다. 바로 보천교 진정원의 배홍길裵洪吉과 김종철金鍾喆, 보천교 청년단 강일이었다(조선총독부, 1923. 2. 21). 다른 종교계에서는 천도교측 대표가 동일하게 3명 정도 보인다. 이런 대회에 보천교 직위를 걸고 타 종교와 동일하게 3명이 참가하였다는 사실은 당시 보천교의 위상을 실감하는데 도움을 준다.

당시 상해 임시정부는 많은 내부적인 문제를 해결하기 위해 조직 개편이 필요했다. 그래서 1921년 2월에 박은식朴殷植·김창숙金昌淑 등이 국민대표회의 소집을 주장하는 촉진선언문을 상해에서 발표했다. 이에 각지의 동포들이 호응하면서 활발한 준비 작업이 이루어졌다. 그리고 회의가 몇 차례 연기를 거듭한 끝에 1923년 1월 3일에 개막되어 국내·상해·만주일대·북경·간도일대·노령·미주 등 독립운동의 터전인 각지에서 100여 개의 단체, 100여명 이상의 대표들이 모여들었다. 안창호安昌浩를 임시의장으로 한 예비 회의에서 본회의에 상정할 안건이 심의되고, 1월 31일부터 김동삼金東三을 의장으로 본회의가 시작되었다. 1923년 2월 21일, 민족 대표들은 선서문과 선언문을 발표했다. 대동일치와 희생정신으로 공결公決에 절대 복종할 것을 서약하고, 국민의 완전한 통일을 견고히 하자고 선서하였다. 철저한 독립정신의 결정체로 범 민족운동을 위한 한민족 최대의 조직적 회의였다.

국민대표회의가 끝나자, 강일은 경남기성회慶南期成會 대표로 참석했던 문시환文時煥(1897~1973) 등과 함께 의열단에 입단하게 된다. 같은 해 6월 말, 의열단 총회에서는 군자금을 모집하여 일제의 중요기관 폭파 및 요인 암살 등을 실행할 것을 결의하였다. 이에 따라 그는 문시환, 구여순具汝淳, 김정현金禎顯, 오세덕吳世悳, 배치문裵致文과 함께 군자금 모집요원으로 국내에 밀파되었다.

식민권력도 이 무렵부터 의열단원에 대한 정보보고와 검거를 강화해 나갔다. 1923년 초 국민대표회의를 둘러싼 의열단 관련내용을 살펴보자. 좀 길지만 요약 정리하면 다음과 같다.

"강일은 경성 경신儆神학교와 중앙학교에 2, 3년씩 통학하면서 사상운동 단체들을 출입하고 있는 중, 대정 11년(1922) 7월 공산당원 고故 최팔용崔八鏞으로부터 상해에서 국민대표회의가 개최될 것이므로 출석하면 어떠한 가라고 권유를 받았다. 그래서 보천교 청년회 대표로서 국민대표회의에 출석한 강일은 1923년 1월부터 같은 해 6월까지 참석한 뒤, 같은 해 7월 김원봉金元鳳으로부터 '자네[군君]는 보통 단원이 아니라 특히 간부로서 인선人選된 이상 단원을 모집하여 상해로 보내고, 또 조선 내에 지부를 두어 여기에 들어오는 자금 모집 등에 진력해야 한다'는 명命을 받고 승낙하였다.

조선에 들어올 때는 김원봉의 지시로 상해 혜령惠靈전문학교 재학증명서

현충원에 안장된 애국지사 강일(강홍열)의 묘

현충원에 안장된 애국지사 배치문의 묘

를 얻어 7월 21일 상해를 출범出帆하는 지쿠고마루筑後丸로 일본 북큐슈의 모지門司를 경유하여 7월 말에는 부산에 상륙하였다. 부산진 좌천동佐川洞 최천택崔天鐸과 만나 함께 동래읍내 허영조許永祚를 동래의원으로 방문하였다. 문시환文時煥을 불러 지내며 김원봉으로부터 받은 신임장과 권총, 부호에 대한 협박문, 조선인 관공리官公吏에의 사직권고문과 함께 의열단 선전문을 지참하였음을 알리고 자기와 함께 이를 사용해서 자금모집을 해야 한다고 김원봉의 명령을 전했다.

(오세덕의 진술에 의하면) 자금모집 방법에 대해 연구한 결과, 민간에서 강탈하면 수 천 엔 이상의 탈취는 불가능하며 단체 중 보천교에는 수 십만 엔의 현금이 있으며 차월곡이 이를 보관하고 있다. 특히 소재지 정읍 모촌某村(대흥리이다-역자)은 한 마을 전체가 보천교도인 바, 이를 강탈하려면 다수의 사람이 필요하고 더욱이 운반에 성공하지 못할 것으로 예측된다. 따라서 황모黃某(배치문裵致文?)라는 보천교에 신용이 두터운 자를 통하게 하면 내부의 정보를 얻어 착수할 수 있을 것이다.”

보천교 청년회 대표로 참석했던 강일은 만주지역 의열단에 가입하여 활동했다. 당시 의열단의 단장은 김원봉이었다. 보천교 청년단의 강일은 바로 그 김원봉으로부터 직접 단원과 군자금 모집의 밀명을 받았던 것이다. 그것도 의열단의 보통 단원이 아닌 간부로. 국내로 들어올 때는 김원봉의 신임장과 더불어 권총과 선전문 등을 지참했다.

차월곡과 의열단

앞서 말했듯이 의열단은 비폭력투쟁인 3·1운동이 일본의 폭력으로 실패한 것을 보았으므로 광복을 위해 폭력만을 수단으로, 암살만을 정의로 삼았다. 5개소의 적 기관 파괴와 7개 악惡의 제거를 위해 파괴활동을 벌였다. 5개소의 적 기관은 조선총독부·동양척식주식회사·매일신보사·경찰서·기타 중요 기관이며, 7개 악은 총독 및 총독부 고문·군 수뇌·타이완 총독·친일파 거물·밀정·반민족적 토호·열신劣紳(행실이 못된 악덕 인사)이었다(임종국 1991). 이를 상해 임시정부에서 발간한 〈독립신문〉에서는 '칠가살七可殺'이라 하였다.

1924년 한성은행 폭파 미수사건이 발생했다. 의열단원들이 독립운동의 군자금 조달을 목적으로 은행을 폭파하려다 미수로 끝난 사건이다. 이 때 의열단원 6명이 검거되었는데 여기에 배치문이 들어있었다. 배치문(1890~1942)은 바로 상해 국민대표회의에 보천교 대표로 참석했던 배홍길이다. 그는 1919년 3·1운동이 일어나자 목포에서 독립만세운동을 주도했고, 1923년 국민대표회의에 보천교 대표로 참석했다. 그리고 국내에서의 조직적인 독립투쟁이 시급하다는 사실을 깨달은 그는 의열단에 입단하게 된다. 한성은행 폭파 미수사건 이후, 배치문은 본격적인 사회주의 성격을 띤 노동운동에도 참여하였다. 1924년 사회주의자들의 조직체인 무산無産청년회에 참여해 주도적으로 활동하기 시작했다. 1930년에는 민족지인 호남평론의 기자로 활동하면서 언론을 통한 항일투쟁도 계속하였다.

그런데 한번 생각해 보자. 먼저 상해 국민대표회의에 보천교 대표 지위를 갖고 세 명이 참석했다는 사실이다. 그런 일이 차월곡의 승인 없이 가능한 일이었을까? 자신들의 신분과 지위를 밝히는 일은, 만약 잘못되면 보천교에 닥칠 위험이 모두 고려될 수밖에 없는 상황일 것이다. 역으로 오히려 적극적으로 생각해 볼 필요가 있지 않을까 싶다. 참석자들의 요청에 응해, 차월곡이 적극 상해회의 참석을 지원한 것이라고.

더욱이 이렇게 상해에 참석했던 보천교 대표자 3인 중 2인이 의열단에 가입해 독립투쟁을 전개해 나갔다는 사실도 주목할 필요가 있다(나머지 1명 김종철도 어쩌면 이름을 바꿔 참석했을 가능성이 있지만, 현재로서는 추적이 어렵다). 보천교와 독립운동의 관련을 부정적으로 본다면, 이것도 우연이라 볼 것이다. 그러나 앞서 보았듯이 보천교진정원의 소위 '불온문서' 계획(비록 실패했고 식민권력은 조작된 것이라 결론짓고 있지만)과 당시 보천교의 고민의 흔적들, 그리고 김좌진 장군이 만주 독립단체와 연결되어 있었다는 점을 고려한다면, 이는 처음부터 차월곡의 입장에서 계획적으로 이루어졌다고 보아도 큰 무리가 없을 것이다. 이 뿐만이 아니다. 1923년 조선물산장려회의 이사 30명 중 임경호林敬鎬, 주익朱翼 등 4인이 보천교 간부였고(안후상 1998), 그리고 주익은 3·1운동과 상해 임시정부에도 참여하고 있었다(방기중方基中 1996).

마지막으로 의열단의 투쟁방향을 고려할 때, 만약 소문대로 차월곡이 친일적이고 반민족적인 종교가였다면 상해회의에 보천교 대표가 참석하고, 그들이 의열단에 가입·활동할 수 있었을까 하는 의구심이다. 왜냐하면 자신들의 교주인 차월곡 자신이 의열단의 암살대상인 '칠가살七可殺' 중 하나, 즉 '반민족적 토호'에 해당되었을 것이기 때문이다. 그런데 식민권력의 시선을 벗어나 보면, 이러한 의구심은 간결하게 해결된다. 강일 곧 강홍렬과 배치문 곧 배홍길은 의열단과 보천교를 연결하는 중요한 고리였던 것이다.

16 보천교의 만주이주 계획

만주이주 문제

1921년, 보천교에 많은 신도들이 들어오면서 차월곡은 외유를 계획한 적이 있다. '이제 수백만의 신도를 집결하여 국내에서 절대絶對한 세력을 이루어 온 세상이 주목을 이끌게 되었으니 이로부터는 내부의 모순과 외부의 비난이 일어날 중대한 위기가 빚어지게될' 것으로 판단하여, 국외로 나가 만주와 노령露領에 있는 수백만 교포들을 단일 세력으로 형성하여 국제적으로 활동할 수 있는 무대를 만들려는 구상이었다. 그 이듬해부터 당시 남·북만주, 노령露領, 남경南京 등지의 후보지를 조사했으나, 이 계획은 국내의 조직정비와 각 도의 진정원 신축 등의 사유로 이루어지지 못했다.

이후에도 차월곡은 보천교의 해외이주를 끊임없이 고민했던 것으로 보인다. 1923년, 김좌진 장군이 보낸 밀사 유정근이 체포되면서 김좌진과 차월곡의 관계가 발각되었고, 보천교를 만주로 불러들여 같이 활동하려던 계획이 무산되었다는 사실을 이야기했다. 일제강점기 만주는 조국을 떠나 뜻을 품은 민중들의 삶의 터전이었고 독립운동의 전초기지였다.

1920년대 보천교의 만주이주 계획에 관해서는 또 다른 이야기도 있다. 총독부가 만주이주를 강요했다는 설과 이상호가 주장했다는 설이 그것이다. 전자는 '1925년 음력 4월에 조선총독부 경무국장 시모오카 츄지下岡忠治가 차월곡을 찾아왔다. 그는 시국대동단의 확장이라는 명목으로 보천교인의 만주이주를 요구하였다. 그러나 차월곡은 응하지 않았다. 시모오카 국장은 문정삼에게 권총을 주어 자신의 요구에 불응한 차월곡을 살해하도록 지시하였다.'(이강오, 1966)는 내용이다. 조선총독부의 권력자가 차월곡을 만나 보천교의 만주이주를 요구한 구체적 이유가 궁금하다. 시국대동단의 활동 확대와 관련되었다고는 하지만, 명확한 답은 아닌 것 같다. 차월곡은 논란이 된 시국대동단을 해체시켜 버렸다. 문제가 해결된 것 같지만, 소위 괘씸죄에 걸려 차월곡의 살해 시도까지 있었다 한다. 이 역시 구체적인 자료가 없어 확인할 수는 없지만.

그리고 같은 해, 보천교 내에서 또 다시 만주 이주 및 만주개척 문제가 불거졌다. 시기가 비슷한 점으로 보아 전자의 같은 사안인 듯싶다. 그러나 이때는 이상호에 의해서였다. 그는 보천교 혁신운동을 주도하다가 만주로 도주한 보천교 간부였다. 그가 교주 차월곡에게 보천교인의 만주이주를 요구한 내용을 『보천교연혁사』는 이렇게 정리하고 있다.

1925년 3월 말경, 이상호가 차월곡을 찾아왔다. 그는 교주를 만난 자리에서 3가지 제안을 했다. 그 중 두 번째가 만주이주에 관한 제안이었다. 곧 '만주개척을 위해 보천교도 50호를 이민시키면 외무성에서 만몽滿蒙 개척비로 10만원을 주겠다 하니 교도를 이주시키고, 보조금 10만원 중에서 일부를 당국자에게 사례하고 나머지는 보천교에서 사용함이 좋겠다'는 내용이었다. 그러나 이에 대해 차월곡은 단호하게 '만주 이민은 불가하다'고 답한다. 그 이유가 이렇다. '외무성 보조금을 끌어 쓸 수 있을지라도 후일에 그 보답이 지극히 어려우므로 그 말을 듣고 좇을 수 없다.'

물론 위의 두 이야기의 진위는 불분명하다. 전자는 식민권력자가 시국대동단을 빌미로, 후자는 보천교 간부가 지원금을 빌미로 만주이주를 요청한 것으로 되어 있다. 그러나 어찌되었건 차월곡은 이런 요구들에 단호한 의지로 거절하였다는 것만은 분명하다. 그렇다고 차월곡이 원천적으로 만주이주를 거부한 것으로 보기는 어렵다. 다만 식민권력의 제안과 일본 외무성의 도움을 싫어한 것이다. 말그대로 차월곡은 만주이주는 생각한 바이지만, 시기도 고려해야 하고 또 식민권력의 도움을 받는 만주이주는 절대로 허락할 수 없었다.

주지하다시피 당시 만주지역은 살길을 찾아 이역만리까지 이주한 동포들의 삶의 터전이었고, 특히 군중지반과 민족운동의 역량이 강하여 독립운동을 전개하기에 유리한 지역이었다. 곧 국내에 비해 독립군들이 보다 자유롭게 활동할 수 있는 지역으로 독립자금을 전달하기에도 용이했던 것이다. 여기에 종교집단들도 예외는 아니었다. 대종교가 1910년에 만주지역으로 근거지를 옮겨 독립운동의 거점을 확보하였고, 당시 천도교 연합회도 만주의 고려혁명당 조직에 참여하여 독립운동에 가세하고 있었다. 전북·익산 등지에 거주하던 오지영 등의 천도교인들이 1926년 3월 전북과 충남지역에 거주하는 교인 222명을 이끌고 길림성 화전현樺甸縣 화수림자樺樹林子에 집단 이주했다. 그리고 1919년 3·1 민족독립운동의 민족대표 33인으로 참여했던 승려 백용성白龍城(1864~1940)도 간도의 용정에 대각교당의 토지를 마련하여 불교 홍포와 독립자금 지원 등에 참여했다. 또 서간도의 핵심 독립운동조직인 서로군정서도 1921년 5월에는 본부를 길림성 액목현으로 이동하여 독립운동의 전략적 기지로 삼는 등 만주지역은 독립운동의 터전이었다.

차월곡도 보천교의 만주이주를 끊임없이 고민했다. 이미 대종교를 바탕으로 독립투쟁을 전개하던 김좌진 장군이 만주이주와 독립운동의 협력제의를 해왔던 터였다. 이상호도 1924년 8월에 보천교 혁신운동으로 배신한 간부였지만 중국으로 도주한 뒤 만주에서 보천교인의 만주이주를 계획하고 있었다. 교주를 다시 만나 용서를 구하는 이상호도 이런 이야기를 하지 않을리 없었을 것이다. 그의 제안은 생각해 볼 여지가 있었다. 이 무렵 보천교 간부들은 위기에 처한 보천교의 활성화를 위해 대안을 마련코자 회의를 거듭하여 왔다. 그러한 대안 가운데 하나가 포교의 확대와 활동무대의 확장을 위해 만주로 나갈 생각이었다. 마치 대종교처럼. 그러나 자금이 문제였다.

보천교도 만주이주 정책

식민권력이 생성한 자료 중에는 1924년 말에 '보천교 혁신회 간부의 교도 이민정책'에 관한 관동청 경무국의 비밀 보고서가 보인다. 그 내용을 요약하면 다음과 같다.

"보천교 혁신회 간부 등은 작년부터 조선 내에 있는 교도를 만주로 이주 발전시켜 영구 안주의 땅으로 삼으려는 계획을 세워 봉천 동성東省실업회사에 원조를 청하고, 계획이 점차 구체화됨에 이르렀다. 길림성 액목현額穆縣의 토지는 약 10만 향지晌地(그 안의 약 3만 향지는 이미 수전水田 경지이다)가 된다. 따라서 이번에 이곳으로 보천교도를 이주시킬 예정이다.
일본 측 대표(동성실업회사 지배인-역자)와 중국 측 지주 대표들 사이에 작년 11월 중 합변계약合辦契約(중국에서 외국 자본과 공동으로 사업을 경영하는 것을 말한다—역자)이 성립되어, 일본 측에서 돈 70만원, 중국 측에서 앞에 적은 10만 향지(견적 가격 70만원)를 출자해서 삼익공상호三益公商號 명의로 해서 사업을 일으키는 것으로 하였다.

보천교 간부 등은 이번 음력 정월 급히 교도 3백호 내지 5백호를 액목현으로 이주시키려 희망하여, 제1차 투자금 십 수만 원을 준비해 1월 27일경 다시 길림에 올 의향을 내놓고 있었다. 동성東省실업회사는 본 사업에 관해 출자하거나 기타 하등의 관계도 없음은 물론 모든 자본금은 보천교 혁신회로부터 나온 것이다."

보고서에 의하면, 보천교 혁신회가 길림성 액목현 지역(현재의 길림성 교하현 일대)을 영구 안주의 땅으로 만들어 이주하려는 계획을 실행하기 위해 자금을 확보하여 봉천지역 실업가의 협조를 얻었다는 사실이다. 우선 1차로 1925년 음력 정월에 교도 300호 내지 500호의 교도들을 이주시켜 농경지 개척을 계획하였다. 그런데 그 규모가 너무 엄청나다.

모든 자본금은 보천교 혁신회로부터 나왔다고 했다. 일제시대 1원이 순금 두 푼(750㎎), 1925년 급여 40원이 쌀 2가마에 해당하였다는 사실 등을 고려한다면 당시 1원은 현재 약 4만원(2017년 금 시세 참조) 정도로 볼 수 있어, 합변계약을 한 70만 원이라면 현재 시세로 280억 정도로 추정가능하다. 그리고 보천교는 이 자금으로 농업 특히 수전水田사업을 계획했고, 면적 약 10만 향지晌地를 계약 체결하였다. 향晌은 한 나절이므로 '한 나절 갈이 토지'로 추정 가능하다. 그런데 '하루갈이 토지'는 보통 경耕이라 하고 약 1,500평

정도로 본다. 이를 따른다면 향은 경의 4분의 1, 곧 375평 정도쯤
될 것이다.

그러나 다른 시각도 있다. 곧 1향은 소 한 마리가 하루에 경작
할 수 있는 면적으로 약 6묘畝 정도로 보는 입장이다. 일제강점기
에는 산지의 면적 단위에서 묘가 사용되었는데 이는 30평坪(99.174
㎡)을 나타낸 것이다. 여기서 1향은 180평 정도가 된다. 이처럼 아
직까지 향에 대한 정확한 면적은 밝히지 못하고 있긴 하지만 1향
은 180~375평 내에 있을 것으로 추정된다. 그렇다면 10만 향지
는 1,800만 평~3,750만 평의 범위에 있음을 알게 된다. 현재 행정
도시인 세종시 면적이 2,200만 평이다. 1향을 평균하여 약 270평
정도로 보면 계약 면적이 약 2,700만 평에 이르기 때문에, 그 규모
가 어느 정도였는지 가히 짐작할 만하다. 위의 승려 백용성이 용정
에 마련한 대각교당의 자리가 70여 향이라고 하는데, 이에 대해 불
교계에서는 1향을 400평으로 계산하여 28,000평 정도로 추정하고
있다(정광호, 1999). 참고할 만한 자료이다.

마지막으로 또 한 가지 덧붙일 내용이 있다. 만주사변 직후인
1931년(혹은 1932년)에 증산을 신앙하는 종교집단 100여 호가 요
령성 강평현康平縣 요양와보로 집단적으로 이주한 사실이 있다(박명
익, 1994). 그들은 1939년에 다시 길림성 유하현柳河縣 대전자촌大甸
子村으로 옮겨갔고 여기서 조선으로부터 다시 40여 호가 와서 130
여 호에 달했다. 그러나 1920년대에 이미 보천교는 정의부와 관련
을 맺고 김좌진 장군에게 자금을 지원하는 등 만주지역에서 활동하
였다는 사실을 염두에 두어야 한다. 때문에 유하현에 들어온 집단
이 이러한 보천교와 어떻게든 계보적 연관성이 있을 것으로 추정된

다. 이들은 일본어를 쓰지 못하게 했고 중앙 치성 장소에 태극기를 그려 놓았다. 그 후 일제는 대전자촌에 밀탐密探을 잠입시켜 내막을 파악하면서 감시하다가, 1942년에는 '태극기를 그리고 일본을 반대한다'는 죄명으로 28명의 교도들을 체포하였다. 광복 후에 교도

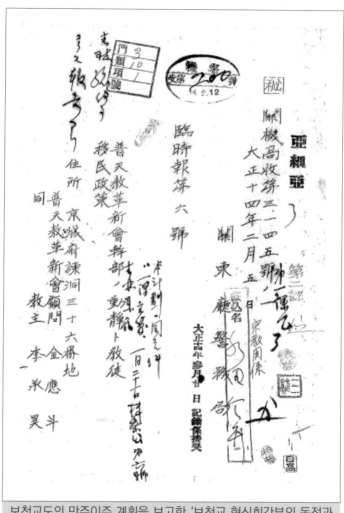

보천교도의 만주이주 계획을 보고한 '보천교 혁신회간부의 동정과 교도이민 정책' 공문서

들이 석방되었지만, 이들 역시 1945년 이후 중국 사회주의 정부의 탄압으로 모두 사라져 버렸다.

보천교의 만주 이주는 결국 이루어지지 못했다. 차월곡은 어떤 생각을 했을까? 그의 의중은 정확히 파악되지 않는다. 물론 『보천교연혁사』를 보면 이상호의 의중은 드러났다. '만주개척을 빙자하여 보천교의 돈을 뜯어낼[기만欺瞞] 목적을 가졌다가 이루어지지 못하자 보천교를 탈퇴하였다. 이후 김형렬 교단 등을 전전하다 동화교東華敎를 조직하여 교주라 칭하기까지 했다' 한다. 기록자의 시선까지 더해진 평가로 보인다. 어찌되었든 간에 차월곡은 끊임없이 만주에 대한 관심을 지녔다는 것만큼은 사실로 보인다. 다만 식민권력의 도움으로 이루어지는 것을 경계했던 것이다. 따라서 그것이 알려진 대로 식민권력의 만주이주 권유 혹은 강요에 의한 것이라는 내용은 신중한 재고를 요한다.

권총단 사건

"보천교의 '조만식 사건'에 등장하는 인물이 고당古堂 조만식曺晩植(1883~1950)입니까?"

사람들이 궁금하여 종종 묻는 질문이다. 아마 몇몇 사람들 더욱이 연구자들조차 원자료를 세밀히 살펴보지 못한 채 그리 주장하는 경우가 있는 모양이다. 아니다. 전혀 별개의 인물이다. 보천교의 '조만식 사건'은 당시 언론에서는 '권총단 사건'으로 기사화되었고, 식민권력의 문건에서는 「대정 8년(1919) 제령制令 제7호 위반 강도죄 사건」으로 알려진 「정의부正義府 및 보천교의 군자금 모집계획에 관한 건」(祕 關機高授第 32743號)과 「보천교도 등의 시국표방강도에 관한 건」(1925. 11. 20)이라는 보고서로 드러난 사건이다.

경기도 경찰부는 "1925년 11월 13일, 권총을 휴대한 불령선인不逞鮮人(일제강점기 '불온하고 불량한 조선인'이라는 뜻으로 식민권력이 사용한 용어) 한 무리가 보천교 간부와 제휴하여 조선독립 군자금을 모집 중인 용의자에 대한 수사 명령을 받았다. 그러다 조선 남부 방면에 출장 중 전라북도 정읍군 입암면 대흥리 173번지의 보천교 북방방주 한규숙 집에 그들 용의자들이 숨어있음을 탐지해 검거했다"고 보고하였다. 여기서 '불령선인'은 정의부 요원들이었다.

정의부는 1924년 만주에서 조직되었던 독립운동단체였다.

1920년 청산리 전투 이후 여러 가지 제약으로 만주와 연해주에서 독립운동단체들의 통합이 절실히 요구되었다. 이에 1922년 서로군정서西路軍政署와 대한독립단 등의 단체가 통합되어 대한통군부大韓統軍府가 결성되었고, 그 뒤 대한통의부大韓統義府로 확대·발전되었다. 그 뒤 대한통의부를 중심으로 통합운동이 재개되면서 대한통의부·군정서軍政署·광정단匡正團·의우단義友團·길림주민회吉林住民會·노동친목회·변론자치회 등의 각 대표들이 길림성吉林省 유하현柳河縣에 모여 통합회의를 개최한 결과, 1924년 11월 독립운동연합체인 정의부가 탄생한 것이다.

이러한 정의부와 보천교의 연결성을 짐작할 수 있는 자료(「정의부 지부장 회의 개최□□에 관한 건」 1925. 3. 13)가 있다.

> "길림에서 돌아온 보천교 간부 김응두金応斗의 당지當地 경찰관헌에게서 흘러나온 바에 의하면, 길림성에 본부를 둔 정의부에서 군사, 서무, 재무, 외교, 사법, 경찰, 교통, 실업實業, 참모 9부를 두고 이 사무를 장악하였다. 하지만 종래와 같은 방침으로는 도저히 독립□□이 의심스러워서 최근에 이르러 실업 및 교육 방면에 뜻을 두고 우선 실력 양성을 촉진하고 있다."

이 보고서에서도 어느 정도 정의부와 보천교의 연계가 추정 가능하다. 여기의 보천교 간부 김응두는 보천교 혁신회 고문이었고 1923년 민립대학 기성회에도 참여했다. 식민권력으로서는 3.1운동 이후 해외 독립운동단체와 국내 사회단체가 연결되는 것에 매우 예민했고, 특히 보천교의 자금에 대해서는 주의를 기울이지 않을 수 없는 상황이었다.

만주지역의 정의부도 군자금을 확보하기 위해 국내의 보천교와 연결되어 있었던 것으로 보인다. 특히 보천교 교단은 교도들이 직접적으로 항일항쟁에 나섰다기보다는 군자금 지원 등 간접적인 방법에 의한 활동이 대부분이었다. 당시 이 사건에 관련된 자가 보천교 쪽에서 25명 이상이나 되었으며, 그 중 조만식趙晩埴·한규숙·박자혜·정찬규·이춘배 등이 주도적으로 활동하였다.

보천교와 정의부의 연결고리

식민권력의 기록을 바탕으로 사건의 전개와 중심 인물들의 활동을 간략히 살펴보자.

1925년 4월, 조만식은 경성에서 보천교 부인 선포사 박자혜朴慈惠와 만나 소개장을 얻은 후, 보천교 본소의 북北방주 한규숙韓圭淑을 방문했다. 식민권력의 보고서에 의하면, 조만식은 경성보성법률전문학교를 졸업하고 대구와 평양재판소에서 서기로 근무한 경력이 있으며 "경성에서 독립운동가들과 왕래하며 항상 조선독립운동에 참여·획책해 온 자"였다. 그는 1919년 4월 명제세明濟世, 박환 등과 중국 천진에서 불변단不變團을 조직하고 단장이 되어 대한민국 임시정부의 외곽단체로 지원활동을 전개하였다. 그리고는 임시정부의 국내 조직망인 교통부를 서울에 설치하여 평북 의주 등지에서 군자금을 모집하여 임시정부에 송금하는 일을 하였다. 1920년 9월에 제령 7호 및 출판법 위반으로 징역 3년을 받았고, 1925년 4월부터 보천교도로 활동했던 것이다.

또 박자혜는 신채호의 부인이다. 그녀는 경성에서 산파産婆일을 하면서 의열단 등 해외 독립운동 단체들이 국내에 잠입하여 활동할 때 거사를 돕고 있었다. 그리고 선포사는 보천교의 지방조직인 정교부正教部에 소속된 간부를 말한다. 아무튼 신채호의 부인이었던 박자혜가 보천교와 만주의 정의부를 연결시켜 준다.

여기서 조만식은 박자혜를 통해 한규숙을 소개받은 것이다. 그리고 한규숙을 만난 자리에서, 조만식은 장래 보천교의 발전은 해외에 있는 독립운동 단체와 연결하는 데 있다고 사람들을 설득했다. 차월곡도 이때 조만식으로부터 당시의 만주 및 국내의 상황을 듣게 된다. 그리고는 이런 시국에 보천교가 어떻게 해야 될지를 물었다. 이에 조만식은 국내에서 사업을 해도 어렵고, 보천교에서 만주에 생산기관을 조직하여 교도들을 이주시켜 민족 사업을 영위하는 것

신채호 부인 박자혜 여사가 서울 인사동에 열었던 산파 간판(동아일보 1928. 12. 12)

이 좋다고 대답하고, 보천교로 하여금 독립운동 단체와의 연결·지원을 서두르는 것이 좋다고 제안했다.

결국 보천교의 주요 간부들과 의논한 결과, '보천교는 재외 독립운동을 후원할 것, 그 방법으로 만주에서 개척사업을 일으켜 생활이 곤란한 보천교도들을 이동시켜서 생산기관을 조직하고 그 이익금을 독립단에 제공할 것, 이를 위하여 소요되는 자본 약 30만원을 보천교가 지출할 것, 보천교는 군자금 모집에 협조할 것' 등이 협의되었다. 이런 내용으로 협정을 맺은 뒤에, 6월경에 이춘배李春培가 본소에서 여비 300원을 조달받고 봉천奉天으로 파견되었다.

이춘배도 흥미로운 인물이다. 그 역시 보천교도였으며, 1914년부터 장형張炯(1889~1964. 단국대학 설립자)과 함께 만주지역을 무대로 무기구입과 군자금 조달 등 특무공작을 수행하고 있었다. 바로 그가 당시 정의부 군자금 모집요원으로 보천교와 정의부를 연결했던 것이다. 이춘배는 봉천에서 정찬규鄭贊奎를 만나 사정을 설명했다. 정찬규는 통의부統義府 민사부장의 비서였고, 상해 임시정부와도 교분이 깊었다. 그는 "1914년 경 일본으로 건너가 메이지明治대학 법학과에서 약 3년간 재학하며 일본에 약 6년동안 체류하다가 귀국한 후에는 오직 조선독립운동에만 뜻을 두고, 1919년 만주로 가서 정의부(당시의 대한통의부)에 들어가 김정관金正寬의 부하가 되어 군자금 모집에 종사하여 온 자"였다.

이춘배를 만난 뒤, 정찬규는 정의부 참의 김정관과 상의한 결과 보천교와의 협정에 동의하고 정의부 군인 6명을 파견하기로 내정했다. 그리고는 '정의부 제4중대 임시특파원'이라는 직책을 받고, 계획을 실행하기 위해 권총 2정과 실탄 47발을 김정관으로부터 교부받아 휴대하여 국내로 들어와 활동하다가 체포된 것이다.

　이 군자금 모집계획은 비록 뜻한 바대로 성공하지 못해 아쉬움이 남는다. 그러나 보천교가 재외 독립운동단체와 적극적으로 직접 연결되어 활동하려던 실체를 보여주었다는 점에서 시도만으로도 그 의의는 자못 컸다. 특히 외관만 보고 보천교의 활동에 대해 부정적인 견해를 거침없이 피력하고 있는 경우에는 이러한 자료들을 주의 깊게 확인할 필요가 있다. 왜 보천교가 박자혜와 조만식 그리고 이춘배와 정찬규를 통해 만주의 정의부와 연결되었을까를 찬찬히 고민해야 할 것이다.

18 보천교와 상해 임시정부

정읍과 독립운동

"정읍에 빚을 많이 졌다."

상해 대한민국임시정부 김구金九 주석의 말이다. 그는 광복을 맞아 정읍에 내려와 하룻밤을 묵으면서 정읍에 고마움을 위와 같이 드러냈다. 이는 우담 서상기徐相基 선생이 보천교 연구가인 안후상 선생과 대담하면서 구술한 내용이다. 서상기 선생은 탄허 스님의 상좌로 스님을 가까이 모시다가 그의 사위가 된 분이다. 탄허 스님은 누구인가? 주지하다시피 그는 속명이 김택성金宅成으로 보천교의 목木방주였던 김홍규金洪奎의 자제子弟이다.

김홍규는 차월곡의 교단 형성 초기부터 많은 역할을 했다. 그래서 1916년 교단조직을 처음 만들 때 24방주가 되었다가, 1919년 다시 60방주제로 재편할 때 목방주에 임명되었다. 보천교는 본부에 교주 바로 밑에 교주를 보좌하는 사정방위四正方位, 곧 금·목·수·화방주 4명을 두고 있었다. 김홍규는 그중 목방주라는 중요한 직책을 맡았고 당시 보천교의 모든 교금을 총괄하고 있었다. 그만큼 차월곡의 신뢰가 두터운 인물이었다. 탄허 스님은 김제 만경에 살다가 이러한 부모를 따라 대흥리로 이사했다. 그리고는 보천교 본전의 동쪽 편에 살았고, 이때 한학을 본격적으로 공부했다.

바로 그를 모셨고 또 사위였던 서상기 선생이 탄허 스님으로부터 직접 들은 이야기를 전한 것이다. 1945년, 김구 선생이 정읍을 방문해 태인의 김부곤金富坤 선생 댁에 머물렀으며 이때 '정읍에 빚을 많이 졌다'고 말했다는 것이다. 왜 김구 주석이 정읍에 빚을 운운했을까? 이는 말할 것도 없이 일제강점기 상해 \임시정부에 대해 정읍지역이 기여한 고마움의 뜻을 표현한 것으로 보인다.

구체적으로 정읍지역이 임시정부에 기여한 점은 무엇이었을까? 정읍출신으로 상해임시정부에서 활약한 라용균羅容均이나 민족독립운동에 헌신한 백정기白貞基 의사 등의 공로에 대한 감사의 표현이었을까? 그것도 분명 일리가 있겠지만, 그보다 정읍에 근거를 두었던 보천교가 상해임시정부와 민족독립운동에 대한 기여에 고마움을 드러냈다고 봄이 옳을 것이다.

그러면 보천교는 상해 임시정부와 어떤 관계를 맺고 있었던 것일까? 1919년 3·1운동 이후인 4월 13일, 상해에는 대한민국 임시정부가 수립·선포되었다. 그러나 임시정부는 설립 초기부터 심각한 자금부족과 인력부족을 겪고 있었다. 이러한 인력난과 열악한 재정여건을 극복하기 위해 다양한 방안을 모색해 나갔다. 그중 하나가 국내에서 자금을 모금하는 방안이었다. 따라서 당시 국내에서 막대한 인적·물적 자금력을 가진 보천교가 관심의 대상이 되었다는 것은 너무나 당연한 일이었다. 임시정부의 독립운동에 필요한 실탄은 곧 사람과 군자금이었기 때문이다.

임시정부와 보천교의 연계

다음 식민권력의 보고서(「상해 불령선인의 근황에 관한 건」, 1925)는 이러한 임시정부의 상황과 보천교의 연계를 보여주고 있다.

"원래 상해임시정부의 간부로서 이동녕李東寧, 이시영李始榮, 김구金九 등은 현 조선총독부에 반대하고 이에 대항하여 최근 통일회統一會를 조직하여 저들은 □□ 전라북도 정읍에 있는 '훔치교' 교주 차경석이 교재敎財 수백 만 원과 수백 만의 신도를 가져 근래 총독부 관헌의 압박 □□ 해외 도항渡航을 지망志望함으로써 □□ 각지 독립단을 통일시키려고 □□."

　이미 보천교는 인적·물적으로 상해임시정부의 활동을 적극적으로 돕고 있었다. 1921년 11월 11일부터 개막되는 워싱턴회의를 앞두고 임시정부는 여기에 파견할 한국외교후원회를 조직하고 대對태평양회의 선언서와 결의문을 발표했다. 이 한국외교후원회에 보천교 대표 2명이 포함되었다. 그리고 임시정부가 직면한 문제를 해결하고 진로를 모색하려 개최했던 1923년 국민대표회의에 보천교 대표 3인이 참석했고, 여기에 참석했던 3인 중 배치문과 강홍렬은 이후 의열단에 가입해 독립투쟁을 전개하는 등 다양한 인적 자원을 제공하고 있었다.

　그러나 아무래도 보천교의 기여는 인적 자원의 제공도 중요했지만 물적인 독립자금 제공이었을 것이다. 만약 보천교의 자금이 이미 제공되지 않았다면 국민대표회의 참가는 어려웠을 수밖에 없고, 임시정부가 조직한 외교후원회에 대표 파견도 힘들었다고 보인다. 이는 이미 임시정부에 어느 정도 자금이 제공되었기 때문에 가능했다고 추정함이 당연하다.

　실제로 1921년, 탄허 스님의 부친이자 보천교의 교금을 총괄했던 김홍규가 독립자금을 모집하다가 체포된 적이 있었다. 당시 그는 교금 30만원을 모금하여 상해임시정부 김구에게 보냈고, 10만원 가량을 항아리에 넣어 마루 밑에 묻어 놓았다가 밀고로 발각되어 압수당하고 말았다. 그리고 1922년 1월에는 제1회 극동피압박민족회의에 참가한 사회주의운동가들(김철수, 김규식, 장덕수, 최팔용, 여운형, 라용균, 장덕수 등)에게 차월곡이 여비를 지원한 사실도 있었다. 또 3·1운동 당시 중앙지도체 49인 중 1인이자 보천교 경성진정원 형평사장이었던 임규林圭가 보천교로부터 5만원을 받아서 라용균을 통해 임시정부에 전달했다.

이러한 사실들은 모두 임시정부에 대한 보천교의 자금 지원을 입증하는 자료들이다. 뿐만 아니다. 임시정부의 독립운동 자금 조달책으로 활동하던 이중성李重盛도 김구 주석으로부터 보천교의 인적·물적 역량을 독립운동으로 전환시킬 수 있도록 협의하라는 밀명을 받고 1928년 5월 국내로 잠입하여 차월곡을 만났다. 차월곡은 이에 이중성을 수호사장에 임명하는 파격적인 대우를 하며 호응했으나, 이중성이 보천교를 탈퇴하고 별도의 교단을 운영하여 다른 길을 가기도 했다.

보천교진정원 평양 정교부 기념식에 진정원에서 파견한 임규 등의 강연을 전한 기사 (매일신보 1922. 7. 13)

안후상의 연구에 의하면, 국가기록원의 '독립운동관련 판결문'을 보더라도 보천교 관련 건수가 중복된 건수를 제외하면 총 321건으로 확인되고, 『〈조선일보〉 항일 기사 색인(1920~1940)』에도 보천교의 항일 기사 건수가 총 151건으로 나타나고 있다. 이는 종교단체 전체 항일 기사의 56.1%를 차지하는 비율로 기성종교에 비해 훨씬 많은 건수이다. 그리고 보천교 계열의 독립유공자가 100여명에 달한다는 사실도 그렇다. 이런 지표들도 모두 일제강점기 보천교의 항일활동을 나타내는 내용들이다. 보천교는 이렇듯 상해임시정부의 활동들을 도우며 함께 민족의 독립을 지향함으로써, 김구 주석이 고마움을 드러냈던 것이다. 우리에게 지워진, 우리가 배우지 못하고 모르는 역사라고 무시해선 안 된다. 그건 우리 스스로를 부끄럽게 할 뿐이다.

19 한국 최초 마을단위 종교단체의 노동조합, 기산조합

기산조합

보천교에는 생각지도 못할 깜짝 놀랄만한 조직이 하나 있었다. 필자가 '한국사회 최초의 종교단체별 노동조합이자 소규모 직장(건축현장)별, 지역별(대흥리) 노동조합'이라고 자리매김한 기산조합己產組合이다. 이 조합은 보천교 본소가 있는 전라북도 정읍의 대흥리에 설립되었다. 그런데 이 기산조합에 관해서는 잘 알려지지도 않았지만, 각종 소개자료에서도 부정적으로 알려진 경우가 대부분이다. 한 예로 『한국민족문화대백과사전』(1991)을 보자. 여기서는 기산조합을 설명하면서, 기산조합은 '1924년 조직되었고 그해 8월에 자연스럽게 소멸된 자치기구'로 "보화교의 본부건설을 추진하는 데 많은 노동자가 필요하였고, 이 노동자들을 바탕으로 기산조합이 형성되었다. 공식적으로는 대흥리 노동자들에게 편의를 주고 직조 등의 수공업을 통해 산업진흥을 꾀하는 자치기구라고 하지만, 〈중략〉 기산조합장에 이름난 장사 서상근徐相根이 선임된 것을 보더라도, 당시 천자등극에 반대하면서 일부 보천교 간부들이 개혁운동을 전개하고 있을 때 신변의 위협을 느낀 그(차경석)가 일종의 근위대로 이용했을 가능성은 크다."라고 했다. 이런 설명을 염두에 두고 기산조합의 설립과정과 활동들을 정리해 보자. 어떤 점에서 문제가 있는지 확인해볼 필요가 있기 때문이다.

1920년대 보천교는 다양한 활동들을 전개해 나간다. 내부적으로는 교명을 등록하고 교단을 공개하면서 조직을 정비했고, 외부적으로는 보천교의 긍정적 이미지를 확보하고 알리기 위한 방안들을 실천해 나갔다. 그러나 결과적으로 보면 그러한 외적 활동의 효과는 미미했다. 여론 환기는커녕 오히려 보천교의 부정적 이미지를 확대시켜 버린 활동들이 많았다. 1924년에 들어서면서 보천교는 중대 기로에 서게 된다. 왜 이 해였을까? 1910년대부터 보천교는 포교활동을 전개하면서 사람들 사이에서는 갑자년이 되면 차월곡이 천자의 위에 오르고 그를 따랐던 사람들은 각자 노력에 상응하는 관직에 앉게 될 것이라는 설이 퍼지고 있었다. 소위 갑자년 천자등극설이다. 그 진위가 어찌되었든, 이는 사람들을 보천교로 끌어들이

기산조합의 규칙

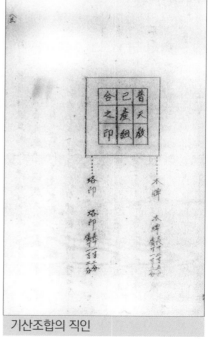

기산조합의 직인

는데 큰 역할을 했던 것만은 분명하다. 그 갑자년이 바로 1924년이었던 것이다.

식민권력이 채록한 보고서인 「보천교도의 행동에 관한 건」(1924. 2)에는 당시 보천교의 고민이 적나라하게 드러나고 있다. "보천교의 부침浮沈은 실로 기로에 서 있다고 해도 과언이 아니다. 독립운동을 시도해도 손병희의 3·1운동에도 미치지 못할 것이 분명하며, 만주방면으로 차경석 이하 출동하여 일대一大 포교布敎를 시도하는 것도 상당한 비용과 당국의 주목을 받아 생각보다 효과가 심히 적어서 채용하지 못한다. 또 차경석이 출경出京을 단행하여 교도들을 만족시키는 것도 경비經費 문제 때문에 실행이 불가능하고, 차교주의 출경을 단행함에 있어서 교도敎徒의 신용 상 제 1로 천도교당 이상의 교당敎堂 신축, 학교의 신축, 사회사업 시설을 경영하여 인기를 획득하는 수단으로는 100만 엔의 자금을 요한다. 그렇다면 최후에 어떠한 방책으로 나아가야 할 것인가."

보천교 교단이 갈림길에 놓인 것이다. 이에 보천교 교단은 3·1운동과 같은 대중적 사회운동, 만주방면으로의 출동 가능성, 그리고 천도교당 이상의 교당이나 학교 신축, 사회사업 시설 경영 등을 언급하면서 나름대로 방향을 모색하고 그에 따른 어려움을 토로하고 있었다. 결과적으로 본다면, 이 당시 보천교의 대안들은 위기를 극복하는데 적절한 선택을 하지 못했다. 〈동아일보〉〈조선일보〉와 더불어 3대 민간지였던 1924년 최남선이 창간한 〈시대일보〉가 경영난에 처하자, 보천교에서 같은 해 7월에 경영권을 인수하려던 계획은 당시 지식인들의 규탄을 받게 되었고, 9월에는 보천교 내막에 대한 조사보고가 이루어지면서 보천교 성토운동이 일어났다. 그리고 일본에 간부를 파견하여 보천교의 취지를 이해시키고 위기를 벗어나고자 했던 시도는 식민권력의 '일선융화'와 연계된 시국대동단時局大同團 결성 및 활동으로 이어져 보천교 박멸의 이유를 더욱 강화시켜 주었을 뿐이었다. 이 때문에 보천교는 많은 활동에도 불구하고 이후 부정적 이미지로 낙인이 찍히는 결과를 초래했던 것이다. 이러한 어긋난 선택들로 인해 보천교가 점차 친일의 행보를 향하는 것으로 보이면서 수많은 보천교도들은 충격과 배신감을 지니게 되었던 것이다.

보천교에 대한 식민권력의 단속과 탄압도 정교화되었다. 보천교가 내부조직을 정하고 포교활동 및 사회활동에 힘을 쓸수록 식민권력의 위기감도 고조되었기 때문이다. "그 잠재력은 참으로 경시할 수 없을 정도였다. 그러므로 이를 어떻게 단속하고 조종操縱할까는 조선의 치안유지에도 중대한 관계이기 때문에 경찰관의 고민과 노력 또한 적지 않았다. 당국에 의한 단속은 더욱 더 면밀하고 엄중하게 되었다. 일반 사람들의 자각과 지식이 향상되고, 세상의 변화 등으로 보천교에 대한 신도 및 세상 사람들의 의문과 불신 등이 점차 늘어났다. 이 때문에 교세가 현저하게 쇠미해 가는 징조를 보였다. 1925년 1월, 내선융화內鮮融和의 미명 이래 조직된 시국대동단時局大同團의 성적이 나쁜 결과로 끝났다. 각지 청년단 및 신문 등에서 맹렬한 비난과 공격을 받자, 보천교의 운명은 여기에서 뒤집혀져 쇠퇴의 징조가 뚜렷하게 드러났다."

기산조합도 이 무렵 설립되었다. 1924년 6월 2일, 정읍 대흥리의 중앙본소 총령원總領院 앞마당에 본소 부근에 거주하는 보천교도 노동자 약 300명이 모였다. 〈시대일보〉 인수 문제(7월)가 나타나기 직전이고, 아직 보천교 본소 신축안(10월)이 결정되지 않은 상황이었다. 이 모임에서 '①노동자의 교풍矯風 ②노동자의 구제 ③융화 ④비교도에게는 보천교에 관한 노동을 시키지 말 것'이라는 4대 요항을 내걸고 기산조합 설립이 제안되었다. 가부를 협의한 결과 만장일치로 설립이 가결된다.

그리고 같은 달 11일, 창립총회를 개최하였다. 사회자 목木방주 대리 김해권金海券이 개회사를 하고, 임원 선거와 조합규칙의 제정에 대해 논의했다. 그리고 우선 조합원들끼리 지켜야할 규약을 만들었다. 먼저 ①조합원으로 긍지를 가져야 하며 ②조합원이 금후 본소 부근에서 동산·부동산을 매매할 때는 본 조합의 승인을 얻을 것, 만약 위반할 경우는 10%를 징수할 것 ③기산조합에서 각 방주는 물론 일반 신도로부터도 주식금[1주 10엔円]을 모집해, 신도의 일상용품과 식품을 공동구입해서 일반 신도의 편리에 도움 되도록 할 것 등을 결의했다. 1925년 1월에는 직원 송범규宋範奎를 경성에 보내 낡은 인력거人力車 7대를 5백 엔円에 구입해 와 조합원의 편리를 제공하기도 했다.

또 조합의 행동을 민활敏活하도록 조직을 구성해 노동부에 동청 東靑, 서백西白, 남홍南紅, 북흑北黑의 사비四碑 4명, 부사비副四碑 4명을 두었다. 그리고 사비는 부하 노동자 100명을 갖는 직속 십장十長 약간 명으로 조직했다. 십장은 사비의 명령을 받아 부하를 지휘 감독했다. 그리고 기산조합장 서상근 등 간부가 모여 임원의 선거 증원 및 회칙의 개정 등을 의논 결의했다. 원래 서무부, 노동부, 구호부, 구매부 및 상공부의 5부를 두었으나 구매와 상공의 2부를 폐지했다. 다시 경제부, 전의典儀부 및 학예부를 증설하고, 경제부는 회계를, 전의부는 치성제致誠祭를, 학예부는 교양敎養의 사무를 맡도록 하였다.

기산조합 규칙을 보더라도 "본 조합은 보천교 교도 중 노동자의 생존을 보장함을 목적으로 삼는다"(제1조)고 하였고, 조합의 사업(제13조)은 "①직업 소개 ②물품 매매 소개 ③조합원의 상호 재난 구호"에 노력하고 있었다. 또 조합의 운영을 위해 조합원들이 호선互選한 조합장, 부조합장과 사서司書(문서 및 재정에 관한 사무), 역감役監(작업 소개)을 두었고(6~11조), 중앙본소에서 지정한 총찰総察 한 명을 두고 있었다(제12조). 그리고 "조합원은 입회금 60전錢을 갹출醵出"(제16조)하고, "본 조합 유지 및 재난 구제 사업을 보충하기 위해 매월 수입의 100분의 5를 조합에 갹출"(제17조)하도록 규정하고 있었다.

조합의 활동과 식민권력

그러나 〈시대일보〉 인수 사건과 시국대동단(1925.1~6) 파문으로 인해 보천교의 인기는 급격히 사라져버렸다. 특히 치성금 납입 성적이 매우 좋지 않아 보천교의 재정 상태는 엉망이 되었다. 1925년부터 보천교 본소신축이 시작되었으나 순조롭지 않아, 일반 노동자에 대한 체불 임금도 1만여 엔円 이상으로 누적되었다(목수 공사임금 7천여 엔, 토공 기타 6천여 엔, 석공 1500여 엔). 그 때문에 분쟁이 자주 일어났다. 중요간부 등은 치성금 납입 독촉장을 조선 전역에 보내 서로가 자금 조달에 노력하도록 하였다. 본소 쪽에서는 그들이 소유한 부동산을 저당으로 해서 자금을 조달하는 것으로 임금 지불을 약속하였다. 자금 확보책이 마음대로 되지 않았다. 주요간부들이 협의하여 전북·대전·평양 등지의 진정원을 저당 잡혀 돈을 구하거나 일본인 대금업자(니시다西田留之進)로부터 차입하면서 위기를 넘기고 있었지만 자금 확보가 순조롭지 않았다.

보천교 기산조합에서는 동 조합의 취지(교도가 아닌 경우 조합가입을 허락하지 않음)에 따라, 1925년 4월 9일 성전 건축 공사에서 작업하는 목수들에 대해 조합에 가입할 것을 요구했다. 그런데 목수, 토공 등 97명은 도저히 이에 응하기 어렵다고 주장하였다. 그 이유는 '만약 조합에 가입하게 되면 입회금 및 조합원의 표식료標識料가 필요하고, 더욱이 매일 일급의 3%씩을 조합에 납입해야 함'으로, 그들의 수입이나 생계에 적지 않은 영향을 미치기 때문이었다. 그래서 지금까지 일한 노동 임금을 지불받아 각자 고향으로 돌아가는 것이 좋다고 생각하여, 97명의 노동자가 결속해서 동맹파업을 감행하기에 이르렀다. 하지만 본소 쪽도 강경한 태도로 나오면서, 11월에는 노동자들이 태도를 완화하여 다시 일을 하는 사람도 나타나게 되었다. 사실상 파업은 실패로 끝났던 것이다. 그리고 이러한 기산조합에 관한 기사가 〈동아일보〉 1929년 8월에 "기산조합장 허묵許黙"이라 나오는 것으로 보아, 그 구체적 활동여부는 확인되지 않지만, 상당기간 존속했다고 볼 수 있다.

기산조합은 정읍 대흥리에서 생활하는 보천교 교도들 중 생활이 어려운 노동자들의 생활과 권익을 보호했다. 어쩌면 우리사회 최초의 종교단체별 노동조합이자 지역별(대흥리) 노동조합이었다. 한국 최초의 노조와 노동쟁의는 개항장을 중심으로 한 부두 노동자들이 중심이었고(1892년 인천, 1898년 함남 성진, 1906년 평남 진남포 등), 전국적 차원에서는 1920년 조선노동공제회, 1924년 조선노동총동맹이 결성되었다. 그런 면에서 정읍 대흥리의 보천교 조직에서 출발한 기산조합도 한국 노동조합사에서 독특한 한 페이지를 장식할 수 있는 것으로 평가할 수 있다. 기산己産은 보천교가 조리가 정연하고 충분히 성장하도록 음적으로 돕는 기구였다. 기己는 '붉은 흙'으로 오행에서는 토土에 속하며 음양에서는 음에 해당한다. 또 천간에서는 식물이 충분히 생장해 형태가 정연해진 상태를 뜻한다. 그리고 1924년 〈시대일보〉 인수 사건도 '사회사업 시설 경영' 중 하나였다.

그러나 식민권력은 이러한 기산조합 설립에도 감시와 탄압을 집중시키고 있었다. 그들은 '현재 기산조합이 표면적으로는 아무런 용의점이 없는 것 같지만, 종교적 신념으로 단결된 노동단체인 점, 단원의 수가 많다는 점, 그리고 종래의 소요가 종교단체에서 많이 발생했다는 점 등으로 무엇보다도 주의해야만 하는 단체'로 보았던 것이다. 또 한편으로는 '일본 제품에 대해 비매동맹非買同盟의 혐의'도 보이기 때문에 기산조합은 특별히 주의를 요하는 단체로 낙인찍어 감시하고 있었다.

보천교의 고민과 시국대동단

아마 보천교를 친일단체로 볼 때 가장 많이 지적되는 부분이 시국대동단時局大同團 관련 내용이다. 그만큼 보천교 활동의 치부이자 약점이며 자기반성이 필요한 부분이다. 보천교의 활동을 살펴보면서 가장 다루기 저어하는 부분이긴 하나, 그럼에도 불구하고 한번 짚고 넘어가지 않으면 안되겠다고 생각했다. 더욱이 1924년 무렵 보천교의 고민과 활로모색의 과정에서 어긋난 선택을 하게 된 결정을 살펴본다면 그나마 이해할 수 있는 부분이 없지 않은 것도 사실이다.

앞서 언급했듯이 보천교는 1924년 갑자년에 들어서면서 고민이 많았고 활로모색에 적잖게 고심하고 있었다. 그러나 〈시대일보〉 인수 건도 제대로 이루어지지 못하여 오히려 보천교에 대한 성토만 도처에서 일어나게 되었다. 기산조합 설립, 보천교 본소 신축안들이 의결되었으나 상황을 반전시키기에는 여의치 않았다. 문제는 식민권력에 있다고 보았다. 식민권력은 보천교를 하나의 종교로 인정하지 않았고 끊임없이 감시·탄압하고 있었다. 보천교 교단의 입장에서는 식민권력의 시선을 바꿀 필요가 있다고 생각했다.

그러던 중 1924년 9월에 조선총독부의 4대 정무총감政務總監으로 시모오카 츄지下岡忠治가 새로 임명되었다. 보천교는 보천교의 취지를 설명하고 협조를 구하기 위해 문정삼文正三과 임경호林敬鎬를 일본으로 파견했다. 동경에서 시모오카 신임총감의 수족이었던 채기두蔡基斗와 만나 함께 신임 총감을 면회하여 보천교의 취지와 방문한 사유를 말하였다. 듣고 난 신임 총감은 당시 내각총리대신인 가토 다카아키加藤高明를 방문할 것을 권유했다. 총감과 함께 총리를 방문하여 또 보천교의 취지와 지향하는 바를 진술했다. 총리는 천장절天長節(일본왕 생일)이 다가왔으니 축하하고 갈 것을 권유했다. 이러한 상황을 본소의 차월곡에게 보고했다. 그러나 차월곡은 금번 일본 방문이 보천교의 취지를 알리는 것이 목적이고, 천장절 축하장에 종교인이 참례하는 것은 적절치 못하다고 훈계하였다. 그러나 이미 참석을 약속했다 하므로 '조선에서 6백만 대중을 품은 종교로서의 위신'을 지키기 위해 천장절에 참석하여 3천원 가치의 물품을 봉정했다.

그 후 두 사람은 신임 총감과 함께 경성에 도착했다. 그리고 몇일 뒤 정읍 본소에 와서 신임 총감의 말을 전했다. "내가 보천교를 원조코저 하되 기원紀元이 천근淺近하고 아직 확실한 종교가 되지 못한 이상에 특별한 원조를 할 수 없으니, 귀교貴敎내에서 별도의 기관을 설립하면 극력으로 원조하겠고 따라서 보천교가 세계적 종교도 될 수 있으니 시국광구단時局匡救團을 설립 조직하라." 그리고 그의 비서관(小何)은 광구단匡救團 조직을 위한 제반 설비와 강연비로 삼만원을 은행에 적립하라 지시했다. 이를 듣고 차월곡은 무례함이 있으나 '동양 도덕상, 그리고 보천교 교리상' '대동大同'이 적절하다 하고 '시국대동단'의 조직 책임을 그 두 사람에게 위임하였다. 그러면서 강연講演할 자의 선정 방법과 강연방법 등을 세세히 지시하였다. 13도 각 도에서 3인을 선정하고 그 중 1인은 반드시 보천교의 방주로 하며, 나머지 2인은 '품행操行이 방정하고 신구 지식을 겸비한 자로 하고, 선정 후는 경성 진정원에서 교육을 철저히 할 것이며, 강연할 때는 방주가 먼저 올라 보천교를 설명하고 나머지 선정한 외부인 두 사람은 대동단의 취지를 설명토록 하라고 했다. 또 발회식發會式 때 초청자 명단과 배포될 대동단 취지서는 사전에 본소에 보고하고 검열을 받아야 함을 명하고 3만원을 지출했다.

그러나 임경호는 채기두와 공모하여 발회식發會式 일자 통지나 취지서 검열도 받지 않은 채 일을 진행해 버렸다. 그리고 시국대동단의 강연자들은 대체로 친일단체였던 각파유지연맹各派有志聯盟의 인사들로 채워졌다. 각파유지연맹은 1924년 3월 25일 설립된, 조선총독부의 후원 아래 일선융화日鮮融和와 노자협조勞資協調를 표방하며 조직된 친일단체의 연합체이다. 11개 단체가 연합하였다고 하여 십일연맹十一聯盟이라고도 하였다. 채기두, 고의준 등이 각파유지연맹 간부였다. 이들은 보천교 최고 간부 임경호, 문정삼 등과 협의하여 ①내선인의 정신적 결합을 공고히 할 것 ②대동단결하여 문화향상을 기할 것이라는 2대 강령을 내걸고 1925년 1월 10일 광주에서 강연회를 개최하는 것을 시작으로 점차 조선 각지에서 강연회를 개최하였고, 1월 27일에는 정읍에서도 강연회가 열렸다. 사람들은 친일단체인 각파유지연맹과 함께 하는 보천교의 시국대동단 활동에 대해 비난을 퍼붓기 시작했다. 특히 당시 지식인들과 언론들은 강연회가 열리는 곳에서 보천교인들을 구타하고 '보천교 박멸운동'이라는 제하의 기사들을 쏟아내고 있었다.

한편 본소에서는 발회식이나 취지서 등에 관한 상황을 모르고 있다가, 나중에 강연회 개최 소식을 접하고 깜짝 놀랐다. 차월곡은 본소에 온 임경호에게 강연회가 이렇게 속히 그리고 졸속으로 진행된 사유를 질책했다. 임경호는 총감의 비서가 "금번 제국의회帝國議會의 임기마감이 닥쳤으니 귀교貴敎에서 대동단 강연을 속히 거행하면 금번 국회에 시모오카下岡 총감總監이 조선 총독으로 오를 징조가 있다. 왜냐하면 시모오카 총감이 부임한지 수개월에 600만 대중을 껴안은 보천교와 악수하여 조선 민심을 안정시키겠다는 까닭이다."라는 말을 듣고, 총감이 총독만 되면 보천교 역시 장래가 유리할 것이라 생각하여 급히 추진했다고 답했다.

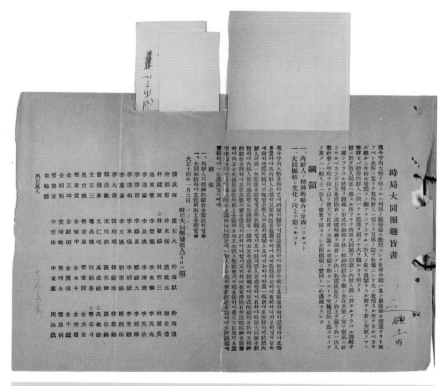

시국대동단취지서(1925. 1. 6.)

1925년 2월 5일에는 다시 중앙본소에서 임시협의회를 개최하였다. 여기서 다시 보천교의 취지를 선전하기 위해 일본파견을 결의하고, 이튿날 임경호와 김홍규 등이 정읍역을 출발하여 동경으로 향했다. 차월곡도 "금번 여행은 우리 교에 대하여 중대한 책임을 짊어졌으니 제군은 마땅히 신중한 태도와 공명정대한 언동으로 외국인에게 수치를 사지 말며 또는 소리小利를 탐하여 대의大義를 잊지 말며, 재정財政의 권리를 상호 침해치 말며, 쓸데없는 물품을 함부로 사지 말며, 만일에 서로 합의치 못하는 일이 있더라도 서로 양보하고 참아 화평을 이루어 용무를 완전히 보고 속히 돌아오라"고 신신 당부했다. 그들은 동경에 도착한 뒤 곧바로 제국호텔에 투숙하고 전前 경무국장 마루야마 쯔루키치丸山鶴吉 등과 신문기자들을 호텔에 초대하여 취지 선전에 노력했다. 그리고는 3월 2일에 정읍으로 돌아와 국면전환에 관한 선후책善後策에 노력했다.

시국대동단의 친일행위

시국대동단의 친일행위는 의당 비난을 받아 마땅하다. 다만 당시 보천교가 처했던 상황, 시국대동단을 만들고 진행했던 과정의 고민을 이해해 보고자 하는 것이다. 분명 그것은 1924년 무렵 보천교가 처했던 고민과 활로 모색 과정에서 이루어진, 결과적으로 보면 어긋난 선택과 결정이었다. 왜 보천교에서 대표를 동경에 보냈을까? 당시 조선총독부의 4대 정무총감으로 발령받은 시모오카 츄지下岡忠治는 아직 조선으로 건너오지 않고 동경에 머물면서 정국을 구상 중이었다. 이때 동경에 머물고 있던 채기두는 거대조직으로 성장했으나 기로에 서 있었던 보천교를 이용할 생각을 했다. 채기두는 정무총감의 수족으로 십일연맹의 위원이었고, 보천교의 신도였고, 임경호의 지인이었다.

채기두蔡基斗는 1904년 일진회 사찰원을 역임했으며, 1909년 7월 메이지대학 법과를 졸업했다. 1919년 7월에 고희준 등과 함께 일본으로 건너간 뒤 자치청원서를 제출했으며, 1923년 10월 잡지 『농민』의 편집인 겸 발행인을 역임했고, 각파유지연맹 발기인(1924년 3월), 시국대동단 발기인, 집행위원, 총무(1925년 1월)를 역임하는 등 각종 친일단체에서 활동했다. 1922년부터 1923년까지 사이토 마코토 조선총독과 6차례 면회를 가졌고, 1925년 일본 외무성 아시아국장을 내방한 자리에서 당시 만주지역에서 활동하고 있던 항일 독립운동가에 대한 귀순 공작에 협조할 것을 약속했다.

한편 임경호는 충남 청양 사람으로 호는 성백聲百이다. 그는 보천교의 충남진정원장이며 보천교의 수위 간부로, 국산품 애용을 통한 민족자본의 양성과 민족자립을 목적으로 1923년 1월에 결성된 조선물산장려회에 참여하여 20명의 이사 중 일원으로 선전부에 소속되어 동회의 활동을 주도하였다. 그런데 임경호는 임한주林翰周의 조카이며 한말 의병장 김복한金福漢의 문인이었다. 김복한은 1896년 홍주의병 투쟁에 주도적으로 참여한 유학자이며 1905년 을사늑약 반대투쟁, 파리장서 운동에도 참여하였다. 임한주는 김복한의 사사를 받으면서 성토문이나 고유문을 기록했고 초기 의병운동에 가담한 이래 3·1운동과 파리장서운동에 가담하여 옥고를 치렀다. 1919년 김복한 등 호서지방 유림들이 파리강화회의에 제출할 목적으로 일제의 죄상을 폭로하고 조국독립의 열망을 담은 독립청원서를 작성하자 임경호는 독립청원서의 발송책임을 맡았다. 또 그는 국산품 애용을 통한 민족자본의 양성과 민족자립을 목적으로 1923년 1월에 결성된 조선물산장려회에 참여하여 20명의 이사 중 일원으로 선전부에 소속되어 동회의 활동을 주도했고, 1923년 7월 이종린·송진우 등 6명의 동지와 함께 동회의 기관지 발행위원으로 선임되어 동년 11월 기관지 『산업계』를 발간하는 등의 활동을 폈다.

신임 정무총감도 보천교 간부들을 동경으로 불러들이는 것이 싫지 않았다. '600만 대중을 껴안은 보천교와 악수하여 조선 민심을 안정'만 시켜 목적을 이룬다면 자신의 앞날에 긍정적이라 생각되었다. 소위 골칫거리인 '조선의 대본교大本敎'도 정리하고 조선의 민심도 잡는다면 일거양득이라 보았던 것이다. 당시 일본의 신종교였던 대본교(오오모토교)도 한 때 신도수 100만에 달하는 거대교단으로 성장했으나, 일본정부는 대본교의 세력과 사상에 위협을 느껴 1921년과 1935년 두 차례에 걸쳐 대대적인 탄압을 했던 경험이 있었다. 그렇지 않아도 식민권력은 이 무렵에 강점 초기부터 구상해왔던 동화정책인 내선일체, 내지연장주의 정책을 실현시키고 조선인을 황국신민화시키기 위해 서울 남산에 조선신궁을 세우고 이제막 진좌식을 준비하던 시기였다. 여기에 종교단체, 특히 민족종교단체는 큰 걸림돌이었던 것이다. 그렇지 않아도 조선신궁에 단군성조를 제사해야 되느니 마느니 논쟁이 일던 때였고, 일본 내에서도 대본교와 한바탕 전쟁을 치른 후였다. 수족이었던 채기두의 제안에 솔깃하지 않을 수 없었다. 뿐만 아니라 채기두는 각파유지연맹의 간부로 일제의 정책에 적극 협력하고 있었다. 그리고 교단조직이 확대되었으나 위기에 처한 보천교 교단은 내부에서 교주와 자기세력 구축에 몰입하였던 간부 교도들간의 갈등(보천교 혁신회)이 노정되고, 사회적으로는 보천교 박멸운동으로 진행되면서 보천교 간부의 동경방문은 어렵지 않게 이루어졌고 소위 각파유지연맹과의 관계도 순조롭게 진행되었다. 결국 그 과정에서 차월곡의 지시에 대한 무시까지 이루어지면서 잘못된 선택을 했던 보천교 교단은 심각한 이미지 타격을 입게 된 것이다.

결국 차월곡은 1925년 5월, 서울에 직접 올라가 시모오카 정무총감을 만나게 된다. 이 자리에서 그는 정무총감으로부터 이용당했음을 알고, 시국대동단을 발족한 지 6개월만인 1925년 음력 6월에 전격 해체하였다. 이후 보천교는 부정적 이미지를 개선하지 못하고 내외부적인 공격으로 분열을 계속하면서 쇠락해 갔다. 총독부는 경찰력을 동원해 시시각각으로 보천교의 몰락에 더욱 가세하였다. 그러다 차월곡이 사망(1936)하자마자 보천교 등 유사종교 해산령이 곧바로 발표된다. 그리고는 식민권력은 모든 종교교단을 대상으로 친일활동을 유도했다. 종교적 신앙심까지도 식민통치에 이용하려는 정신교화정책을 강력하게 실시했다.

심전개발운동心田開發運動이 그 대표적인 것이다. 심전개발운동은 종교적 신앙심을 이용하여 식민통치 이데올로기의 확산과 정착을 꾀한 운동이었다. 1937년에는 경성에 있는 각 종교단체가 연합으로 중앙기독교청년회관 대강당에서 이른바 '시국대연설회時局大演說會'를 개최하였다. 당연히 총독부의 사주를 받은 것이었다. 윤치호가 개회사를 맡았고, 천도교·불교·감리교·경학원·장로교 대표들이 연설했다. 어떤 종단에서는 시국에 대한 사무를 전문적으로 취급하는 시국대처부도 설치했다. 이듬해 4월에도 중앙기독교청년회(YMCA) 회관에서 '시국강연회'가 개최되어 "장기 비상시국과 장기

비상결심"(천도교) "총동원의 정신"(감리교) "보국정신報國精神"(불교) 등의 주제로 강연이 이루어졌다. 이러한 활동들은 일제의 강제적 탄압과 교활하고도 치밀한 회유정책에 안타깝게도 생존을 위한 처절한 연명수단이었다.

제2부

보천교,
어떻게 연구할 것인가?

보천교 관련 자료 해제

보천교 관련 학술대회.
국회 의원회관에서 개최되었던 '일제강점기 민족운동의 산실 보천교의 재발견'

1장
보천교 관련 신문기사 해제

김철수, 「일제강점기 보천교 관련 신문기사의 실태와 주요 내용」, 『일제강점기 보천교의 민족운동 자료집』 IV, 2018을 수정·보완한 글이다.

1 보천교와 일제강점기 신문들

   보천교를 이해하기 위해서는 일제강점기 한국어로 발행된 신문들을 대상으로 보천교와 관련된 기사들을 정리해 볼 필요가 있다.[1] 주지하다시피 보천교는 1909년 강증산姜甑山(姜一淳, 1871~1909) 사후 그의 제자였던 월곡月谷 차경석車京石(1880~1936)이 일제강점기에 형성한 종교교단이다. 보천교라는 명칭은 1922년 초에야 정해져 사용되기 시작했기 때문에, 그 전에는 특정한 명칭이 없이 신앙수단의 어떤 특징에서 찾아낸 명칭들인 훔치교, 태을교, 선도교 등으로 많이 불려졌다.[2] 지금까지 보천교를 연구하는 데 조선총독부의 공문서나 교단 발행 자료들과 더불어 신문자료들이 종종 이용되어 왔던 것은 주지의 사실이다. 자료의 부족으로 연구진행에 어려움이 많은 상황에서 당시의 신문자료는 보천교의 내용을 보강하는 데 중요한 자료로 사용되어 왔다. 그러나 보천교 연구에서 신문자료만을 대상으로 분리하여 연구한 적은 없는 것으로 보인다.

   신문기사들은 보천교를 이해하는 데 많은 도움을 준다. 전체적

---

1 '한국어로 발행된 신문'은 〈조선일보〉, 〈동아일보〉, 〈시대일보〉, 〈매일신보〉 등의 국한문 겸용 신문을 말한다.
2 훔치교나 태을교는 차월곡 교단의 주문인 태을주에서 유래된 명칭이다. 그러나 구체적으로 본다면 태을교, 선도교라는 명칭도 다소 혼란을 초래할 수 있다. 선도교는 강증산의 부인이자 차월곡의 이종 누이인 고판례가 1911년 10월 대흥리의 차월곡의 집을 본소로 개창한 교단의 명칭이기 때문이다. 물론 여기에는 차월곡도 함께 활동하고 있었다. 이들은 분리할 필요가 있지만 내용적으로는 유사한 교단들이기 때문에 동일하게 취급해도 큰 무리가 없을 것이다.

으로 살펴본다면, 당시 신문기사들의 상당수는 보천교에 대한 부정적인 내용들이 많았다. 보천교에 대한 성토 및 박멸운동이 진행된 1924~1925년 같은 경우는 보천교 관련 기사가 보이지 않는 날이 없었고 지속적으로 그 운동의 전개 과정과 결의사항 등이 보도되기도 하였다. 그렇지만 일제강점기 보천교의 군자금 모집 활동과 관련된 민족운동 기사와 그 재판기록들도 있고, 이에 대한 총독부의 공식적인 발표들도 확인 가능하다. 또 보천교를 비판하는 악의적인 기사들 가운데에서도 그 내용을 찬찬히 살펴보면 보천교의 실체를 보여주는 내용도 적지 않았다. 경우에 따라서는 보천교 관련자들의 글이나 인터뷰 기사도 실렸고, 직접 보천교와 관계되지는 않지만 소위 '유사종교'에 대한 당시 사회 분위기나 식민권력의 종교정책의 변화 모습도 찾아볼 수 있다.

그리고 뒤에서도 살펴보겠지만, 당시 신문에 보천교 관련 기사가 다수, 어떤 해는 하루도 거르지 않고 게재되었다는 사실 자체가 보천교의 존재와 활동을 짐작하게 하는 것이었다. 실제로 1920년대 전반기에 보천교 관련 기사의 게재 빈도수가 적지 않았는데, 이는 이 시기 보천교가 많은 국내활동을 전개한 것과도 무관하지 않았다. 그러나 보천교의 활동이 침체에 빠지는 20년대 후반기에 들어서면 신문에 그에 관련된 기사는 수적으로나 양적으로 크게 줄어든다. 물론 당시 신

상해임시정부 요원이 정읍 보천교 보소에 군자금을 모집하러 왔다가 체포되었다는 기사 (동아일보1924.4.1)

문들이 일제강점기인 만큼 총독부의 언론정책에 의해 통제되고 있었다는 사실도 감안할 필요가 있고, 〈매일신보〉 같은 총독부 기관지는 민간신문들과는 시각적인 차이가 존재하였음도 물론이다. 당시 편집진의 시각이나 기사 비중의 중요성도 확인 가능하고 보천교 관련 신문기사의 내용들과 그 표현의 변화를 확인할 수도 있다.

보통 신문기사와 관련된 연구들은 신문의 기사 내용분석을 기본 틀로 하여 기사 유형(행위 기사, 특성 기사, 관리방안 기사), 기사 빈도, 기사 형태(기사 시작 단수, 기사길이, 제목 할애 단수, 제목 글자 수), 취재원, 기사의 논조 등을 분석하는 것이 일반적이다. 기사 빈도, 기사 형태, 취재원에 따라 독자들에게 전달되어지는 내용의 이미지가 다르기 때문이다. 이는 곧 고찰 대상에 대한 사회 표상이 형성되는 것이다. 만약에 일제시대 보천교의 사회 표상을 살펴보려 한다면 당시 발간된 신문 중 한국인에게 가장 많은 영향을 미쳤다고 보고되어진 〈매일신보〉, 〈조선일보〉, 〈동아일보〉, 〈시대일보〉 등에 나타난 기사들을 상기 분석틀을 바탕으로 정리할 필요가 있을 것이다.[3] 그러나 본고는 이러한 분석을 수행하지 않았다. 다만 추후 그와 같은 연구들을 유도하기 위해 먼저 일제강점기 발행된 신문들의 상황에 대해 설명하고, 다음으로 한국인을 대상으로 한국어로 발행된 신문에 게재된 보천교에 관련된 기사들을 계량적, 내용적으로 분석해 보았다.

---

3 어떠한 현상이 특정의 사회표상으로 구성되어지기 위해서는 사회(신문기사) 속에서 반복적으로 회자되어야 하는 전제가 요구되어진다. 발생하자마자 처음부터 그러한 표상이 정착되어지는 경우는 매우 드물다. 신문은 어떠한 현상에 대해 공중의 관심을 집중케 하고 지속적인 정보를 제공함으로써 일반시민이 '무엇을 어떻게 생각할 것인가'를 규정하는 특성을 지니고 있다. 만일 보천교 관련 기사 중 기사 빈도와 기사 형태면에서 모두 강조되어질 수 있는 사회표상은 '군자금 모집' '미신·사교邪敎' '성토'와 '박멸' 등과 관련 있을 것이다. 이러한 사회표상은 식민지 시기에 신문이 공적 지식을 생산해 내어 이후 이미지 형성에 큰 영향을 미쳤다.

2 일제강점기 신문발행과 자료현황

　일제의 한국강점 직후인 1910년대 국내에서 한국어로 간행되던 신문은 조선총독부의 기관지인 〈매일신보〉가 유일했다. 그러다 1920년대가 되면, 3·1운동 이후 일제가 이른바 문화정치를 실시하면서 몇몇 민간지들이 창간되기 시작하였다. 1920년에 〈조선일보〉와 〈동아일보〉가 창간되었고 이어 1924년 〈시대일보〉도 창간되었다.[4] 이리하여 1920년대에는 한국어 신문이 4종이었다. 1930년대에도 이러한 4종의 한국어 신문 상황은 변함이 없었으나, 〈시대일보〉의 후신인 〈조선중앙일보〉가 경영문제와 총독부의 거듭된 탄압을 받다가 1937년에 문을 닫았다. 그리고 1940년대에 들어서 태평양전쟁의 전운이 드리워지면서 〈조선일보〉와 〈동아일보〉는 1940년에 강제 폐간되었다. 이에 따라 1940년대는 다시 〈매일신보〉가 유일한 한국어 신문이 되었다.

---

4 물론 3·1운동 직후 국내에서 조선독립신문을 비롯한 적지 않은 지하신문들이 일시적으로 발행된 바 있으나, 이는 정기적이고 지속적으로 발행된 신문은 아니었다. 그리고 당시 지방신문들도 발행되었다. 1910년 강점 당시 18개의 지방신문이 있었고, 이 중 진주에서 발행된 경남일보를 제외한 신문들은 모두 일본인들이 발행한 신문들이었다. 1920년대를 보면 인천의 조선신문(→인천신보→조선매일신문), 대전의 삼남신보(→호남일보→조선중앙신문→중선일보), 부산의 부산일보와 조선시보(→中鮮일보→부산일보), 마산의 마산신보, 진주의 경남일보(→남선일보), 대구의 대구신문(→조선민보→대구일신신문), 광주의 광주신보(→전남신보), 전주의 전주신보(→전북신보) 등 전국적으로 지방지들이 간행되고 있었다.

다음으로 식민지 상황에서 이들 신문들의 발행 상황과 활동들을 살펴본다. 〈매일신보〉는 1904년 7월 영국인 베델E. T. Bethell(한국명 배설裵說)이 발행인 겸 편집인으로 창간한 〈대한매일신보〉가 그 전신이었다. 〈대한매일신보〉는 위기일로의 국난을 타개하고 국가보존을 실현코자 반일적 성격을 지닌 일간지로 1910년 8월 28일까지 발간되었다.[5] 일제는 이러한 〈대한매일신보〉를 회유와 매수작전 등 갖가지 수법으로 탄압하다가 강제로 매수한 뒤 강점 바로 다음 날인 1910년 8월 30일부터 '대한' 두 자를 떼고 발행을 시작했다. 따라서 이 신문은 일제의 한국통치를 합리화하고, '내선일체'를 주장하는 논조로 발간되고 있었다. 신문사는 〈경성일보〉(총독부의 일어판 기관지)에 통합되어 경영되다가 1920년에는 편집국이 〈경성일보〉에서 분리되었다. 처음부터 일본인 사장과 편집국장의 감독 아래 발행되다가 1938년에 처음으로 한국인 사장(최린)이 임명되었으며, 1938년 4월 16일에는 독립된 주식회사로 운영되었다.[6]

〈조선일보〉는 1920년 3월 5일 창간되었으며, '신문명 진보주의의 선전'을 발행목적으로 삼고 있었다. 당시 친일적인 경제단체인 대정실업친목회가 주도하였으나, 창간된 지 반 년도 못 되어 30여 차례의 기사 압수처분을 받았다. 1920년 8월, 강우규姜宇奎 의사의

---

5 창간 이듬해인 1905년 8월부터 국문판(국한문 혼용)과 영문판을 분리시켜 따로 발행하였다 1907년 5월부터는 국한문판을 이해하지 못하는 독자들을 위해 순한글판을 따로 만들어, 국한문판, 영문판, 순한글판으로 발행했고 세 신문의 발행부수가 1만부를 넘었다.
6 1930년대에 자매지로 『월간매신』과 『매일신보사진특보』 등을 간행하였으며, 해방 후 서울신문으로 改題하였다. "조선에서 일본인이 발행하는 신문, 잡지, 통신은 현재 50종으로, 그중 21종은 1919년의 제도개정 전에 인가한 것이고, 기타 29종은 어느 것이나 1919년의 제도개정 후에 인가한 것에 해당한다. 그리고 보도 태도는 한결같이 온건하여, 곧잘 총독정치에 대해 이해하고 찬조하며 문화의 향상에 이바지하는 효과가 적지 않다." (慶尙北道 警察部, 『高等警察要史』, 1934, 165쪽)

사형선고에 관한 논설로 1주일의 정간처분을 받았으며, 정간이 풀리자마자 정간처분을 비판한 논설로 다시 2개월의 무기정간 처분을 받았다. 1924년 9월에는 이상재가 사장에 취임하여, '조선민중의 신문'을 내걸고 혁신을 단행하며 사회주의자들을 포함한 진용을 구성하였다. 1925년 9월 조선혁명은 소련혁명과 궤를 같이한다는 내용의 논설로 다시 정간처분을, 1928년 5월에는 일본군의 산동 출병을 반대하는 논설로 네 번째 정간에 처해졌다. 4차례 정간으로 총 280일 동안 신문을 발행하지 못하였다. 그러는 중에도 1927년 신간회가 발족되면서 〈조선일보〉는 신간회의 기관지 역할을 하였다.[7] 초창기부터 경영난을 겪어 오며 경영진이 자주 교체되던 〈조선일보〉는 1933년 방응모가 인수하면서 '정의옹호, 문화건설, 산업발전, 불편부당'이라는 사시社是를 제정하고, 편집진용에 이광수·주요한·서춘 등을 기용하였다. 태평로에 사옥을 신축하고 고속윤전기 등을 도입하였으며, 『조광』·『여성』·『소년』 등의 잡지도 간행하는 등 외적으로 발전하였다. 또한 총독정치에 협조적인 논조를 보이기도 하였으나, 태평양전쟁이 발발 이후 1940년 8월 10일 강제 폐간당했다.

〈동아일보〉는 1920년 4월 1일 김성수를 대표로 한 78명의 발기인에 의하여 창간되었다. 창간 당시부터 민족대변지라는 자각으로 출발한 이 신문은, 그 창간사에서 '조선민족의 표현기관으로의 자임·민주주의 지지·문화주의의 제창'을 3대 주지로 삼았으며, 창간당시부터 격렬한 항일필봉을 휘둘러서 일제의 주요 탄압대상이 되었다. 창간 2주 만인 1920년 4월 15일 자의 「평양에서 만세 소요」

7 국사편찬위원회, 『대한민국 임시정부 자료집』 38(국내보도기사 편), 2010, '해제.'

라는 기사가 문제되어 발매반포 금지를 당한 것을 비롯하여, 네 차례의 무기 정간 처분과 다수의 발매반포 금지·압수·삭제 등 조선총독부의 탄압을 받았다. 그 가운데 네 번째 정간은 잘 알려진 베를린 올림픽의 마라톤경기에서 우승한 손기정의 유니폼에서 일장기를 삭제한 사진을 게재했다 해서 1936년 8월부터 다음 해 6월까지 정간을 당하였던 것이다. 그리고 제1차 무기 정간 중인 1920년 11월에는 만주 혼춘에 특파된 기자 장덕준이 일본군의 한국인 교포 대량학살사건을 취재하던 중 일본군에게 희생되기도 하였다. 1930년대에 브나로드운동을 전개하였으며, 박영효·김성수·송진우·이승훈·백관수 등이 사장직을 맡았다.

〈시대일보〉는 주간지 『동명』을 간행하던 최남선이 민족단합과 협동을 내걸고 1924년 3월 31일 자로 창간한 일간신문이었다. 발행 초기에 발행 부수가 2만 부에 이르렀으나, 곧 경영난으로 보천교가 그해 7월 경영권을 인수하자 사원들의 반발로 자진 휴간을 신청하는 등 물의를 빚다가 9월에 속간되었다. 1925년 4월에는 합자회사로 조직되어, 홍명희와 한기악이 사장과 편집국장을 맡는 등 개편이 있었으나, 계속된 경영난으로 1926년 8월 발행이 중단되고, 회사는 해산되었다. 그 해 9월 이상협이 〈시대일보〉의 판권을 인수하여 11월부터 간행한 것이 〈중외일보〉이다. 이 신문은 구독료를 낮추며 출발하였지만 그 결과 재정난이 가속화되었다. 한민족의 실질적인 대동단결론을 개진하여 조선총독부로부터 무기한 발행정지 처분을 받기도 하였다. 1929년 9월 안희제의 출자로 주식회사로 확대하였으나, 거듭되는 휴간과 총독부의 탄압으로 1931년 9월 자진 폐간하고 말았다. 이러한 〈중외일보〉의 판권을 인수받아 1931년 11월 속간한 것이 〈중앙일보〉이다. 〈중앙일보〉는 주간 중심체제로 운영하였으나, 다른 신문들과 마찬가지로 총독부의 탄압과 재정난을 겪다가, 1933년 2월 여운형을 사장으로 하여 새 출발을 하였으나 1933년 3월에 폐간되었다. 그리고 〈중앙일보〉를 이어 〈조선중앙일보〉가 간행되었는데, 여운형이 사장을 맡았고 『중앙』이라는 월간지도 간행하였다. 이 신문은 1936년 8월 베를린올림픽 마라톤에서 우승한 손기정의 가슴에 단 일장기를 말소한 사진을 보도하여 문제가 되자, 9월부터 자진 휴간했다가 속간되지 못하고, 1937년 11월 5일에는 발행허가 효력이 자연 상실되면서 발행을 중단하여 결국 폐간에 이르렀다. 이처럼 〈시대일보〉는 이후 〈중외일보〉와 〈중앙일보〉 그리고 〈조선중앙일보〉로 제호가 바뀌었지만 계속 이어 간행되면서 호수는 그대로 계승되었다.

1928년 현재 조선총독부 경무국 조사에 따르면, 〈동아일보〉는 4만부를 상회하였고, 〈조선일보〉는 2만부가 채 되지 못하였다. 그리고 〈중외일보〉의 발행 부수는 1만 5천여 부로 한국어 신문 가운데에는 가장 적은 수였다. 그러나 〈중외일보〉는 이후 〈조선중앙일보〉로 제호가 바뀌어 발행된 시기에는 발행 부수가 크게 증가하였다. 1928년 이전에도 신문발행은 매우 활발하였던 것으로 보인다. 다만 1920년대의 한국어 신문 발행 추이는 전국적인 자료가 없어 경상북도 지역에서의 구독자 추이를 통해 유추가 가능하다. "도내 경상북도에 반포되는 한국어 신문의 추세를 보면, 〈조선일보〉〈동아일보〉〈중외일보〉는 도내 반포가 미치지 않은 곳이 없어서, 그 독자는 5,200명을 돌파했다"고 할 정도였다.[8]

8 경상북도 경찰부, 『高等警察要史』, 1934, 166~168쪽. "1920년에 조선인에 대한 종래

그리고 기사 내용을 보면, 총독부 기관지인 〈매일신보〉를 제외한 "한글 3신문은 시종일관 불온하고 비국민적 태도를 취했다"고 하였다.[9] 때문에 총독부에서는 계속 주의를 기울이고 있었다. "〈조선일보〉〈동아일보〉〈중외일보〉등은 조선민족의 언론 대행기관이라 자임自任하고 있다. 그리하여 시종 잘못된 민족의식에 사로잡혀 음으로 양으로 총독정치에 대해서 반항적으로 사실을 왜곡하고, 혹은 사회·공산주의의 선전에 붓을 함부로 놀려 그 폐단이 참으로 적지 않다. 그러나 한편으로 조선인의 문화 향상에 도움을 주는 것 외에도, 총독정치에 대한 불평·불만 내지는 뜻이 있는 곳, 즉 민심의 동향을 통찰하여 시정施政에 참고자료로 기여하는 효과를 간과해서는 안되는 점이 있다."[10]

〈표 1〉 경상북도 한국어 신문 구독자 추이

	1920	1922	1924	1926	1928
동아일보	3,267	2,008	2,195	2,537	1,895
조선일보	456	715	1,039	2,408	정간중
시대/중외일보	–	–	992	1,005	1,704
매일신보	2,878	4,786	5,658	3,259	3,186
계	6,601	7,509	9,884	9,209	6,795

자료 : 『高等警察要史』, 345쪽.

의 制壓정책을 완화하여 한글신문의 발행이 허가되었다. .... 대체로 1919, 1920년 내지 1923년에 이르는 동안은 추상적 배일기사를, 같은 해인 1923년 내지 1925년경에는 소위 제2기로 이론(경제)투쟁에 관한 기사를, 그 후에는 제3기라고도 할 수 있는 민족단일당 촉성에 관한 기사를 중심으로 다루어 금일에 이르게 되었다."
9 위의 책.
10 위의 책.

	1929	1931	1933	1935	1937	1939
동아일보	37,802	41,293	49,947	55,924	55,783	55,977
조선일보	23,486	28,192	29,341	43,118	70,981	59,394
조선중앙일보	14,267	19,162	18,194	25,505	–	–
매일신보	23,033	23,186	27,119	30,937	44,600	95,939
계	98,588	111,833	124,601	155,484	171,364	211,310

자료 : 『高等警察要史』, 345쪽.

이에 비해 〈매일신보〉는 주로 관공서의 구독과 관계가 있었고 일반 독자는 적었다고 했다. 또 "보도내용과 논설이 다 온건한 〈매일신보〉 같은 것은 그 반포 부수가 3,892부에 지나지 않는데, 다른 신문과 비교하여 고찰해 볼 때 〈매일신보〉는 민심의 추향을 사실 그대로 반영했다고 볼 수 있다"고 자평하고 있었다.[11]

기본적으로 국내에서 발간된 신문들은 총독부의 검열을 거쳐야 했으므로 그 기사들이 총독부의 정책과 무관할 수는 없었음을 전제하여야 한다. 일제강점기 출판법규는 신문 및 출판물의 두 종류로 나누고, 또 일본인과 조선인으로 구별해 적용하고 있었다. 외국인의 경우는 일본인과 같은 법규에 의거해 단속해 나갔다. 1919년 이전까지는 일간인 〈매일신보〉 및 시사를 게재하지 않는 월간잡지인 『천도교회 월보』와 『중외의약신보』 3종뿐이었지만, 1920년 〈조선일보〉, 〈동아일보〉 및 월간잡지인 『개벽』(1926년 8월 1일 치안방해의 염려가 있어서 발행이 금지됨)이 허가되었고, 그 후 허가된 수가 늘어나

---

11 『高等警察要史』, 166~168쪽.

11종에 이르렀다. 신문발행에 대해서는 인허가를 필요로 하는 신문규칙 및 신문지법[12]을 적용받았다.

따라서 이들 신문들이 총독부의 정책을 비판하는 경우에는 앞서 보았듯이 정간과 휴간이 반복되었다. 〈조선일보〉는 1920년 8월 26일 제1차 정간(7일)을 시작으로 9월 4일 제2차 정간(62일), 1925년 9월 7일 제3차 정간(38일), 1928년 5월 9일 제4차 정간(133일)을 당했다. 그리고 〈동아일보〉는 1920년 9월 24일 제1차 무기정간(108일), 1926년 3월 6일 제2차 무기 정간(44일), 1930년 4월 16일 제3차 무기 정간(138일), 1936년 8월 29일 제4차 무기 정간(279일)을 맞고 난 후 친일 논조로 전향한다. 〈시대일보〉는 창간되었지만 처음부터 극도의 재정난을 겪으며 휴간을 거듭하였다. 그 과정에서 1928년 3월 27일에는 독립의식을 고취한다는 명목으로 10일간 무기 정간을 당하고, 1936년 9월 5일에는 일장기를 삭제한 손기정 사진 게재로 당국 조사가 있자 자진 휴간했다.[13] 그러나 〈매일신보〉는 총독부 기관지인 만큼 일제강점기 모든 시기에 걸쳐 정간 경험 없이 발행된 신문이었다. 1940년 8월 10일 〈동아일보〉와 〈조선일보〉 등 모든 민간지가 강제 폐간된 이후에도 다시 유일한 한국어 신문으로 일제의 침략전쟁과 민족말살정책을 대변하고 있었다. 이 신문은 1945년 8월 14일 폐간되었다.

현재 이 신문들은 모두 마이크로 필름으로 이용이 가능하다. 특

---

12 신문지법은 1907년 7월 24일 공포된 언론관계 법률, 광무신문지법이라고도 한다.
13 "〈동아일보〉는 1920년 이후 금년(1933) 5월까지를 전후로 288회, 〈조선일보〉는 318회, 〈중외일보〉(전신 〈시대일보〉까지 합쳐)는 1924년 이후 올해 5월까지 176회의 차압처분에 부쳐졌다. 또 〈동아일보〉는 2회, 〈조선일보〉는 4회, 〈중외일보〉(〈시대일보〉 때와 합쳐)는 1회로 각각 발행정지 처분을 받았다."(『高等警察要史』, 166~168쪽.)

히 〈동아일보〉와 〈시대일보〉·〈중외일보〉·〈중앙일보〉·〈조선중앙일보〉는 국사편찬위원회의 한국사 데이터베이스에서 검색 가능하고 원문을 확인할 수 있다. 〈조선일보〉는 조선일보사 홈페이지 아카이브에서 검색할 수 있으며, 〈매일신보〉는 한국언론재단의 빅카인즈 뉴스라이브러리에서 검색 및 원문보기가 가능하다. 아울러 〈동아일보〉는 1920년 창간부터 1928년 발행분까지는 40책으로 축쇄판이 간행된 바 있으며, 〈매일신보〉는 경인문화사에서 영인하였다. 〈시대일보〉·〈중외일보〉·〈중앙일보〉·〈조선중앙일보〉도 한국학연구원에서 영인한 바 있다. 국립중앙도서관의 전자도서관에는 이들 신문이 데이터베이스화되어 있으나 검색은 어렵고, 국사편찬위원회의 한국사 데이터베이스에서는 검색이 가능한 상태로 연구에 이용할 수 있다.

3 보천교 관련 신문기사의 분석

1) 시기별 계량적 분석

일제강점기(1910~1945) 국내에서 발행된 한국어 신문들 〈동아일보〉, 〈조선일보〉, 〈시대일보〉, 〈매일신보〉에서 보천교와 관련된 기사는 총 1,299건이었다. 검색에 사용된 단어는 '보천(텬)교' '차경석' '차천(텬)자' '태을교' '훔치교' '흠치교' '선도교' 등이었다. 조간과 석간을 구별하지 않고 모두 포함하였다.[14] 이 가운데에는 여러 신문에 유사한 제목으로 중복 게재된 경우도 있지만 이들은 모두 포함하였다. 사설과 같은 경우도 보천교와 관련이 있는 경우의 기사들은 역시 보천교 인식과 관계되므로 모두 포함시켰다.

이렇게 하여 분류된 보천교 관련 기사의 건수를 연도별로 비교하면 1910년대(1914~1919) 5건, 1920년대 954건(1920년 10건, 1921년 89건, 1922년 41건, 1923년 81건, 1924년 135건, 1925년 385건, 1926년 50건, 1927년 38건, 1928년 17건, 1929년 108건), 1930년대 330건(1930년 17건, 1931년 15건, 1932년 10건, 1933년 19건, 1934년 32건, 1935년 17건, 1936년 147건, 1937년 37건, 1938년 18건, 1939년 18건), 1940년대(1940~1945) 10건이었다. 1920년대가 전체 기사건수의

---

14 〈조선일보〉는 1924년 11월 23일 조석간제를 최초로 도입했고, 1927년 8월 조석간제를 폐지했다가 부활, 폐지가 반복되었다. 〈동아일보〉는 석간체제로 창간되었으나 1925년 8월 1일 조석간제를 실시했으나 10일만(8월 11일)에 조석간제를 폐지했다.

73.4%로 단연 많았고 다음은 1930년대가 25.4%였다. 1920년대의 경우는 1925년이 29.6%를 차지하고 있었고, 다음은 1924년이 10.4%였다.

〈표 3〉 연도별 보천교관련 신문기사 분포(총 1,299건)

연 도	1910~19	1920	1921	1922	1923	1924	1925	1926	1927	1928	1929
백분율	0.4	0.8	6.9	3.2	6.2	10.4	29.6	3.9	2.9	1.3	8.3
연 도	1930	1931	1932	1933	1934	1935	1936	1937	1938	1939	1940~45
백분율	1.3	1.2	0.8	1.5	2.5	1.3	11.3	2.8	1.4	1.4	0.8

1925년의 경우는 각종 보천교 관련 기사가 385건으로 매일 평균 1건 이상의 신문기사들이 게재되고 있었다. 일 년 내내 연일 신문지면에 보천교 기사들이 도배하고 있었던 것이다. 그만큼 보천교는 세간의 관심이었다. 그 전해인 1924년은 보천교가 기로에 선 해로 갑자년 천자등극설이 유포되어 그 귀추가 주목받은 해였다.[15] 뒤에서도 살펴보겠지만 1921~1923년의 보천교 관련 기사도 16.3%로 적지 않은 비율이었다. 이렇듯 1920년대 전반기에 보천교 관련 기사가 집중되었다는 사실은 보천교의 활동내용과도 일치한다. 즉 3·1 운동 이후 1920~23년경에는 민족독립운동 및 보천교의 공개 등으로 이슈를 이루다가 1924~25년 전후에는 보천교의 진로 고민과 시국대동단 활동에 따른 보천교 성토 등의 기사들이 많았다. 그러다 1920년대 후반기에는 보천교 관련 기사들이 많지 않았으나 1929

---

15 이에 대해서는 김철수, 「1920년대 보천교의 고민과 활로모색-식민권력의 보고서를 중심으로-」, 『신종교연구』 38, 2018을 참조.

년이 되면 보천교 본소 성전이 신축되고 기사년(1929) 천자등극설이 유포되면서 또 다시 기사 건수가 증가했다(8.3%). 1930년대에도 보천교 관련 기사들이 꾸준히 보이는데, 1936년에는 차월곡이 사망하면서 기사 건수가 급증하였던 것으로 보인다(11.3%). 기사 건수는 그만큼 보천교의 관심도와 비례하여 나타나고 있었던 것이다.

다음은 이러한 보천교 관련 기사들을 내용별로 분류해 보았다. 내용은 크게 ①보천교 일반 ②항일 민족운동 ③경찰·검찰·검거 ④유언비어·혹세무민 ⑤보천교 성토·박멸의 5개 항목으로 구분 가능하였다. 이에 따라 전체 기사를 분류된 5개 항목으로 나누어 살펴보면 다음과 같은 분포를 보여주었다.

〈표 4〉 기사 내용 분류별 분포

기사 내용	건수	백분율
보천교 일반	435	32.9
항일 민족운동	71	5.4
경찰·검찰·검거	484	36.7
유언비어·혹세무민	125	9.4
보천교 성토·박멸	207	15.6
계	1,322	100.0

[비고] '내용분류별'의 기사 건수는 내용에 따라 중복 계산했기 때문에 전체 기사 건수를 초과했음.

전체적으로 보면 보천교에 관한 경찰·검찰·검거와 관련된 기사가 36.7%로 가장 많은 비율을 차지했고, 보천교 성토와 박멸에 관한 기사들도 다수 보여지고 있었다(15.6%). 이러한 5개 항목의 기사를 연도별로 비교하면 다음과 같다.

먼저 '보천교 일반'에 관한 기사를 연도별로 비교하면 1910년대 1건, 1920년대가 298건(1920년 5건, 1921년 13건, 1922년 16건, 1923년 37건, 1924년 63건, 1925년 90건, 1926년 21건, 1927년 18건, 1928년 5건, 1929년 30건), 1930년대 132건(1930년 11건, 1931년 6건, 1933년 5건, 1934년 15건, 1935년 7건, 1936년 59건, 1937년 13건, 1938년 11건, 1939년 5건), 1940년대(1940~1945) 4건이었다.

다음은 '항일 민족운동'에 관한 기사를 연도별로 비교하면[16] 1920년대 70건(1921년 27건, 1922년 3건, 1923년 8건, 1924년 3건, 1925년 16건, 1926년 3건, 1929년 10건), 1930년대 1건(1930년 1건)이었다.

<표 5> 연도별 항일 민족운동 기사분포

연 도	1921	1922	1923	1924	1925	1926	1929	1930
백분율	38.0	4.2	11.3	4.2	22.5	4.2	14.1	1.4

그리고 '경찰·검찰·검거(구속·체포)'에 관한 기사를 연도별로 비교

16 항간에는 안후상의 연구(「보천교와 물산장려운동」, 1998)를 시작으로 『〈조선일보〉 항일기사 색인 : 1920~1940』을 이용하여 보천교의 항일 민족운동을 다룬 글들을 종종 찾아볼 수 있다. 이러한 『〈조선일보〉 항일기사 색인』(조선일보사, 1986)은 〈조선일보〉의 1920년 3월 5일(창간호)부터 1940년 8월 11일(일제에 의한 강제 폐간)까지 게재된 기사 중 58,250건의 항일기사 관련 기사를 발췌, 수록하였다. 그러나 내용적으로 항일기사라고 보기 어려운 기사들도 있는 것이 사실이나 책 제목을 그대로 적용하여 〈조선일보〉 항일기사'로 취급하고 있다. 여기에는 종교단체 관련 기사가 총 269건이 있는데, 그 가운데는 종교일반이 6건, 기독교 23건, 보천교 83건, 불교 18건, 유교 15건, 천도교 31건, 천주교 2건, 청림교 17건, 태을교 9건, 훔치교 55건, 기타 종교 10건이 있었다. 여기서 보천교와 태을교, 훔치교를 합하면 147건이 되는데, 종교 일반 중에 보천교 관련 기사가 2건 확인되고 기타 종교에도 무극대도가 2건 확인된다. 이 모두를 합하면 모두 151건이 된다. 이러한 기사건수 비교는 종교단체별 항일기사 비교에 분명한 도움이 된다. 본고에서 분류된 보천교 항일민족 운동의 순수한 기사 건수도 71건이지만 경찰·검찰·검거의 관련 기사까지 합한다면 500건이 넘어 매우 많은 것이 사실이다.

하면 1910년대 2건, 1920년대 304건(1920년 3건, 1921년 62건, 1922년 24건, 1923년 24건, 1924년 17건, 1925년 78건, 1926년 16건, 1927년 19건, 1928년 5건, 1929년 56건), **1930년대 172건**(1930년 5건, 1931년 4건, 1932년 7건, 1933년 12건, 1934년 10건, 1935년 9건, 1936년 82건, 1937년 24건, 1938년 6건, 1939년 13건), **1940년대**(1940~1945) **6건이었다.**

〈표 6〉 연도별 경찰·검찰·검거 관련 신문기사 분포

연도	1910~19	1920	1921	1922	1923	1924	1925	1926	1927	1928	1929
백분율	0.4	0.6	12.8	5.0	5.0	3.5	16.1	3.3	3.9	1.0	11.6
연도	1930	1931	1932	1933	1934	1935	1936	1937	1938	1939	1940~45
백분율	1.0	0.8	1.4	2.5	2.1	1.9	16.9	5.0	1.2	2.7	1.2

또 '유언비어·혹세무민미신·사교'에 관한 기사를 연도별로 비교하면 1910년대 2건, 1920년대 95건1920년 2건, 1921년 6건, 1922년 2건, 1923년 5건, 1924년 14건, 1925년 35건, 1926년 2건, 1927년 1건, 1928년 5건, 1929년 23건, 1930년대 28건1930년 1건, 1931년 4건, 1932년 3건, 1933년 3건, 1934년 9건, 1935년 1건, 1936년 6건, 1937년 1건이었다.

〈표 7〉 연도별 유언비어·혹세무민 관련 신문기사 분포

연도	1910년대	1920	1921	1922	1923	1924	1925	1926	1927	1928	1929
백분율	1.6	1.6	4.8	1.6	4.0	11.2	28.0	1.6	0.8	4.0	18.4
연도	1930	1931	1932	1933	1934	1935	1936	1937	1938	1939	1940~45
백분율	0.8	3.2	2.4	2.4	7.2	0.8	4.8	0.8	–	–	–

마지막으로 '보천교 성토·박멸'에 관한 기사를 연도별로 비교하면 1910년대, 1930년대, 40년대는 관련 기사가 전혀 보이지 않았고 오로지 1920년대에 집중되어 있었다. 207건(1923년 10건, 1924년 28건, 1925년 158건, 1926년 10건, 1928년 1건)이 모두 1920년대였다. 특히 1925년 시국대동단의 출범과 관련된 기사들이 거의 대부분임을 확인할 수 있다(76.7%).

<표 8>연도별 보천교 성토·박멸 기사분포

연 도	1923	1924	1925	1926	1928
백분율	4.9	13.6	76.7	4.6	0.5

이러한 내용분류별 기사 항목들은 연대별로 나누어 전체적으로 살펴보면 다음과 같다.

<표 9> 일제강점기 연대별 신문기사 건수

시기구분	년도	총 기사건수	내용분류별				
			보천교 일반	항일민족 운동	경찰· 검찰·검거	유언비어· 혹세무민	보천교 성토·박멸
1910년대	1914~19	5	1	0	2	2	0
20년대 전반기	1920	10	5	0	3	2	0
	1921	89	13	27	62	6	0
	1922	41	16	3	24	2	0
	1923	81	37	8	24	5	10
	1924	135	63	3	17	14	28
20년대 후반기	1925	385	90	16	78	35	158
	1926	50	21	3	16	2	10
	1927	38	18	0	19	1	0
	1928	17	5	0	5	5	1
	1929	108	30	10	56	23	0

시기구분	년도	총 기사건수	내용분류별				
			보천교 일반	항일민족 운동	경찰· 검찰·검거	유언비어· 혹세무민	보천교 성토·박멸
30년대 전반기 (차월곡 사망이전)	1930	17	11	1	5	1	0
	1931	15	6	0	4	4	0
	1932	10	0	0	7	3	0
	1933	19	5	0	12	3	0
	1934	32	15	0	10	9	0
	1935	17	7	0	9	1	0
	1936	147	59	0	82	6	0
사망 이후	1937	37	13	0	24	1	0
	1938	18	11	0	6	0	0
	1939	18	5	0	13	0	0
	1940~45	10	4	0	6	0	0
	계	1,299	435	71	484	125	206

[비고] '내용분류별'의 기사 건수는 관련 기사 내용을 중복 계산한 경우도 일부 있기 때문에 전체 기사 건수를 초과하였음.

2) 시기별 주요 기사 분석[17]

여기서는 크게 두 부분으로 나누어 살펴보겠다. 먼저 각 신문지면에 게재된 보천교와 관련된 특징적인 기사 내용을 시기별로 일별하고, 이와 동시에 특집 혹은 연재로 다루어졌던 내용들을 정리하겠다. 그런 다음 신문기사를 통해 확인 가능한 보천교 관련 주요 사건들의 내용을 정리해 보고자 한다.

17 머리말에서 언급했듯이, 보통 신문기사와 관련된 연구들은 신문의 의제설정이론 agenda-setting theory을 내용분석의 기본틀로 하나, 본 글은 소개 차원에 머물렀기 때문에 그러한 분석은 하지 않았다. 내용 분석 틀은 기사 유형(행위 기사, 특성 기사, 관리 방안 기사), 기사빈도, 기사 형태(기사 시작 단수, 기사길이, 제목 할애 단수, 제목 글자 수), 취재원, 기사의 논조 등이 될 수 있다.

(1) 시기별 특징적인 기사내용

가. 1920년대 전반기(1920~1924년)

보천교(태을교)에 대한 최초의 기사는 〈동아일보〉에서는 1920년 6월에, 〈조선일보〉에서는 1921년 1월부터 나온다. 1920년대 전반기의 보천교와 관련된 특징적인 신문기사들로는 다음과 같은 내용들이 있다.

- 1921년 4월 26일, 〈조선일보〉에서 "대정 13년(1924)에 3월 15일에는 교주가 왕이 된다"는 언설이 처음 출현
- 1921년 4월 26일, 〈동아일보〉는 경찰에서 조사한 내용을 게재하면서 1918년 제주도 법정사 사건을 '차경석이 주도한 제주도 의병사건'으로 보도함
- 1921년 5월 19일, 〈조선일보〉에는 '보천교도 숫자를 557,000명을 언급'하고 있음(60방주 간부 인원)[18]
- 1922년 2월 25일, 〈동아일보〉에서 처음으로 '보천교'라는 명칭이 게재됨
- 1922년 9월 4일, 〈매일신보〉에서 보천교 조직('정교부') 명칭이 처음 출현
- 1922년 10월 26일, 〈동아일보〉에서 처음으로 "차경석車京錫이 국호와 관제를 발표"라는 기사로 '국호'가 나옴
- 1922년 12월 24일, 〈동아일보〉에 '입암면 대흥리에 360동의 성전건축 계획'이 나옴
- 1923년 1월 8일, 〈동아일보〉에서 '선포사' 명칭이 처음으로 출현

---

18 실제로 계산하면 557,700명이 된다. 이처럼 신문기사 내용이 사실과 부분적으로 다를 경우도 있으나 본고에서는 가급적 기사 내용을 그대로 살려 인용하였다.

- 1923년 2월 13일, 〈조선일보〉에는 조선의 상황을 시찰하러 온 〈간도시보 間島時報〉의 기자에게 40원을 제공했다는 '보천교의 미거美擧'가 게재됨
- 1923년 5월 2일, 〈조선일보〉에서 '진정원'이 처음 출현
- 1923년 5월 10일, 〈동아일보〉에서 처음으로 '보천교소년회 조직'이 출현
- 1923년 5월 19일, 〈조선일보〉에서 처음으로 '보천교에 대한 공격' 기사가 나타나기 시작함
- 1923년 9월 11일 〈조선일보〉와 12일 〈동아일보〉에는 당시 곤궁에 빠진 '경성 이재민들에게 보천교도 2명이 2백원'과, '보천교 동정금 1천5백원을 기부'했다는 기사가 게재됨
- 1924년 5월 6일, 〈매일신보〉에 '대종大鐘 주조계획'이 게재됨

1922년 1월, 교단 명칭을 '보천교'로 등록공개한 직후 〈동아일보〉에서는 지금까지 베일에 가려졌던 보천교에 대해 2월 20일부터 25일까지 5회에 걸쳐 '풍설風說이 전하는 태을교'란 제목으로 연재 기획기사를 실었다. 그 기사의 소주제를 살펴보면 다음과 같다.

- 1차 : 갑자년甲子年(1924) 4월을 기해 계룡산鷄龍山에 차황제車皇帝 / 교도 가 수십만에 달한다는 태을교의 내막은 과연 어떠한가 / 최근 수십 년 이래 로 무수히 일어나는 기괴한 여러 종교들 / 태을교의 대두, 고부에서 일어난 강일순 등의 운동 / 차황제車皇帝의 출현설, 세상의 주목받는 태을교 여러 풍설
- 2차 : 후천세계의 개벽과 「옥황상제」의 강세 / 당시 사회의 분위기를 엿보 아 후천개벽설을 말한 강일순 / 교조教祖 강일순姜一淳, 천화天火를 삼키고 [탄쥼] 잉태, 강일순의 출생 이전 하늘에서 큰 이적 / 강姜삿갓, 삼남을 편답

하던 이십여 세의 청년

- 3차 : 「거병해원去病解寃」의 신조, 신축년에 도통을 한 강일순, 자칭 옥황상
  제의 선언한 말 / 기이한 주문, 글자부터 이상하고 출처까지 불명하다 / 풍
  운조화風雲造化를 임의任意로, 사십구일 동남풍과 가뭄에 비까지 내려
- 4차 : 교주의 죽음과 대분열, 강일순의 수제자는 세 사람, 도통을 받은 차경
  석의 활동 / 역서식曆書式의 임원, 수제자 세 사람이 각기 한파를 세워 / 동
  학수령의 유애遺愛, 제2세 차경석은 어떠한 사람인가 / 독립당의 단체로 관
  헌의 검거 엄중, 종적 감춘 차경석
- 5차 : 「금불능어金佛能語」의 비기祕記, 주육을 포식한 금산사의 미륵불, 전
  도가 어떻게 될까 흥미로운 문제 / 개안開眼은 여하한 것, 주문을 외우는 중
  눈 앞에 별유건곤 / 경성京城에도 5~6곳, 본부가 있는 중에 보천교가 대활
  동

이 외에도 1923년 12월 7일과 8일에 〈동아일보〉에 '조선종교
(천도교·훔치교)로 본 민족적 이상'이 2회에 걸쳐 게재되었고, 1923
년 12월 13, 14일에도 〈동아일보〉에는 '신종교 훔치교吽哆敎에 대
하여'라는 제하에 모두 2회에 걸쳐 보천교가 소개되었다. 이듬해인
1924년 9월 12일과 13일에는 보천교가 내부적으로 분열 조짐을
보이면서, 〈동아일보〉에 '보천교 간부간 내홍內訌의 이면裡面'이 총
2회로 특집란을 마련하였다. 이 내용은 뒤에서 보겠지만 1924년에
들어 보천교의 활동이 기로에 서면서 보천교 간부들 간에 내홍內訌
이 생겼기 때문에 여기서도 '세평世評을 막을 사업, 무엇이나 해보
려던 차에, 〈시대일보〉를 만나게 된 동기' 등을 부제로 택하고 있었
다.

다음은 1920년대 전반기의 보천교 관련 신문기사들을 주요 주제별로 나누어 해당 기사들 중 대표적인 것을 정리하여 보았다.

① 진정원 및 정교부 관련 보천교 조직 설치 기사들

- 1922년 2월 21일 〈동아일보〉, 본부를 세 곳에 두고 양해를 얻고자 운동
- 1922년 9월 4일 〈매일신보〉, 정교부 기념식, 수백명 두목들이 교당창립을 기념
- 1922년 12월 27일 〈동아일보〉, 제주 보천교 치성제
- 1923년 1월 5일 〈동아일보〉, 보천교 정교부 신설(전주)
- 1923년 5월 2일 〈조선일보〉, 경남에도 진정원. 보천교에서 신설, 19일에 개교식 거행
- 1923년 5월 10일 〈동아일보〉, 보천교 소년회 조직(진주)
- 1923년 7월 20일 〈동아일보〉, 보천교 청년회 창립(江西)
- 1923년 8월 7일 〈동아일보〉, 보천교 밀양정교부 설립회의 개최
- 1923년 10월 4일 〈매일신보〉, 수만 여 명 보천교 진정원 개회식 거행차로 경북달성공원에 모여들어
- 1923년 12월 8일 〈동아일보〉, 보천교 충남진정원 개원(대전)
- 1923년 12월 14일 〈동아일보〉, 보천교 진정원 개원식(춘천)
- 1924년 2월 8일 〈동아일보〉, 보천교 의성정교부 개교식
- 1923년 11월 28일 〈동아일보〉, 보천교의 전북진정원 낙성
- 1923년 12월 11일 〈매일신보〉, 보천교에서 교세 확장책으로, 각지에 진정원을 설치한다고
- 1924년 6월 12일 〈시대일보〉, 광주, 성대한 개원식

② 차월곡 모친 이장移葬 기사들

- 1922년 9월 15일 〈동아일보〉, 8백명의 태을교도, 대구에서 정읍에 떼를 지어 갔다고, 차경석 모친의 이장에 참여코자
- 1922년 9월 18일 〈동아일보〉, 수만 명의 태을교도가 차경석의 모친 이장식, 보천교 본부에 모여
- 1922년 9월 19일 〈동아일보〉, 식표食票만 사십오만 장, 십만 원을 들였다는 차경석의 모친 영명대사모 이장靈名大師母移葬

③ 물산장려운동 참여 기사들

- 1923년 2월 6일 〈조선일보〉, [각지보도]보천교의 자작회. 정읍
- 1923년 2월 13일 〈동아일보〉, 보천교도 참가, 물산장려운동에
- 1923년 2월 16일 〈동아일보〉, 홍성보천교 토산장려책, 의복 음식을 조선산朝鮮産으로 실행

④ 〈시대일보〉 인수사건 기사들

- 1924년 6월 24일 〈매일신보〉, 활기에 소생한 시대일보사, 금후 보천교 간부가 경영
- 1924년 6월 30일 〈조선일보〉, 시대보사 사건 진상을 철저 조사
- 1924년 7월 10일 〈조선일보〉, 시대일보는 필경 보천교 수중에. 편집겸 발행인이 이성영李成英
- 1924년 7월 11일 〈동아일보〉, 시대일보는 휴간, 양해諒解를 못하고 사원이 소동한다고
- 1924년 7월 12일 〈동아일보〉, 경계중의 시대일보사, 사원과 보텬교측과 회견뎐말

- 1924년 7월 14일 〈조선일보〉, 시대일보 사우社友와 보천교측의 교섭. 보천 교의 고용환高龍煥 이종익李鍾翊 주익朱翼 등의 노력에도 파열
- 1924년 7월 16일 〈동아일보〉, 시대일보 성토회, 발행권이 보텬교로 너머감 을 절대 반대키로 결의
- 1924년 7월 19일 〈조선일보〉, 시대일보 문제 사우회와 보천교의 주장. 교 섭이 파열
- 1924년 8월 27일 〈조선일보〉, 위험한 시대일보의 운명. 결국 존폐문제까 지 생김
- 1924년 9월 3일 〈동아일보〉, 속간되는 시대일보, 보텬교와 사우간에 원만 한 타협
- 1924년 9월 11일 〈동아일보〉, 시대일보가 도화선으로 보천교 간부간 내 홍, 이상호씨와 현 발행인 이성영씨는 파면

⑤ 보천교 혁신회 설치 기사들

- 1924년 2월 12일 〈동아일보〉, 보천교 간부간 내홍의 이면, 무엇이나 해보 려든 차에 시대일보를 맡게 된 동기
- 1924년 9월 17일 〈동아일보〉, 보천교혁신회, 신구 양파로 나뉜 내홍
- 1924년 9월 18일 〈동아일보〉, 보천교혁신회, 장래는 주목할 문제이다
- 1924년 9월 23일 〈동아일보〉, 보천교 분규, 정읍본부에서 사람을 파견 대항
- 1924년 9월 25일 〈조선일보〉, 일보일보 망해가는 보천교. 이상호는 피신, 신구 양파의 담판은 아직 미결
- 1924년 9월 26일 〈시대일보〉, 날로 심한 보천교 내홍, 총정원장이 혁신파 원을 구타
- 1924년 10월 14일 〈시대일보〉, 정읍 대본산에까지 혁신운동의 깃발이 날리어

- 1924년 11월 6일 〈조선일보〉, 3씨(주익朱翼, 서상달徐相達, 김유경金裕經) 보천교 탈퇴
- 1924년 11월 19일 〈동아일보〉, 보천교 신구 양파, 평양서도 간판 쟁탈

⑥ 항일 민족운동 관련 기사들

- 1921년 10월 29일 〈동아일보〉, 10만 원의 독립자금, 태을교 간부의 비밀 회의 발각
- 1921년 10월 29일 〈매일신보〉, 태을교의 음모, 장익금藏匿金 10만 원 발견 압수
- 1921년 10월 31일 〈매일신보〉, 50만 원을 모집하고
- 1921년 10월 7일 〈동아일보〉, 태을교의 허무황당한 말을 듣고 독립운동
- 1921년 1월 24일 〈매일신보〉, 태을교도가 정치변혁운동, 주문을 외우면 독립된다고 한 자가
- 1921년 1월 31일 〈매일신보〉, 불온문서 배포, 흠치교도도 참가 모두 잡어
- 1921년 2월 19일 〈조선일보〉, 독립운동하든 태을교 신자. 조선독립사상과 조선총독정치를 변혁할 취지를 기재하여 선동하다 발각
- 1921년 3월 29일 〈조선일보〉, 포항경찰서는 가정부원假政府員이라 칭하며 금전 요구하는 태을교인 체포
- 1921년 4월 26일 〈동아일보〉, 선도仙道를 표방하고 국권회복을 도모하던 비밀단체 대검거,
- 1921년 4월 30일 〈동아일보〉, 평원平原 석지태石之泰 김진수金珍洙 등 8명 체포, 독립운동을 도모하든 태을교도
- 1921년 5월 13일 〈동아일보〉, 국권회복을 목적하는 태을교도 대검거, 강원도 이천

- 1921년 5월 19일 〈조선일보〉, 겸이포경찰서에 검거된 태을교도의 자백. 교도가 5십5만7천명만 되면 조선은 독립, 교주는 왕!
- 1921년 5월 24일 〈동아일보〉, 조선국권회복단원 또 체포, 종로서鐘路署의 태을교도 검거
- 1921년 6월 22일 〈동아일보〉, 갑자년 3월 15일에 차경석 조선국 황제의 출현설로, 독립운동을 하랴든 션도교도 체포
- 1921년 6월 25일 〈조선일보〉, 계혈鷄血로써 맹서한 태을교도. 조선독립운동하다 검거된 태을교도들
- 1921년 6월 6일 〈조선일보〉, 흠치교도의 검거. 옥황상제가 강림하여 괴질로써 조선에 있는 일본인들을 모두 물리치고 신정부를 조직한다고
- 1921년 8월 25일 〈동아일보〉, 태을교를 표방하고 독립운동을 맹세하고 독립자금을 모은 여섯 명
- 1922년 12월 23일 〈동아일보〉, 월경대月經帶로 권총 밀수, 태을교를 빌어 군자금을 모집
- 1922년 2월 24일 〈동아일보〉, 워싱턴華府회의를 기회로 독립운동자금을 모집한 태을교도
- 1923년 10월 9일 〈동아일보〉, 기괴맹랑한 소위 보천교사건, 교회에 혐의 있는 자와 밀정이 부동符同하야 제조製造
- 1923년 4월 6일 〈동아일보〉, 조선독립운동을 위해 치성금으로 10만 원 모은 태을교도
- 1923년 9월 25일 〈조선일보〉, 보천교도를 검거. 동대문서에서 이종익李鍾翊 박영호朴永浩 문정삼文正三을 체포, 과격한 선전문서 배포혐의
- 1923년 9월 26일 〈매일신보〉, 보천교 본부를 압수수색, 회원 세 명과 불온 문서를 압수

- 1924년 4월 16일 〈매일신보〉, 의열단원 체포, 아직도 여섯 명이 조선에 잠복, 각지에 수배 중
- 1924년 4월 1일 〈동아일보〉, 보천교에 군자금 모집하러 왔다는 혐의로 정읍경찰에 잡혔다

⑦ 태을교도 대검거 관련 기사들

- 1920년 6월 3일 〈매일신보〉, 혹세무민하는 소위 훔치교도 검거, 밀양경찰서에서 13명을 검거, 아주 박멸할 계획
- 1921년 1월 22일 〈매일신보〉, 부산의 흠치교도 속속 검거, 대신동을 에워싸고 일망타진
- 1921년 4월 12일 〈조선일보〉, 선도교도 대검거. 경상남북도를 중심으로 한 비밀결사 닥치는대로 체포
- 1921년 4월 7일 〈동아일보〉, 태을교도 공안방해로 대검거, 안동에서 삼백 명 이상을
- 1921년 4월 13일 〈매일신보〉, 선도교 대검거, 원산에서 20여명을 체포
- 1921년 4월 29일 〈매일신보〉, 선도교도의 처벌, 그 일파 26명에 대한 안동지청의 그 판결 언도
- 1921년 12월 19일 〈동아일보〉, 태을교도 검거, 여주서의 손에

⑧ 고흥사건 기사들

- 1922년 8월 19일 〈동아일보〉, 훔치교도의 모임을 해산하려던 경관과 대충돌, 경관이 총을 노아 한명 즉사, 전라남도 고흥군 지방에서
- 1922년 8월 22일 〈동아일보〉, 태을교도 총살은 치안위반과 집무방해로 부득이한 일이라는 당국

- 1922년 8월 23일 〈동아일보〉, 태을교도 총살사건에 대하여 사회의 조사필요
- 1922년 8월 25일 〈동아일보〉, 보천교측에서 대항책을 강구 중
- 1922년 8월 28일 〈동아일보〉, 사건은 극히 중대하다고
- 1922년 8월 31일 〈동아일보〉, 불안 중의 고흥인민; 고흥경찰서 순사대가 태을교도를 총살한 사건에 대한 경찰발표는 실제 조사와는 전혀 반대이다
- 1922년 9월 7일 〈동아일보〉, 인권옹호의 제 1성, 대성황 중에 무사히 마친 고흥총살사건 연설대회
- 1922년 9월 18일 〈동아일보〉, 고흥경찰서의 태을교도 참살사건으로 검사 장 출장

⑨ 유언비어, 혹세무민 관련 기사들

- 1920년 12월 17일 〈매일신보〉, 태을성신太乙聖神이 출현한다는 훔치교도
- 1921년 1월 20일 〈조선일보〉, 부산부에 훔치교의 대유행. 훔치교를 믿지 아니하면 멸망한다
- 1921년 4월 30일 〈매일신보〉, 옥황상제의 선약仙藥으로, 훔치교 믿는 신자 가 먹으면 악역에도 걸리지 않는다고
- 1921년 7월 22일 〈매일신보〉, 황제위에 등극하면 각 대신, 관찰사, 군수 같은 것은 전부 태을교 신도로 등용
- 1922년 10월 26일 〈동아일보〉, 자칭 대시국 황제, 태을교주 차경석이 국 호와 관제를 발표하였다는 풍설
- 1923년 10월 4일 〈조선일보〉, 3백만 정화正貨 매장설. 가회동 진정원내 지 중地中에, 차경석 천자가 장차 조선왕이 되면 고등관이 되겠다고 낸 금전
- 1923년 7월 16일 〈동아일보〉, 보천교 선포사가 허탄한 말로 백성을 속이 고 돈을 사취하였다고 체포됨

- 1923년 8월 29일 〈조선일보〉, 명년에는 차천자車天子가 즉위한다고
- 1924년 1월 12일 〈동아일보〉, 보천교주 차경석이 갑자 사월 초팔일에 조선 일본 중국의 천자로 등극
- 1924년 3월 31일 〈매일신보〉, 전염병을 막으려면 보천교를 믿으라고
- 1924년 8월 30일 〈매일신보〉, 황당무계한 보천교 유언流言, 교주 차경석이 불원간 등극한다고

⑩ 보천교 성토 및 박멸 관련 기사들

- 1923년 05월 30일 〈매일신보〉, 보천교 성토 강연, 31일 천도교당에서
- 1923년 1월 4일 〈동아일보〉, 보천교 본부 수색, 경찰관 삼십여명이 교도의 분개와 인심의 동요
- 1923년 5월 19일 〈조선일보〉, 보천교에 대한 공격. 진주의 각 단체가 연합하여 연설회를 열고 격렬히 반대
- 1923년 6월 2일 〈조선일보〉, 보천교 죄악 성토 강연. 진정眞正은 진정眞鄭. 정감록을 근거하여 자기가 진정이라고
- 1924년 10월 3일 〈동아일보〉, 보천교 성토 경과, 경관의 주의 중에 꿋꿋이 열변 계속
- 1924년 10월 3일 〈시대일보〉, 목포무산청년회의 보천교 성토 연설, 경찰관의 경계 중에 열려
- 1924년 8월 11일 〈동아일보〉, 시대일보 문제를 해결하고자 보천교 성토 연설, 구월 십오일에 제 1회로 열 예정
- 1924년 8월 22일 〈동아일보〉, 보천교 성토위원회, 내용 조사와 구월 일일에 연설 개최
- 1924년 8월 4일 〈동아일보〉, 보천교의 내막 조사, 서울청년회에서 간부회

의를 열고 결명

- 1924년 8월 4일 〈조선일보〉, 서울청년회의 결의. 내용은 세상을 미혹케하는 보천교의 내막을 폭로코자 하는 것

- 1924년 8월 7일 〈조선일보〉, 보천교 성토회를 조직. 시대일보 사건 토의대회 끝에 보천교를 박멸할 때까지 한함, 상설 집행기관을 두기로 함

- 1924년 9월 23일 〈조선일보〉, 보천교 죄악 성토. 25일 천도교당에 연설회, 내홍은 확대, 정읍 본부에서 사람까지 와서 무사 처리에 노력한 것도 허사

- 1924년 9월 25일 〈시대일보〉, 보천교 성토를 가결, 소극적 방비와 적극적 박멸을, 목포무산청년회에서

- 1924년 9월 26일 〈매일신보〉, 서울청년회 보천교 내막 보고, 작일의 성토회는 중지되고 오늘의 보고회만 개최된다

- 1924년 9월 27일 〈조선일보〉, 보천교 죄상 보고. 금야 청년회에서

- 1924년 9월 28일 〈동아일보〉, 보천교 성토 연설, 무산청년회 주최로

- 1924년 9월 29일 〈동아일보〉, 보천교 박멸 절규, 내막조사연설회

- 1924년 9월 29일 〈시대일보〉, 전조선적으로 박멸, 민중과 단체를 단결하여 보천교 내막조사보고회 결의

- 1924년 9월 29일 〈조선일보〉, 보천교 박멸을 결의

- 1924년 9월 7일 〈동아일보〉, 서울청년회, 보천교 성토, 재료를 모아 내용을 인쇄 배포

나. 1920년대 후반기(1925~1929년)

앞서 보았듯이 1924년에 이어 1925년은 모든 신문들에 보천교 관련 기사가 가장 많았던 해였다. 1925년 3월 19일과 같은 경우는 하루에 보천교 관련 다수의 기사가 동시에 실려, 신문이 온통 보천

교 기사로 메워져 있는 모습이었다. 이 무렵의 보천교 관련 기사들은 거의 대부분이 부정적 내용들이었다. 그 전 해[1924]의 갑자년 천자등극설에 이어 1925년이 되면서 친일적 성격의 시국대동단 활동이 진행되고, 사회적으로도 보천교를 성토하고 박멸하자는 여론이 들끓었기 때문이다.

1925년 1월 10일과 11일에는 〈조선일보〉에 '갑자후甲子後의 보천교'라는 제하로 2회에 걸쳐 '어떻게 해서든지 새 거짓말을 꾸며내야 할 곤란한 처지' '눈 가리고 아웅하는 얕은 꾀 소위 시국대동단과의 관계'를 소제목으로 다루고 있었다. 또 〈동아일보〉에도 1월 18일과 23일에 '훔치교와 시국대동단時局大同團'이라는 제하에 보천교에 대한 부정적인 기사들이 연재되었다. 여기에서 다루어진 소제목들은 '간활奸猾한「훔치」교도教徒, 훔치훔치 하다가 먹을 것 없어, 대동단 강연 기회에 기부모집 / 벽력霹靂은 도처에, 밀양에서 열린 강연 / 학부형 분개 / 군수郡守 황황荒荒 진사陳謝 / 청중은 훔치교도 / 강화江華 유수판관留守判官을 고대하는 불상한 훔치교도,' '평양의 상투쟁이 정읍으로, 사십 명의 한 떼가 이십일에 / 간판에 똥칠, 구린내에 쌓인 훔치교 / 훔치로 가산탕진, 봉화의 어리석은 부자' 등이었다.

5월에 들어서는 〈시대일보〉에서 '대시국 천자 차경석 회견기'가 5회(1925. 5. 27 ~ 5. 31.)에 걸쳐 연재되었다. 당시 차월곡이 서울에 올라가 조선총독과 정무총감을 만날 때, 기회를 얻어 차월곡을 면회한 기자의 회견기였다. 여기에서 다루어진 내용들도 부정적인 기사들이며 그 내용을 소제목을 중심으로 살펴보면 다음과 같다.

● 홀현홀소忽現忽消의 유령인 / 양도야지 같은 큰 몸, 검은 얼굴, 어느 모로 보든지 야비한 인물 / 등극설은 자기무시 / 등극설과 당국 양해설은 부인 / 득인 못한 것이 유감 / 시국대동단과 악수비용 만원 / 마루야마丸山씨의 면회를 거절하였다 / '뺑뺑! 이상도 하다, 빵일홈을 괭이라고 무르면서, 선풍기 보고 저것은 무엇인가.'

7월에는 〈동아일보〉에 모두 12회에 걸쳐 '복마전伏魔殿을 찾아서'(정읍에서 崔容煥) 라는 연재 기획기사가 실렸다. 이 역시 주요 소제목들을 살펴보면 다음과 같다.

● 정감록의 왕국 계룡산 / 기사년 등극 믿다가 떼거지만 생겨 / 내우외환의 보천교 정체 / 백귀가 난무하는 별천지의 미신 소굴 / 어리석은 민중의 고름으로 이룬 차천자車錢子의 요마전 / 정읍의 걸인집단은 「대시국 충신」 / 외교기관 수호사와 차압된 큰 종 / 기괴한 각종의 견서肩書, 준동蠢動하는 장발의 무리들 / 선천은 살세 후 아생殺世後我生, 후천은 상극 중 상생相克中相生 / 천자궁궐 모방한 황색 기와, 나열시킨 60방주 / 의식마저 애매曖昧한 보천교도의 생활 / 미신 직계 상속자 60방주 마술사 / 서로 속고 속이는 차천자 밑의 직원들 / 소작지도 전혀 없는 아사선상의 교도들 / 일월성신을 믿고, 옥황상제에 배알 / '개안開眼'은 미신 조건, '거병去病'은 제2 신조 / 전라도의 걸인은 보천교도의 전신前身 / 차경석의 부하는 직업적 주구배走狗輩.

이러한 연재 기사들 외에도 보천교 관련기사는 다음과 같이 시론, 호외, 시평時評으로도 종종 실리고 있었다.

- [시평]소위 시국대동단 / 가련한 이 중생 / 보천교의 자멸책(《조선일보》 1925. 1. 10.)
- 흠치교의 시국대동단은 소행의 그릇됨을 깨달아라(《조선일보》 1925. 1. 14.)
- 시국대동단의 방자를 보고(《시대일보》 1925. 1. 14.)
- [자유종自由鍾] 농촌 보천교도에게(《동아일보》 1925. 1. 21.)
- [시평] 읍참마속泣斬馬謖도 불능 / 만가자창挽歌自唱의 보천교(《조선일보》 1925. 1. 23.)
- 그것 참!(《시대일보》 1925. 1. 25.)
- 훔치교도의 장래는 걸인乞人. 악마굴을 벗어난(《조선일보》 1925. 3. 1.)
- [탁목조] 신新 훔치 황철수黃哲洙군아(《조선일보》 1925. 3. 3.)
- 검정휘장을 집어치워라. 훔치교 학교에 대하여(《조선일보》 1925. 3. 24.)
- [시평] 시국단 종언(《조선일보》 1925. 7. 4.)
- [사설] 불가교不可敎의 보천교. 조선민족의 반역자(《조선일보》 1925. 12. 19.)
- 불가교不可敎의 보천교. 일선융화日鮮融和를 주장한 조선민족의 반역자(《조선일보》 1925. 12. 20.)

그리고 1926년 3월에는 1919년 말부터 조직했던 보천교의 60방주 이하 임원 전부를 해임시키고 공적에 따라 다시 임명할 계획을 밝혔고, 같은 해 7월에는 보천교의 근거지를 북쪽 곧 서울이나 만주지역으로 옮길 생각도 하였던 것으로 보인다. 또 1928년 10월에는 조선총독부 경무국장 아사리 사부로淺利三郎가 보천교 정읍본소를 비밀리에 방문하여 차월곡과 회담하였다. 그러나 이 기사는 식민권력의 검열로 압수되어 기사화되지 못했다. 그 기사의 내용은 다음과 같다.

● 한때 세상의 이목을 놀라게 했던 보천교의 소식도, 대시국 천자를 꿈꾸는 차월곡車京錫의 즉위 이야기도, 근래에 이르러서는 전혀 들리지 않는다. 이때 10월 7일 오후 3시 조선총독부 경무국장 정正 5위훈 3등 아사리 사부로淺利三郎 각하는 정읍군 입암면笠岩面 대흥리大興里에 하늘 높이 솟아있는 대시국 궁전의 차천자車天子를 방문했다. 천자와 경무국장과의 회견극은 과연 어떠한 무대를 연출했던 것이었을까. (중략)

오후 3시 반경 국장의 일행이 도착하자마자 좌우에 대시국 재상들이 모시고 뒤에 따라가고 그 중앙에 배를 내밀고 오는 사람이 차천자였다.

"먼 곳을 피곤하게 오셨습니다. 누추한 곳을 방문해 주셔서 황송합니다."라고 차천자가 허리를 굽혀 인사하였다.

"무슨 말씀을 하시는지요. 마침 지나는 차에 들린 것입니다."라고 국장이 대답했다.

"방문하고 싶은 마음은 간절했지만 신문기자와 사회주의자들이 나쁘게 보아 한 번도 뵐 수가 없었습니다. 부디 양해바랍니다."라고 말하는 차천자의 얼굴에는 더러운 기름기가 흐르는 것이 보였다.[19]

● 남도 각지를 돌고 있던 경무국장 아사리淺利씨는 지난 7일 오후 3시에 2, 3인의 수행원을 데리고 문제의 보천교 교주, 통칭 동천자를 정읍군 입암면 대흥리 차천자의 대궐에 비밀리에 방문했으나 회견은 약 30분이었다고 말한다. 동천자는 최고 간부, 즉 신하 격인 인물 50여 명을 세우고 의관을 단정히 했다. 뒤로는 군대식으로 2열 종대로 진陣을 만들어 경례하는 등, 산해진미를 준비하여 환대했다고 말하지만, 방문의 내용은 절대 비밀이라고 한다.[20]

---

19 「조선총독부 경무국장 대시국천자大時國天子 방문 극劇」, 〈동광신문東光新聞〉 1928. 10. 9. (1928. 10. 9. 差押)
20 「아사리(淺利) 경무국장이 동천자東天子를 방문」, 〈동아일보〉 1928. 10. 10. (1928. 10. 9. 差押). 東天子는 車天子의 오기이다.

다음은 1920년대 후반기의 보천교 관련 신문기사들을 주요 주제별로 나누어 해당 기사들 중 대표적인 것을 정리하여 보았다.

① 시국대동단時局大同團 관련 기사들

- 1925년 1월 10일 〈매일신보〉, 내선융화內鮮融和의 시국대동단, 각파各派와 보천교 악수, 내선인 정신력 결합을 공고하고 대동단결하여 문화향상이 목적
- 1925년 1월 10일 〈조선일보〉, 시국대동단의 보천교를 비난
- 1925년 1월 13일 〈시대일보〉, 대시국大時國의 기형아, 시국대동단의 첫 망신, 찬서리 맞은 보천교와 각파 연맹
- 1925년 1월 14일 〈시대일보〉, 시국대동단의 방자를 보고
- 1925년 1월 18일 〈동아일보〉, 훔치교와 시국대동단, 간활한 「훔치」교도
- 1925년 1월 20일 〈조선일보〉, 시국대동단의 강연회에 군중과 훔치교도의 싸움
- 1925년 1월 21일 〈시대일보〉, 안동서 또 망신, 강연은 시작하기도 전에 철권에 쫓겨 연사가 도망, 소위 시국대동단 강연
- 1925년 1월 23일 〈시대일보〉, 청주에서 혼비백산, 슬금슬금 꽁무니 빼는 훔치군, 소위 시국대동단 강연
- 1925년 3월 19일 〈조선일보〉, 주구배의 조종! 보천교도들은 당국의 재정적 원조를 얻어보겠다고 소위 시국대동단과 결탁
- 1925년 3월 19일 〈조선일보〉, 훔치교와 시국대동단, 소위 일선융화를 목표로 삼고 잇다가 조선 각지에서 격렬한 성토와 배척을 받든 시국대동단은 보천교와 제휴하여 본성을 발취하려 했으나 결국은 분렬
- 1925년 7월 4일 〈조선일보〉, [시평]시국단 종언

② 동경 방문 기사들

● 1925년 2월 26일 〈동아일보〉, 임경호 혼비백산

● 1925년 2월 26일 〈조선일보〉, 조선사람에게도 참정권을 달라는 청원을 제출코자 동경에 온보천교 임경호林敬鎬에게 동포 삼십명이 습격하야 소동

● 1927년 4월 20일 〈조선일보〉, 천장절天長節 축하로 4천원 편재騙財, 총감과 경무국장 교제비로 사용

③ 근대교육 관련 폐해 기사들

● 1925년 3월 11일 〈조선일보〉, [호외] 육영의숙장이 훔치교도라고. 일반이 대 분개

● 1925년 3월 28일 〈조선일보〉, 훔치 선전으로 학생 격감. 차천자가 등극하면 과거를 본다고

● 1925년 3월 3일 〈조선일보〉, 훔치 중독으로 자질도 퇴학시켜 서산 대산면의 폐해

● 1925년 5월 9일 〈조선일보〉, 훔치 출몰로 보교普校 입학이 격감

● 1925년 6월 17일 〈조선일보〉, 노동 야학생들이 훔치교의 영향으로 머리를 깍을 수 없다고

● 1925년 6월 2일 〈조선일보〉, 보천교도들이 산간벽지로 우매한 백성들을 찾아가서 맹랑한 소리로 현혹시킴

● 1925년 8월 1일 〈조선일보〉, 유치원 교육에 종교액주사를 배척, 소년군 운동도 군국주의적 보천교와 다른 종교도 배척, 성진 신인회의 결의

④ 차월곡의 서울행 기사들

● 1925년 5월 26일 〈동아일보〉, 소위 차천자 입경入京, 차경석, 부하를 데리

고 서울에 와

- 1925년 5월 27일 〈시대일보〉, 차경석의 입경설을 듣고
- 1925년 5월 28일 〈시대일보〉, 상경 이유는 개인 가정사라고
- 1925년 6월 3일 〈시대일보〉, 대시국 태자인가 차희남 또한 상경, 마포 처가에 본부를 정하고 경무국과 또 교섭을 시작해

⑤ 보천교와 대본교大本教 관련 기사들
- 1926년 7월 24일 〈동아일보〉, 대본교 선전원 보천교를 방문하고 밀의해
- 1926년 7월 25일 〈동아일보〉, 대본교와 보천교

⑥ 보천교의 신구파 싸움 기사들
- 1925년 11월 13일 〈조선일보〉, 차천자 암살 음모로 보천교 신구파 대난투
- 1926년 7월 29일 〈조선일보〉, 미로에 들어선 보천교의 내홍. 간부와 교도 간에 서로 반목
- 1927년 2월 12일 〈조선일보〉, 강증산 해골 쟁탈전 개막
- 1927년 2월 13일 〈동아일보〉, 보천교 신구파 백여명 격투, 중경상자가 십여명
- 1927년 2월 15일 〈동아일보〉, 보천교 내홍 후문, 개혁단측 장문의 결의로 차경석 배척
- 1927년 3월 17일 〈신한민보〉, 보천교 신구파 백여명 격투 중경상자 십여명을 내어

⑦ 교당 관련 기사들
- 1927년 4월 29일 〈동아일보〉, 보천교 차천자궁 차압, 사진문제로 돈 물게

된 차천자

- 1927년 5월 21일 〈중외일보〉, 정읍 차천자의 궁궐을 경관이 포위하고 가차압, 거창 사는 김병호라는 사람의 빚 사천원으로 가차압 처분까지 당하게 된 정읍 차경석, 문제의 발단은 차경석의 사진대 이만원
- 1927년 5월 22일 〈조선일보〉, 40경찰대가 자동차로 출동 보천교 본부 재산 집행
- 1929년 4월 14일 〈매일신보〉, 보천교당 신축 낙성식 26일에 거행
- 1929년 4월 23일 〈부산일보〉, 보천교 본부의 삼광령三光靈 봉안 치성제致誠祭, 음력 3월 15일 전후 5일간의 제사는 절대 금지(정읍)
- 1929년 4월 25일 〈매일신보〉, 정읍 가는 보천교도 매일 백여명
- 1929년 5월 2일 〈부산일보〉, 보천교의 삼광영제三光靈祭 무기 연기
- 1929년 7월 14일 〈조선일보〉, 소위 궁전 짓다가 기와 값에 집행 당해. 차경석의 말로
- 1929년 7월 15일 〈동아일보〉, 보천교 동산 대부분 25일 강제 경매, 다수 교도가 결사 대항

⑧ 권총단 사건 관련 기사들

- 1925년 11월 21일 〈조선일보〉, 권총청년사건도 단서는 정읍에서. 정의부원이 정읍에 왔다가 사실이 발각되어 체포되어
- 1925년 11월 21일 〈조선일보〉, 금전으로 정의부를 농락. 만주 개척비로 30만원을 정의부에 주마하고 정의부원을 꾀여온 후 권총 2자루만 빼앗었다, 소위 30만원 문제와 보천교의 죄악
- 1925년 11월 22일 〈동아일보〉, 또 3명을 체포, 보천교의 일파가 해외 정치적 단체와 연락한 사건

- 1925년 11월 22일 〈조선일보〉, 사건의 발단은 보천교도의 고발로. 보천교의 농락받는 정의부원. 군자 모집은 사실이다. 또 2명을 검거한다.
- 1925년 11월 25일 〈동아일보〉, 전후 십명 체포, 해외에서 온 청년은 두명, 보천교 조만식趙萬植 일파 사건
- 1925년 11월 27일 〈동아일보〉, 진주서 4명 체포, 정의부의 권총 가진 4명은 진주 경찰서에서 취조
- 1925년 11월 29일 〈시대일보〉, 권총 2자루 사건, 1명은 진주서로
- 1925년 12월 11일 〈동아일보〉, 정의부 의용군 별동대원 잠입설, 그들의 목적은 정읍 보천교에서 돈 얻는 것
- 1925년 12월 7일 〈시대일보〉, 진주강도단은 전부 차경석 제자, 4명이 모두 진정한 보천교도로, 진정원장의 지휘를 받아 강도
- 1926년 11월 14일 〈동아일보〉, 민족운동자금으로 삼십만원 변출 계획
- 1926년 11월 14일 〈조선일보〉, 보천교도로 가통의부원假統義府員. 권총탄환과 각반을 준비, 부호 습격 준비중 체포

⑨ 경무국장의 보천교 본소 방문 기사
- 1928년 10월 10일 〈동아일보〉, 아사리淺利 경찰국장이 보천교주 「차천자」를 방문, 정읍 차천자궁에 가서 만나, 회견 내용 절대 비밀(全州)

⑩ 내란죄 관련 기사들
- 1929년 7월 2일 〈조선일보〉, 정읍 경찰 보천교도 사십명 검거. 중요간부를 내란죄로 송국送局, 소위 「등극」준비의 음모 발각
- 1929년 7월 3일 〈중외일보〉, 내란죄로 보천교도 취조, 오십여 명을 구인
- 1929년 7월 13일 〈동아일보〉, 보천교주 차경석 걸어 내란죄 고발, 차경석

을 둘러싸고 대혼잡 금후에 소환 취조할 모양

● 1929년 7월 15일 〈동아일보〉, 내란죄로 취조에 착수, 가지각색의 숨은 그 죄악이 장차 세상에 들어날 터, 경찰에서 극비밀리에 활동, 등극봉안이 문제

다. 1930~1936년

1936년 차월곡은 세상을 떠났다. 20년대 후반기의 논조였던 '보천교주 차경석의 말로末路'는 30년대에도 이어져 보천교에 대한 언론의 시각은 변하지 않았다. 1930년 벽두부터 〈조선일보〉(1930. 1. 6)에는 '차천자車天子의 궁대지宮垈地를 불원 경매'한다는 기사가 실렸고, 이듬해에는 〈동아일보〉(1931. 8. 28)에 '가구家具까지 공매처분公賣處分, 며느리는 정읍군수 걸어 고소, 옛날의 호화豪華도 춘몽春夢'이라는 기사들이 게재되었다. 서서히 저물어가는 보천교를 빗댄 기사들이다.

이에 대해 보천교도 '청의장발의 보천교, 단발 못하겠다고 진정, 대표자가 총독부 방문'(〈조선중앙일보〉 1933. 4. 25), '만주로 손뻗치는 보천교의 음영. 조선안에서 포교 부진으로 차천자 자신도 출동'(〈조선일보〉 1934. 4. 22) 등 활로를 모색하기 위해 애를 쓰고 있었다. 그러나 상황은 녹록치 않았다. 한때 거대했던 교단의 분열은 필연적인 것으로 보여지고 있었다. 〈조선중앙일보〉는 '수백만 교도 포용한 종교 유사단체의 동향, 전향과 분화 작용으로 혼돈한 상태, 금후 분기分岐가 주목'(〈조선중앙일보〉 1933. 9. 21)이라 하여, 향후 보천교가 어떻게 분화될 지 관심을 표명하였다.

이러한 차월곡의 사망 이전인 1930년대에 특징적인 신문기사는 〈매일신보〉에 3회로 나누어 실린 연재기사이다. '가라앉은 소문의

자취 찾아'라는 제하로 상, 중, 하로 나누어 1930년 2월 18일, 20일, 21일 게재되었다. 사진도 실렸으며, 내용은 역시 부정적이었다.

- 상 : 세간원차世間怨嗟의 표적인 보천교 수령 차경석. 우부우부를 농락하여 궁사극치窮奢極侈의 호화한 생활
- 중 : 정감록을 이용하여 촌민미신념村民迷信念에 영합. 농촌의 피땀이 엉킨 돈을 각종 명목으로 수합소비收合消費
- 하 : 욱일승천의 기세도 권화일조權花一朝의 몽몽夢으로. 견고한 대大반석도 흔들려, 차경석의 갈 곳이 어디냐

1936년 차월곡이 사망한 직후인 6월 11일부터 14일까지는 〈조선중앙일보〉에 '보천교의 성쇠기盛衰期'가 4회에 걸쳐 연재되었다. 여기에서 다루어졌던 주요 소제목은 다음과 같다.

- 등극설도登極說도 일장춘몽. 정자문井字紋의 기치 무색. 자칭 천자 차경석 일거一去 후에 최후의 조종은 울린다. (1936. 6. 11)
- '훔치훔치' 주문에 무지한 대중이 매혹, '신화선경神化仙境'에 도달한다 확신, 초대 교조는 강증산(1936. 6. 12)
- 정치적 색채를 가미, 전 조선에 세력 확대, 무지한 대중의 재산 걷어서 각종 운동에 대금 소비大金消費 (1936. 6. 13)
- 기괴한 행동으로 검거와 수색도 수차 그러나 범죄를 모면하던 중 박멸撲滅의 철주鐵搥는 강하降下 (1936. 6. 14)

다음은 1930년대 차월곡의 사망하기 이전의 보천교 관련 신문기사들을 주요 주제별로 나누어 해당 기사들 중 대표적인 것을 정리하여 보았다.

① 차월곡의 사망 관련 기사들

- 1936년 5월 1일 〈조선일보〉, 차천자車天子 30일 사망
- 1936년 5월 1일 〈매일신보〉, 말성 만튼 보천교주 차경석 필경 병사
- 1936년 5월 10일 〈동아일보〉, 차경석 말로 여실如實 소조蕭條한 장례식 광경, 8백 원 장례비도 빚을 얻어 써
- 1936년 5월 30일 〈경성일보〉, 교주 사후의 보천교
- 1936년 6월 13일 〈매일신보〉, 사교邪敎 보천교에 최후 조종 난명吊鐘亂鳴
- 1936년 6월 17일 〈매일신보〉, 평북의 보천교도 불일간 자연소멸, 천오백여 명 신도 본부 궤멸 후 탈퇴 속출
- 1936년 6월 18일 〈조선중앙일보〉, 수원 지방에서도 보천교도 수난
- 1936년 6월 21일 〈조선일보〉, 보천교 평안남도 정리소도 폐쇄
- 1936년 6월 22일 〈조선중앙일보〉, 영동군에서도 보천교도 퇴치
- 1936년 6월 26일 〈조선일보〉, 제천 보천교도 탈퇴하고 삭발
- 1936년 6월 27일 〈부산일보〉, 보천교를 해산하고 교약소敎約所를 팔아 국방헌금에 충당 ; 경산군내 3개 동 미거美擧
- 1936년 6월 27일 〈매일신보〉, 신사神祠 건립의 기금과 국방의금國防義金으로 헌공獻供
- 1936년 6월 28일 〈조선일보〉, 홍성 보천교 진정원 해체키로 결정
- 1936년 6월 28일 〈동아일보〉, 경북도내의 보천교도 탈교자 속출. 불원 장래 총 와해 형세

- 1936년 6월 28일 〈매일신보〉, 추풍낙막秋風落莫, 보천교 잔당 최후의 애원읍소
- 1936년 6월 28일 〈매일신보〉, 평북정리소 간부는 근거지서 떠나고
- 1936년 6월 30일 〈매일신보〉, 최후의 막 닫는 보천교 정읍본소 괴멸
- 1936년 7월 4일 〈조선중앙일보〉, 보천교도 대표, 3명이 입경, 4일에 총독부 방문, 최후적 탄원을 할터
- 1936년 7월 5일 〈조선중앙일보〉, 보천교의 진정단, 국과장 면회 고집, 금일, 총독부에 출두
- 1936년 7월 5일 〈조선중앙일보〉, '진정'도 수포에, 궤멸 일로의 보천교
- 1936년 7월 25일 〈조선일보〉, 궤멸하는 보천교 간부 25명 사교 생활을 청산
- 1936년 8월 13일 〈매일신보〉, 큰갓 집어치우고

② 보천교 본소 해체 관련 기사들

- 1936년 7월 29일 〈조선신문〉, 재산 정리 중의 보천교 본부
- 1936년 7월 29일 〈조선중앙일보〉, 보천교 3만원 부채, 건물을 팔아 정리. 경찰부장과 정읍서장 밀의密議, 최후의 탄원도 무효
- 1936년 8월 2일 〈조선중앙일보〉, '건물을 방매放賣하여 채무를 청산하라', 보천교 본부로부터 각처 정리소에 통달
- 1936년 8월 20일 〈조선일보〉, 보천교의 본부에 독립병원을 설치계획. 기성회 조직코 임원도 선정
- 1936년 10월 25일 〈조선일보〉, 추풍낙엽의 보천교 건물과 기기 매각 11월 10일에 입찰키로 결정
- 1936년 10월 27일 〈매일신보〉, '백만 원의 전당殿堂'도 마지막 길 처량히 우는 정온만종靜穩輓鍾

- 1936년 11월 11일 〈조선일보〉, 낙명의 보천교 본거 정읍에서 건물 경매
- 1936년 11월 16일 〈조선일보〉, 팔기도 문제된 보천교의 건물
- 1936년 11월 30일 〈매일신보〉, 일금 이만 사천원에 보천교 대전당 고종告終. 만인의 고혈로 축조築造한 아방궁도

③ 보천교 철퇴 관련 기사들

- 1935년 12월 19일 〈동아일보〉, 종교유사단체에 철퇴. 필두는 보천교 소탕. 경무당국에서 전북경찰부 지휘 전全조선으로 선풍권기|旋風捲起
- 1935년 12월 19일 〈조선중앙일보〉, 조선의 사교邪敎 보천교, 불경혐의 경계중, 천자라 자칭하고 혹세무민하여
- 1936년 1월 30일 〈동아일보〉, 정읍 증산교 교주도 치안방해로 피검被檢. 교도 수만을 가진 보천교 일파 정벌에 전율하는 각종 사교邪敎
- 1936년 6월 7일 〈매일신보〉, 보천교에 철퇴
- 1936년 6월 10일 〈조선일보〉, 전조선 유사종교에 불일중에 대철퇴. 보천교, 증산교, 동화교 등.
- 1936년 6월 11일 〈조선일보〉, 보천교류는 모두 소탕방침. 다나까田中 경찰국장 이야기
- 1936년 6월 11일 〈동아일보〉, 전북경찰대가 출동 보천교에 대철봉大鐵棒, 무극·증산·동화교도 5만 가택수사 서류도 압수
- 1936년 6월 11일 〈조선중앙일보〉, 경관 40여명 출동. 보천교 본부를 습격. 10일 새벽에 전북 경찰부에서. 사교邪敎 취체의 대철퇴
- 1936년 6월 12일 〈조선일보〉, 당국의 돌연 탄압으로 조종 울리는 보천교. 40여 사복순사 첫 새벽부터 맹활동
- 1936년 6월 12일 〈조선일보〉, 고성낙조의 보천교. 경찰의 해산 권고를 교

간부 완강 거절. 중요 증거물 다수 압수

- 1936년 6월 12일 〈동아일보〉, 「천자제天子制」 확증 간 데 없고 백만금 거처도 오리무중. 추풍낙엽의 흠치 보천교
- 1936년 6월 12일 〈부산일보〉, 조선의 대본교, 사교의 본체를 드러내 보천교 탄압
- 1936년 6월 13일 〈조선중앙일보〉, 보천교 본부의 검거로 공포 중의 각지 교도, 경성에만도 400여 명인데 검거 바람에 전전긍긍
- 1936년 6월 14일 〈조선일보〉, 민중을 기만 착취하는 사교단체 일제탄압. 보천교를 위시하여 유사종교는 초멸코 공인 종교통제도 강화
- 1936년 6월 18일 〈조선중앙일보〉, 각지의 보천교 탄압, 집회와 수금 등 금지. 평양 강릉 홍성
- 1936년 7월 6일 〈동아일보〉, 간부들 교주 유물 팔아 연명, 유월 말까지 2할이나 탈교해
- 1936년 7월 10일 〈동아일보〉, 보천교 강압에 자극, 유사종교 등 전전긍긍. 교리 변경하고 당국에 영합자 속출
- 1936년 7월 19일 〈동아일보〉, 보천교 정리소正理所 해산을 명령. 일제 삭발의 서약서
- 1936년 7월 21일 〈조선일보〉, 파멸 도상의 보천교 본부. 교주 잃은 대하 거각 관공서에 기부 의향. 경찰측은 교인 출입을 엄금
- 1936년 8월 5일 〈동아일보〉, 보천교 탄압도 일단락. 해산 후의 동향을 엄중경계. 간부들의 신단체 책동을 금지.
- 1936년 8월 21일 〈동아일보〉, 서산낙일西山落日의 보천교. 전교도에 해산을 엄명. 삭발과 정업취업正業就業을 강요.
- 1936년 8월 25일 〈동아일보〉, 추풍낙일秋風落日의 보천교 교도들이 삭발

라. 1937~1945년

차월곡 사망 후 보천교는 물론 유사종교들이 해산되면서 각종 종교활동들이 위축되었다. 간간히 보천교 재건 소식 등이 전해질 뿐이었다. 1938년 11월 8일, 명치절이라는 좋은 날을 맞아 전북도청에서 '보천교 사건 공로자 표창'을 했다는 기사도 보인다.

1930년대 차월곡의 사망 후 보천교 관련 신문기사들을 주요 주제별로 나누어 해당 기사들 중 대표적인 것을 정리하여 보았다.

① 본소 해체 후의 건물
- 1937년 8월 4일 〈동아일보〉, 회억懷憶의 양대 건물, 악운惡運 다한 보천교 전각이 헐려와, 선업善業 닦는 사찰로 환생
- 1937년 12월 17일 〈조선일보〉, 보천교의 '십일전'. 불문에 습복귀의. 총본산 건물로 전신, 불원 준공. 이사 비용만 15만 원
- 1938년 10월 23일 〈조선일보〉, 불교 총본산 대웅전 봉불식. 전몰장병 위령대법석. 보천교 복마전이 법당으로 전회
- 1938년 10월 23일 〈매일신보〉, 십오만여 교도 대망의 불교 총본산 준공

② 유사종교 해산 관련 기사들
- 1937년 3월 27일 〈경성일보〉, 심전개발心田開發 결실 맺은 유사종교의 몰락
- 1937년 4월 10일 〈매일신보〉, 『히도노미찌』교도에 조선서도 해산명령
- 1937년 4월 14일 〈매일신보〉, 유사종교를 재검토
- 1937년 5월 7일 〈매일신보〉, 도마에 오른 유사종교 박멸 응징 철저 취체.

전율할 피해가 경향각지에 허다. 당국 방침 확고부동

- 1937년 5월 27일 〈매일신보〉, 사교邪敎 정벌 근본책으로 순수종교는 조장 장려
- 1937년 7월 19일 〈매일신보〉, 혹세무민하는 사교 철저히 탄압 할터. 비밀리에 내용을 조사하는 중
- 1938년 1월 15일 〈매일신보〉, 발호하는 사교배邪敎輩
- 1938년 1월 15일 〈매일신보〉, 작년 2년간에 이만여 사교도 검거. 물심양면으로 금후를 선도. 경무국의 단호방침

③ 보천교 재건 관련 기사들

- 1937년 3월 15일 〈부산일보〉, 선도교仙道敎 간부가 간도에서 준동
- 1937년 4월 30일 〈조선일보〉, '차천자'의 첩이 요교妖敎 창설하고 무민誣民 통영도라 하여 치병治炳
- 1938년 6월 16일 〈오사카아사히신문〉, 사교邪敎 보천교 재건 음모 폭로
- 1938년 6월 17일 〈조선민보〉, 보천교 재건운동 정체 드디어 폭로되다
- 1938년 8월 13일 〈매일신보〉, 한라산을 근거지로 암약한 사교. 불경죄, 육해군 형법, 보안법 위반 등으로 검거된 무극대도 사건 전모
- 1938년 10월 1일 〈조선일보〉, 불식장생을 표방코 불온 계획한 선도교
- 1938년 10월 8일 〈조선신문〉, 사교! 증산교의 정체 폭로
- 1939년 1월 29일 〈조선일보〉, 전남서 사교 또 발생. 차천자 중국에 환생. 방금 사변을 지휘 중. 증산교주 등 17명 검거
- 1939년 4월 12일 〈매일신보〉, 차천자의 후예로 이상천국을 몽상夢想
- 1937년 6월 13일 〈동아일보〉, 불식장생의 선도교 연인원 이백여 명 검거, 간부는 북만주에 잠복 중

- 1937년 8월 5일 〈동아일보〉, 불식장생을 표명하고 내면엔 비밀결사조직. 지도분자엔 대학 출신도 혼재
- 1937년 9월 5일 〈동아일보〉, 인도교人道敎 중심 괴 비밀결사 전모. 공산주의의 비밀결사 적발. 소위 신국가 건설을 표방코 우매한 유림층 망라
- 1938년 12월 8일 〈동아일보〉, 보천교의 후예 증산교 간부 20명 검거
- 1939년 1월 27일 〈조선일보〉, 보천교 재흥사건 괴 기도녀祈禱女 송국
- 1939년 1월 29일 〈동아일보〉, 황당무계설로 도중취집徒衆聚集 계룡산 하에 몽상천국夢想天國. 보천교도 최면사 일당 검거
- 1939년 5월 18일 〈매일신보〉, 보천교 잔당 영암서 검거 취조
- 1940년 6월 5일 〈동아일보〉, 보천교의 재건사건 황극교黃極敎 공판
- 1940년 9월 29일 〈매일신보〉, 단죄대에 설 요교妖敎 황극교도-보천교 잔당의 발악
- 1946년 11월 7일 〈동아일보〉, 제2 차천자 「정도교正道敎」 사건 공판

(2) 사건별 주요 기사내용

다음은 신문에 나타난 기사를 중심으로 주요 사건의 내용들을 살펴보겠다. 일제강점기의 보천교 관련 주요 신문기사들로는 1920년대 전반기에 ①1921년 보천교도 대검거 사건 ②1922년 고흥 태을교도 총살사건 ③1922년 차월곡 모친 이장사건 ④1923년 불온문서 사건과 1924년 의열단원 체포사건 ⑤1924년 〈시대일보〉 사건 ⑥1924년 보천교 성토와 내홍內訌이 있었다. 1920년대 하반기에는 ①1925년 시국대동단 ②1925년 권총단 사건 ③1927년 사진 촬영 계약사건 ④1928년 경무국장 정읍 방문과 1929년 성전신축

⑤1929년 공명만화단 사건 ⑥1929년 내란죄 기사가 보인다. 그리고 1930년대는 ①1936년 차월곡 사망 ②1937년 선도교 사건 ③1939년 보천교 재흥사건 등을 들 수 있다.

다음은 이러한 보천교 관련 주요 기사들의 내용을 신문기사를 중심으로 간략히 살펴보고자 한다.[21]

가. 보천교도 대검거 사건(1921)

1919년 3·1운동 발발 이후 조선 전역에는 항일 독립운동의 물결이 거세게 몰아치고 있었다. 당시 교세를 확장하고 있었던 보천교도들 역시 국권회복을 도모하여 다양한 활동을 전개해 나갔고 이에 식민권력의 탄압도 가중되고 있었다. 그 대표적 사건이 1921년 경상북도와 강원도 등지에서의 보천교도 대검거 사건이다. 경상북도에서는 "작년 독립만세 소요[3·1운동][22] 전후로부터 독립문제에 관련하여 몽매한 농민들을 선동하여"[23] "9월부터[1920. 9] 태을교를 신앙하고 또 조선의 독립정치를 희망하여 대정 10년[1921]에는 상해가정부원이 출동하여 태을교와 일파가 되어 조선이 독립됨은 명백하며 조선이 독립되면 고위고관으로 행복을 받을 것"[24]을 이야기하며, 조선독립 음모단의 고유문告諭文을 가지고 경주 등지의 부호들에게 배포하고 자금을 모집한 사건 등의 기사들이 게재되고 있었다.

21 여기서 다루는 주요 사건들은 이미 다른 자료를 사용하여 다루어진 경우가 많기 때문에 본고에서는 신문기사만을 중심으로 정리하여 기존 설명에 도움을 주고자 하였다. 따라서 신문기사이기 때문에 일부 내용들은 사실여부에 있어 확인이 필요하나 가급적 신문게재 내용 그대로 인용하였다.
22 이하 [ ]는 필자가 보충설명한 부분이다.
23 〈매일신보〉 1920. 6. 3; 〈동아일보〉 1920. 6. 3.
24 〈매일신보〉 1921. 1. 24.

그러던 중 1921년 4월에는 "안동군 지방에는 훔치교太乙敎가 많이 있다는데 당국에서는 그들이 공안을 방해하는 일이 적지 않다고 주목하여 오더니 수일내로 각 방면으로 그들을 크게 검거하기를 시작하여 이미 그 대부분은 목하 안동지청에서 취조중이라는데 소문을 듣건대 이번에 기소될 자는 3백 명 이상에 달하여 근래에 큰 사건"[25]이라 하였다. 이 무렵부터 경북 안동, 영덕, 청송, 경주, 영일 등지의 선도교도 검거, 처벌 소식들이 연일 게재되기 시작하였다. "근자에는 점점 정치적 색채를 띠어 (중략) 단체의 위력과 모집한 자금에 의하여 조선독립을 계획함에 있는데"[26] 라고 알리고 있다. 이제 보천교도 대검거 활동은 경북이라는 지역적 범위를 넘어 조선 전역으로 확산된다. "요즘 경상남북도를 중심으로 한 선도교가 발생하여 조선전도에 퍼지고 지금은 수만의 신도를 가지고 있어 그 세력이 업수이 여기지 못하겠음으로 경무국에서는 조선 전도의 경찰서에 통달하여 일제히 검거하기를 결행"[27]하고 있다는 '선도교 대검거' 소식이 전해졌다.

그리고 이 무렵 원산경찰서에서 전라북도에 출장하여 조사하여 정리한 내용을 보면 다음과 같다. "선도교는 지금으로부터 4년 전[1918]에 제주도 의병사건義兵事件의 수령인 전라북도 정읍면 대흥리 차경석을 교주로 삼아 은밀히 국권회복을 도모하되 교도가 오만 오천여 명에 달하면 일제히 독립운동을 일으키고자 하는 일종의 배일 음모단체로서 주모자는 조선 전국에 돌아다니며 교도 모집에 분주

25 〈동아일보〉 1921. 4. 7.
26 〈매일신보〉 1921. 4. 29.
27 〈매일신보〉 1921. 4. 13.

하되 특히 산간에 있는 사람들을 모아서 그 세력이 매우 성대하였다. 원산경찰서에 체포된 교도는 100여명에 지나지 아니하나 그 실수는 무려 수만 명이라. 이 교도는 독립적립금獨立積立金으로 많은 돈을 내었는데 그 신도가 믿는 신조는 '믿으면 병에 걸리지 아니하고 죽은 선조의 혼령을 볼 수 있으며 교주되는 차경석은 신선의 술법에 능통하여 모든 일이 뜻대로 되지 아니하는 것이 없고 항상 구름을 타고 다니는데 목하 전라도 지리산 속에서 360명의 제자를 양성하는 중이며 준비되는 대로 금년 음력 7월 경에는 조선전국에 일제히 독립운동을 일으키어 지금으로부터 3년 후[1924] 3월 15일에 교주 차경석은 조선의 임금의 될 터인데 그 때에는 교도는 모두 고관대작이 되어 행복한 생활을 할 수 있다'는 것을 믿는 중이라. 교주 차경석의 가족은 현재 제주도에서 상당한 생활을 하는데 동인[차경석]은 제주도 폭동사건이 있은 후 어디로 갔는지 종적을 알 수 없는데 교도의 말을 듣건대 교주는 신선이 되어 어데로 갔다가 선도교 기도일에는 집에 돌아오나 사람의 눈에는 보이지 아니한다."[28]

또 강원도에서도 '국권회복을 목적으로 한 태을교도 검거. 수령 차경석은 본년 중에 조선국 황제가 되리라고' 하는 소식이 있었다. 강원도 이천군의 김문화 등은 "태을교 이면의 목적은 국권회복에 있다고 말하고 태을교 수령 차경석은 본년 중에 황제가 되려고 운동 중인 즉 신자는 요즈음 일치 협력하여 그 목적을 달성하기에 노력치 않으면 안 될 일인바 차경석은 관통공부라 칭하는 신술을 연구 중임으로 불원에 완성할 때는 세상만사가 자기의 욕심대로 될 것은 물론이고 공중을 비행하기를 마음대로 하고 신자 한 사람으로

28 '선도를 표방하는 비밀단체 대검거'(〈동아일보〉 1921. 4. 26.)

써 백만의 병사와 대항함을 얻겠고 따라서 본년 5월 이후에는 경찰 관리 또는 일본군대를 살해하기를 자유자재한다고 말을 하고 또 태을교수教首가 조선국 황제가 되는 때에는 상당한 관직을 주리라고 선전"[29]하였다. 그리고 이 무렵 "작년[1920] 10월 1일 조선 전도에서 일제히 제2차 조선독립운동을 실행하기로 계획하여 대활동으로 모든 준비가 착착 실현되어 나오다가 당국에 발각"되었고, 그후 요즘 또 "제3차 조선독립운동이라고 칭할만한 독립운동 대계획을 당국이 탐지한 바"[30] 있다고 했다.

　그러다 10월에 들어서면서 10만 원 은닉사건이 발각되었다.[31] 이는 "독립정부가 설립될 때에 쓰고자 한 것이 발각"[32]된 사건이다. "전라북도 정읍군에는 큰 교당을 짓고 100만 명의 신도가 있다 하는 태을교는 전라북도와 충청남도의 두 경찰부에서 늘 주의를 하여 오던 중인데, 지난 음력 9월 16일에 모처에서 그 교의 간부가 비밀 회의를 한다는 말을 듣고 앞의 두 경찰부에서는 미리 변복한 경관을 다수 파견하여 비밀히 수탐한 결과 과연 그들은 태을교라는 명목 아래에 두려운 큰 음모를 하는 것을 발견하고 즉시 그 간부되는 김홍규 등을 체포하는 동시에 가택수색하여 다수 불온문서를 발견하고 김홍규의 집 마루 밑에서는 지화와 은화를 합하여 10만 7천 7백 오십 원을 넣은 항아리 한 개를 압수하였다. (중략) 그들은 태을교의 교주라 하는 차경석을 중심으로 하여 여러 간부들이 전라북

---

29 〈매일신보〉 1921. 5. 13.
30 '제3차 대음모 계획 발각'(〈매일신보〉 1921. 5. 29.)
31 '태을교의 음모. 이번에 발각되며 중요 간부가 모두 잡혀 엄중 취조를 받는다. 藏匿金 10만원 발견 압수'(〈매일신문〉 1921. 10. 29).
32 '태을교와 독립준비'(〈신한민보〉)

도 정읍에 굉장한 교당을 짓고 조선 전도에 신도를 모집하는 동시에 치성금이라 하여 돈을 모아서 대정 7년[1918] 경에 이미 그 돈이 십수 만 원에 달하였다 하며 그 때의 태을교로 말하면 순전한 신앙 뿐이었으나 재작년[1919]에 독립운동이 일어난 후로는 상해 임시정부와 연락하여 조선독립의 목적을 달성코자 교도에게 모집한 돈을 군자금에 사용하기로 결의하고 돈을 김홍규가 보관하였다. 이와 같이 독립운동에 착수한 이후로 교내의 조직을 변경하여 교주 아래에 12명의 제자를 두고 그 아래에는 다시 60명의 교직원을 두어 복잡한 조직을 꾸며 가지고 일후에 독립이 되면 12제자는 각 대신이 되고 그 아래의 교도는 모두 유수한 관직에 처한다 하여 경찰당국의 눈을 속여가며 여러 가지로 독립운동을 하였다"[33]

해가 바뀌면서는 워싱턴에서 열리는 태평양회의[34]에의 파견 비용을 태을교에서 부담키로 하였다는 소식도 들렸다. "워싱톤에서 개최되는 태평양 회의에는 조선독립문제가 해결될 터이요 동시에

---

33 '10만원의 독립자금. 태을교 간부의 비밀회의 발각'(《동아일보》 1921. 10. 29). "강원도 등지로는 대정 7년(1918)부터 태을교의 신자가 많이 생기는 모양이더니 요즘 그 교도들이 제령위반으로" 검거되고 "557,700명의 동지를 모집하기로 권유를 받는 동시에 자금도 모집하기로 약조되어 그 내용에는 조선독립운동의 의미를 포함"('50만 명을 모집하고 비밀히 무슨 운동자금을 걷우려고 한 일이 탄로되어 처형되어' 《매일신보》 1921. 10. 31.)했다.

34 태평양회의는 미국·영국·일본·중국 등 9개국이 참여해 군축 문제를 다루는 국제회의였다. 이 회의가 열린다고 미국 대통령 하딩Harding, W. G.이 발표한 것이 1921년 7월 10일경이었다. 이에 대한민국임시정부에서는 8월 13일 교민단 회관에서 100여 명의 동포가 참석한 가운데 대태평양회의 한국외교후원회를 조직, 임시의장에 홍진洪震을 선출하였다. 같은 해 8월 18일 제2차 총회가 개최되어 독립지사 54명이 출석해 규칙을 제정하였다. 제2조에 위원회의 위치를 상해의 프랑스 조계 내에 두고, 제3조에서는 태평양회의에 대한 외교 후원을 이 회의 목적으로 하였다. 8월 26일 제3차 총회에서 간부를 선출하였다. 이들은 9회에 걸쳐 간사회의를 열고 태평양회의 외교후원회가 당장에 처리할 문제를 협의·검토·비판했으며, 자금 모집을 비롯해 적극적인 외교 지원을 요청하는 연설회를 여러 차례 개최하였다.

상해임시정부에서는 임원호, 최준호 2명을 태평양회의에 파송키로 하였는데 이에 대한 비용은 태을교도가 전부 부담하기로 결정되었다."[35] 이렇듯 3.1운동 이후 보천교는, 물론 종교적 믿음도 있었지만, 민족독립운동에 적극적으로 나서고 있었다. 〈동아일보〉의 1922년 12월 23일자 신문의 한 면은 거의 모두 태을교 독립운동 기사로 채워져 있을 정도로 이 무렵 보천교의 독립운동 기사는 넘쳐났다. '경북 중대사건의 경찰 측에서 발표한 전말' '사건발각의 단서' '군정서와 연락하여 경고문 협박장 사형선고로 부호에게 군자금 모집계획' '월경대로 권총밀수. 태을교를 팔고 군자금을 모집' '5만원씩 각처 부호에게 군자금을 내라고' 등의 기사들이다.

나. 전남 고흥의 태을교도 총살사건(1922)

사건의 개요는 다음과 같다. 전라남도 고흥군의 훔치교에서 1922년 8월에 강증산의 사망일을 기해 80여 명과 그 부근의 마을 사람 300여 명을 모아 집회를 열었다. 이 자리에서 "훔치교를 믿는 자는 병에 걸리지 아니하고 오래 살 수가 있으며, 또 장차 조선에 소요가 일어날 때나 이 교를 믿는 자는 생명이 안전하여 사회상의 지위를 이룰 수가 있다고 말을 하며 훔치교에 들기를 권유"하는 집회를 하는 중에 이를 탐지한 관할 경찰서에서 순사 7명을 파견하여 해산을 명했다. 그러나 집회에 참석한 훔치교도들이 순사에게 돌을 던지는 등 충돌이 일어났다. 이 과정에서 순사 3명이 부상하자 순사들이 위협사격을 했으나 더욱 더 소란이 확대되자 순사 1명이 권

---

35 '華府회의를 기회로 독립운동금을 모집한 일과 천제를 빙자하고 처녀유인. 태을교도의 控訴사건'(〈동아일보〉 1922. 2. 24.)

총을 쏘아 훔치교 포교자인 남자 1명과 여자 1명의 맞아 남자는 그 자리에서 즉사하고 여성은 중상을 입은 사건이다.[36]

이 사건은 이후 일파만파 전파되어 사회의 관심을 불러 일으켰다. '경무국의 특파원, 현장으로 출장'[37] '조사원 출발. 보천교 본부에서 현장을 조사코자'[38] '태을교도 총살은 치안위반과 집무방해로 부득이한 일이라는 당국'[39] '태을교도 총살사건에 대하여. 사회의 조사필요. 민우회民友會의 활동기活動期'[40] '고흥 총살사건의 진상은 과연 여하한가. 경관의 경계는 아직도 계속. 상하가 소란중인 고흥지방' '순사에게 주식酒食까지 대접한 태을교도가 반항할 이유는 없다' '반항 운운은 의문. 경관은 미리부터 무장출동, 문지기가 술주정을 했을 뿐'[41] 등 연일 기사가 쏟아지고 있었다.

그러던 중 '경관의 부상도 의문. 처음부터 끝까지 현장에서 사실 경과를 목도한 자의 말' '보천교측에서 대항책을 강구 중'이란 기사들이 게재됐으며, 여기에는 "경찰의 무법에 매우 분개하는 중 (중략) 보천교 진정원장도 만약 교도가 반항한 일이 없이 총살을 당하였다면 이는 중대한 문제라 상당히 의논하여 어떠한 처치를 하지 아니하면 안되겠다 하고 매우 분개"[42] 하고 있다는 내용이었다. 이에 조사를 거듭하였고 '불안 중의 고흥인민. 고흥사건에 대한 경찰발표

36 '훔치교도와 대충돌. 경관이 총을 쏘아 한명 즉사. 전라남도 고흥군 지방에서'(〈동아일보〉 1922. 8. 19.)
37 〈동아일보〉 1922. 8. 19.
38 〈동아일보〉 1922. 8. 22.
39 〈동아일보〉 1922. 8. 22.
40 〈동아일보〉 1922. 8. 23.
41 〈동아일보〉 1922. 8. 24.
42 〈동아일보〉 1922. 8. 25.

는 실제 조사와는 전혀 반대이다' [43] 라는 기사도 보도되었다. "경
찰편의 발표로 보면 처음에는 헛총을 쏘았다 주장하나 현장을 목격
한 그 동네 사람들의 말을 들으면 첫 사격에 박병채가 즉사하고 둘
째 사격에 노자근 여성이 부상을 당한 것을 보아도 처음부터 함부
로 실탄을 발사한 것은 사실이다. 여하간 그 지방에서는 지금도 오
히려 인심이 안정되지 못하고 결국 참혹하게 양민만 총살을 당하고
문제가 흐지부지되어서는 인민이 안심하고 살 수가 없다는 것이 주
민들의 부르짖음이다."

다. 차월곡 모친 이장사건(1922)

"차경석의 어머니 영명靈名 대사모大師母란 호를 가진 박씨가 작년
[1921] 음력 11월 27일에 64세로 죽어서 가매장을 하였다가 지난 9
월 13일과 14일에 박씨를 이장"하면서 추모회까지 열었다. 여기에
조선 전역에서 보천교 교도들이 정읍으로 몰려들었던 것이다. "교
도는 전조선의 수만 명이나 있어서 그 장례비용 만원도 그 교도들
이 내려고 일년 전부터 준비 계획중이었는데 지난 5일경부터 주야
를 불구하고 신도가 뒤를 이어 그 본부로 모이니 사람이 수만 명이
라고 본부 근처 일대에는 인산인해를 이루었다"[44] 하였고, '식표食
票만 45만장. 10만원을 들였다 하는 보천교 사모의 장의葬儀'[45]라는
기사도 게재되었다. 또 "지난 12일 오전 6시 대구역에는 승객이 많
아 매우 복잡하였는데 그 이유를 탐문한 즉 13일에 태을교인 2세

---

43 〈동아일보〉 1922. 8. 31.
44 〈동아일보〉 1922. 9. 18.
45 〈동아일보〉 1922. 9. 19.

교주 차경석의 모친이 2개월 전에 죽은 바 매장하였다가 다른 곳으로 이장移葬한다고 전조선 태을교도는 거진 다 모였다"[46]고 했다.

그리고 이장식 상황에 대한 기사도 보였다. "수천 원을 들여 꾸민 상여에는 여러 개의 푸르고 붉고 누른 깃발이 날리니 매우 굉장하였고 상여 뒤로는 따라가는 교도가 혹은 말도 타고 혹은 걷기도 하여 묘소까지 가는데 그 행렬이 수 리里를 연하였고 13일 밤에는 묘소 부근에 천막을 치고 몇 만 명 교도가 밤을 새워 횃불을 잡히어 화망이 충천하고 그 근처에는 수만 명 사람들이 백목차일을 친듯한데 전라북도 경찰부에서는 이를 경계하기 위하여 사이토齋藤 고등과장과 정읍경찰서장 이하 40여 명의 경관이 출장하여 엄중히 경계하였다."[47] 또 이 무렵 신문에는 보천교의 새로운 국가건설 관련 기사가 게재되었다. "전라북도 정읍군에 근거를 둔 태을교의 교주 차경석은 이번에 새로운 국호와 관제 등을 발표하였다는데 국호는 대시국이라 하고 자기가 친히 황제가 되고 관제는 한국시대의 대신제도大臣制度에 의하여 육임 이하에 28임 6판서 등을 두고 13도에는 도지사 대신에 도정리道正理를 두고 군수 대신에 360의 포장包長을 두고 그 다음 2,523 면장面長을 둔다 하였으며, 국새國璽는 대시국황제지새大時國皇帝之璽라 하였다더라."[48]

라. 불온문서 사건(1923)과 의열단원 체포 사건(1924)

1923년 9월 23일 오후 10시경, "동대문경찰서에서는 서원의 총

---

46 '8백 명의 태을교도 대구에서 정읍에 떼를 지어 갔다고'(〈동아일보〉 1922. 9. 15.)
47 〈동아일보〉 1922. 9. 18.
48 '자칭 대시국황제. 태을교주 차경석이 국호와 관제를 발표하였다는 풍설'(〈동아일보〉 1922. 10. 26.)

출동으로 보천교 교당을 임검하고 진정위장 **이종교李鍾翹**[진정원장 이종 익이다]와 사서司書 박영호와 전주 보천교 본부원 문정삼 3명을 체포" 했고, 다음날 오후에는 "보천교 교당을 포위하고 가택수색을 한 결과 일만 장의 불온문서를 발견 압수"했다고 보도했다. 그러나 그 내용은 비밀에 붙여 내용도 모르고 보도할 자유도 없었다는 기사[49]가 게재되었다. '공진회 때 사람이 많이 모이는 것을 기회로' 배포할 예정이었던 '경고문이라고 쓴 불온문서를 압수하는 동시에 그 문서 출처에 대해 계속 조사 중'이라는 내용이었다.

그런데 이 사건은 초반의 호들갑에도 불구하고 용두사미의 결과로 마무리짓게 된다. '아마 그 진정원의 내부에 무슨 내홍內訌이 생긴 듯하다'고 하고, 진정원 보광사 직원도 "보광사에서 최근에 인쇄한 교헌과 선포문은 압수하였다가 즉시 보냈습니다. 그런데 이 사건을 우리 보천교에서 무슨 큰 사건을 계획한 듯이 여기는 사람도 있는지는 모르겠습니다만은 나는 결코 그렇지 않다고 생각합니다"[50]라고 인터뷰에 임하고 있다. 그리고 "이종익의 침실에 불온문서가 있었음은 사실이나 그 불온문서를 진정원 간부들이 작성한 것인지 진정원 간부들에게 반감을 가졌던 자의 중상적 행동인지" 여러 방면으로 조사하고 관련자들을 "엄밀한 취조를 진행한 결과 임의 검거되어 취조를 받던 보천교 진정원장 외 여섯 명은 그 사건에 별로 관계가 없었음이 판명"[51]되었고, '이전부터 보천교 진정원과

---

49 '보천교 본부를 수사, 회원 세 명과 불온문서를 압수'(《매일신보》 1923. 9. 26.)
50 '보천교 간부 검거. 원인은 內訌의 中傷인 듯. 자세한 것은 경찰당국도 비밀'(《동아일보》 1923. 9. 26.)
51 '보천교도는 방면되고 진정한 범인은 다른 곳에서 열명이나 검거한 모양이더라'(《매일신보》 1923. 9. 29.)

관계가 있었던 황금수와 김목현 2명이 검거'되어 "지난 6일에 문서 위조, 무고, 제령위반 죄로 검사국에 압송하였다"[52]고 하였다.

그리고 사건의 개요를 보도하였다. "사건의 자세한 내용을 듣건 대 흉계를 꾸민 그들[황금수, 김목현]의 동기부터 너무도 간특할 뿐만 아 니라 수단과 방법이 교묘하여 사건의 판명이 조금만 더디었다면 보 천교를 중심으로 한 전조선에 원인 없는 일대 파란을 일으켜 자못 중대한 문제가 생길뻔 하였다고 경찰 당국자들도 몸서리를 친 모양 이며 특히 그중에 경찰당국의 밀정이 공모한 사실은 실로 그저 두 지 못할 중대한 문제인데 황금수는 작년 9월에 군산지청에서 배임 횡령죄로 1년 징역에 3년 집행유예를 받은 자인데 작년 12월 경에 보천교에 입교를 하고 경성진정원에서 경영하는 보광사란 인쇄소 의 일을 보려고 교 간부와 교섭하여 삼사삭 동안 분주하게 지내다 가 최근에 이르러 인쇄소의 일은 다른 사람의 손에 들어가게 됨에 여러 달 동안 애쓴 자기의 노력이 수포로 돌아간 것을 한없이 분개 하고 이에 원수를 갚기 위하여 기회만 기다리고 항상 보천교의 내 막을 폭로시켜 일조에 없애버릴 궁리를 하는 중이었다는데 이 자는 년전 보천교 전 진정원장 이상호씨를 경찰 당국에 밀고한 황의견의 아들"[53]이라 한다.

그러나 여러 가지 면에서 보도된 내용을 그대로 받아들일 수 있 는지는 의문이다.[54] 이듬해[1924]에는 의열단원을 체포하였다는 기

---

52 '手掘한 墓穴에 先陷한 보천교 불온문서 사건. 보수금 안주는 혐의로 주인을 함정에 넣었다가 저부터 빠졌다.'(《매일신보》 1923. 10. 9.)
53 '기괴맹랑한 소위 보천교 사건. 교회에 혐의 있는 자와 밀정이 符同하여 製造'(《동아일 보》 1923. 10. 9.)
54 김철수, 2018 참조.

사도 보이고, 이 사건에도 보천교가 거론되고 있었다. "전라북도 정읍경찰서에서는 지난 16일 정읍읍내 대흥리에 있는 보천교 중앙본소 부근에 출장하여 김모라는 청년 1명을 잡아 취조중인데 그는 상해 임시정부에서 온 사람으로 보천교에 군자금을 모집차로 온 것이라더라."[55] 또 "최근 군산에 의열단 수 명이 침입하여 이곳을 중심으로 옥구군 임피면 방면으로 군자금을 모집하고자 비밀히 활동한다는 사실을 탐문하고, 대정 11년[1922] 여름에 보천교도 이문두를 동지로 하여 대전 보천교 진정원장 라상현을 협박하고 보천교 본부에 대해 50만원을 제공하라고 강청하다가 목적을 달성치 못하였다."

마. <시대일보> 사건(1924)

"금년[1924] 3월 31일에 창간호를 낸 이후로 언론계에 적지않은 공헌을 하여온 〈시대일보〉는 경비가 군졸하여 간부 사이에 물의가 분분하고 경영방침이 날로 위태로워 세상에서는 동사同社의 존폐문제에 대해 적지않게 근심해오더니 동사 사장 최남선씨와 편집국장 진희문씨의 활동으로 시내 가회동 보천교의 최고간부 문정삼 이상호 이달호 외 수 명의 양해를 얻어 이후로 〈시대일보〉는 이상의 보천교 간부들이 전반 권리를 인수하여 경영하기로 하고 지난 6월 2일에 쌍방의 대표자가 최남선씨 집에 모여 계약을 체결하고 편집 겸 발행권까지 보천교 간부에게 완전히 넘긴 후에 최남선씨와 진희문씨에게 두 사람이 이전에 주간동명週刊東明을 경영할 때에 생긴 부채를 갚으라고 현금 1만원을 보천교 간부측에서 지불하였다. 그후 계속하여 지난 5일에도 동사 경영비로 현금 1만원을 다시 지출

---

55 '보천교에 군자모집 혐의로 정읍경찰에 잡히었다'(〈동아일보〉 1924. 4. 1.)

하였음으로 (중략) 〈시대일보〉는 갑자기 새로운 활기를 띠고 양양한 전도를 향해 활약하는 무보武步를 가다듬는 중이라더라."[56]

〈시대일보〉 사건의 시작이었다. 이러한 내용은 '〈시대일보〉 발행권은 보천교 방주에게. 오랫동안 문제이던 〈시대일보〉 발행권, 작일에 보천교 간부에게 넘어갔다고' '보천교로 넘어간 이상에 어찌할 수 없다고.' '사회의 공기公器를 만들겠다고. 보천교 기관은 아니라고'[57]에서도 그대로 드러나고 있었다.

그러나 이렇게 긍정적으로 진행되었던 〈시대일보〉 인수문제가 상황이 돌변하였다. 〈시대일보〉 측에서 정치부장 안재홍 등이 반발했고, 사원들이 사우회社友會를 조직하며 선후책을 강구하기 시작했다. 그들은 사원을 "정읍에 출장케 하여 그 계약을 취소하는 것이 보천교나 우리사회를 위하여 이익이란 것을 간곡히 말하였으나 필경 자기들이 처음 시작하는 사업이오 이것이 실패하면 보천교에 큰 영향이 올 터이니 〈시대일보〉보다는 보천교가 중하다는 이유로 거절당하였다. 대항할만한 합법적 조건도 있고 이 신문을 한 단체의 기관지로 양도할 수는 도저히 없으니까 결코 내놓지 아니하기로 지금 사우회에서 결의하였다. 그리고 그들이 인수한다는 5천주 속에 3천주는 발기인과 사원간에 명의로 준다는 등 매수를 계획한다는데 어디까지 사실인지 모르겠다. 하여간 보천교측이 사회여론과 사업의 성불성成不成을 무시하고 일면의 계약만을 완강히 주장하는 것은 통한스럽다. 그리고 〈시대일보〉가 보천교로 넘어간다는 소리를

---

56 '활기에 갱생한 시대일보사. 새로운 자본주를 맞아 경영방침이 영구 완성. 금후 보천교 간부가 경영'(〈매일신보〉 1924. 6. 24.)
57 〈동아일보〉 1924. 7. 10.

듣고 긴급회의를 열어 최후까지 싸우기를 결의"[58]했다는 기사이다.

이 때부터 문제해결을 위해 보천교 측과 사우회 측간에 수 차례에 걸쳐 회합을 벌였으나 긍정적 해결을 보지 못했다.[59] 〈시대일보〉측은 토의를 진행하면서 결의문을 내고 차츰 보천교 내막조사를 벌이고 보천교를 공개적으로 성토하기 시작했다. "책임자를 일일이 탄핵하자느니 사회적으로 공연하게 매장하자느니 의론이 자못 분분하다가 결국 5인의 위원을 선정하고 결의문을 작성하여 이 결의문을 각 관계자들에게 통고할 것을 '〈시대일보〉 사건 토의회'란 이름으로 가결했다."

결의문의 내용은 이렇다.

"①우리는 사회의 공기公器인 신문이 종문宗門이나 개인의 전유기관專有機關이 되는 것이 사회에 해독을 끼침이 다대함을 인정하고 금번 〈시대일보〉가 보천교의 수중에 속함을 절대로 반대함

②만일 보천교도가 〈시대일보〉 경영을 고집할 시는 대중과 이를 분리하기 위하여 전조선 각 방면과 연락하여 보천교의 행동과 〈시대일보〉 분규 책임자를 성토하여 사회적으로 매장함

③상기 성토는 보천교도가 〈시대일보〉 편집 겸 발행권을 분규의 책임자를 제

---

58 '양도는 절대 불응. 흥분된 사원의 긴장한 태도. 넘기지 않을 조건이 있다고'(〈동아일보〉 1924. 7. 10.)

59 '경계 중의 시대일보사. 사원과 보천교측과 회견 전말'(〈동아일보〉 1924. 7. 12.) '유지회합. 〈시대일보〉 사건으로 금일 교육회 안에서' '지국장도 奮起. 보천교의 대책으로 동사에서 회의'(〈동아일보〉 1924. 7. 13.) '보천교측과 〈시대일보〉 사원 회견. 아무 결말이 없었다고'(〈동아일보〉 1924. 7. 14.) '기관만 성립되면 권리를 내놓겠다고. 〈시대일보〉 발행인 이성영 이야기'(〈동아일보〉 1924. 7. 18.) '보천교와 관계자는 누구든지 성토하기로 결의해. 〈시대일보〉 支分局長 결의'(〈동아일보〉 1924. 7. 27.) '〈시대일보〉 토의회. 발행권이 보천교로 넘어감을 절대 반대키로 결의'(〈동아일보〉 1924. 7. 13.)

외한 동同 사우회와 동사 전 발기인회에 무조건 인도하는 여부를 보아서 그 실행방침을 결정함"[60]

8월에 접어들면서 보천교의 내막조사에 대한 결정 '보천교의 내막조사. 서울청년회에서 간부회의를 열고 결정'[61]이 이루어지고 "보천교의 사회적 죄상을 들어 성토 박멸할 일과 기타 여러 가지를 결의하였다."[62] 그리고 "종래의 〈시대일보〉 토의회라는 명칭을 변경하여 보천교 성토회라고 결정하고" 결의문을 발표했다. 결의문의 내용은 "①보천교의 본체本體와 그 죄상을 전국적으로 조사하여 근본적으로 박멸할 일 ②보천교 및 〈시대일보〉 사건에 관련된 악분자惡分子를 조사하여 사회적으로 매장할 일 ③보천교를 근본적으로 박멸하기까지 상설 집행기관을 둘 일"[63]이었다.

이러한 〈시대일보〉 사건으로 불거진 보천교 성토회는 매끄럽게 해결되지 못하고 이후 보천교 내홍으로 전개되기 시작했다.

바. 보천교 성토와 내홍(1924)

1924년 9월의 〈동아일보〉에는 2회에 걸쳐 '보천교 간부간 내홍의 이면'이라는 특집이 연재되었다. 여기에 게재된 내용을 중심으로 요약 정리하면서 보천교 내홍을 살펴보기로 하겠다.

'〈시대일보〉 문제가 도화선이 되어 보천교 최고 간부 사이에 동요

---

60 '〈시대일보〉 토의회. 발행권이 보천교로 넘어감을 절대 반대키로 결의'(〈동아일보〉 1924. 7. 13.)
61 〈동아일보〉 1924. 8. 4.
62 '〈시대일보〉 사우회 대 보천교의 교섭은 파열되고 말았다고. 사우회 위원은 총사직을 해'(〈동아일보〉 1924. 8. 8.)
63 '〈시대일보〉 토의대회. 보천교의 성토회로 변하여'(〈동아일보〉 1924. 8. 7.)

가 생겨 총령원장 이상호와 그의 동생이자 방주 중 1인인 이성영이 파면되었다.' 이는 다른 지면에서도 다루어졌다. "〈시대일보〉 문제가 도화선이 되어 보천교에는 내홍이 일어났다. 보천교 교주 차경석에게 총애를 받던 보천교 총령원장 이상호는 파면이 되어 직권을 행사하지 못하고 60방주 중의 한 사람으로 현재 〈시대일보〉 편집 겸 발행인도 역시 파면을 당하였다. 파면 당한 이유는 무엇인가. 〈시대일보〉 사원들과 계약을 잘못하였다는 죄과이다. 콩 볶다가 가마 깨진다는 격으로 문화사업에 공헌한다고 〈시대일보〉 하나를 경영하려다가 최고 간부사이에 동요가 생겼다. 그런데 세상에 유명한 차교주 아래에는 최고간부로 60방주가 있고 60방주 중에는 총령이 8명이오 총정이 4명이라 그것을 총정원과 정령원 두 기관으로 나누어 총정원에 총정원장이 있고 총령원에는 총령원장이 있어서 교주 아래의 최고 집행기관이오 총정원장은 문정삼이요 총령원장은 이상호이다. 상의한 결과 정읍에서 가지고 온 계약문에 수정을 하여 조인하였는데 경위는 그 계약을 수정한 대로 다시 정읍으로 가지고 가 여러 사람의 동의를 얻어가지고 조인을 해야 할 터인데 그대로 조인을 하였음으로 총정과 총령이 모여 상의한 결과 교규에 의거하여 그의 직권행사를 정지시키고 도장을 거두운 것이다."[64]

앞서 보았듯이 이 무렵 보천교에 대한 사회의 이미지는 매우 부정적이었다. 보천교의 여러 기괴한 내막은 온 세상이 다 알지만 몇 십년 사이에 근거를 가졌으나 사회에 아무런 공헌이 없고 백성에

---

64 '〈시대일보〉가 도화선으로 보천교 간부간 내홍. 〈시대일보〉와 계약행위가 교구에 어기었다고 이상호와 현 발행인 이성영은 파면되어. 총령원장 이상호 罷任이 주목의 초점' (〈동아일보〉 1924. 9. 11.)

게 별별 명목으로 거두어가고 그 용도가 불분명하여 보천교는 세상 의문의 초점이 되었다. 더욱이 사람들의 지식이 발달함에 따라 세상의 공격이 매우 심하여 무엇이든 문화사업 중의 하나를 경영하여 보겠다는 생각이 이번 문제인물인 이상호 일파를 중심으로 한 사람들 사이에 회자되었다. 그런 상황에 마침 〈시대일보〉가 경영이 어렵다는 소문을 듣고 〈시대일보〉 간부였던 서상호와 이득년 두 사람이 그런 사정을 이상호에게 말하며 한번 맡아 이상을 펴봄이 어떠한가를 타진했다. 이상호는 차월곡을 찾아 상황을 말하고 2만원 정도면 가능하다고 말했다. 차월곡이 허락하였다. 이를 〈시대일보〉 간부에게 전하고 발행권에 대한 계약서류를 교환하였다. 그런데 이 무렵에 사회 일부와 〈시대일보〉 사우회의 공격이 격심해졌고 보천교 간부 사이에도 의론이 분분했다. 차월곡은 이 내용을 접하고 '그렇게 말썽이 많으면 내줘버려라' 하였다. 이처럼 차월곡이 반대했지만, 이상호와 임경호 등은 그래도 신문에 생각이 남고 모처럼 손에 들어온 신문을 내놓기가 아까워 보천교 최고간부가 회의한 결과 우선 속간비로 2, 3만원만 내고 그 외는 회사를 성립시켜 보천교인이 몇 만 주를 내게 되었다. 그리고 일체 권리를 이상호와 임경호 몇 사람이 맡았다. 그러나 낸다는 속간비도 여러 가지 사정으로 잘 나오지 않았다. 이상호는 백방으로 장래 경비 변통에 분주하여 평양의 김모나 예동진, 박일근 등과도 계약을 맺어 자본주를 끌어들였다. 또 이상호와 서상호는 신문을 보천교에서 경영한다는 말을 듣지 않고 현재 사우회와 타협을 하지 않으려면 사회유지들과 함께 발기회를 조직해야 하겠다 생각하고 당대 인사들을 중심으로 발기회와 감사, 이사를 구성하여 한창 야단법석을 떨었다. 누구는 사장, 편집국장, 부장 운운하며 물색했다. 그러는 사이 이상호측과 서상호측 사이에도 충돌이 있었고, 예동진과 했던 계약이 문제가 되어 이러한 내용들이 차월곡의 귀로 들어갔다. 차월곡은 크게 노하여 이상호의 행동을 질책하였다. 〈시대일보〉 사원들도 경성 보천교 진정원에 가서 항의했다. 〈시대일보〉는 속간할 기회는 오지 아니하고 당국은 기한 내에 속간치 않으면 면허를 취소한다는 말이 있어 이상호 일파는 사우회와 악수하였다. 그러나 이때부터 간부 사이에는 의견을 달리하는 임경호가 단독경영을 주장하고 이상호는 타협설을 주장하다가 타협조건을 작성했는데 그 중에는 '사우 10만원, 보천교 10만원 내자는 것을 사우 15만원, 보천교 10만원' 등을 고쳤으나 이 고친 것이 문제가 되어 이번 파면이 되었다.[65]

이렇게 "〈시대일보〉 문제가 도화선이 되어 (중략) 이상호, 이성영을 파면하며 보천교 내홍의 조짐이 보였다. 신구 양파로 나뉘어 어제 오전 12시부터 재동에 있는 경성 보천교진정원에서 보천교 혁신회 발기회를 열고 (중략) 교조(강증산)가 창설한 교리에 위반되는 미신과 사설로 인민을 속여 시대와 배치하는 일을 하기 때문에 사회의 공격이 심하여 그대로 두면 보천교는 금년으로 운명이 다하겠음으로 우리는 혁신회를 발기한 것이다. 이종익, 고용환, 김지건, 이명섭, 박영호, 주익, 김유경 등이 봉화를 들게 되었다."[66]

이 무렵 사회적으로도 보천교 성토를 이끌었던 서울청년회 등은 더 나아가 보천교 박멸을 주장하고 있었다. "최창익은 보천교 박멸

---

65 '보천교 간부간 내홍의 裏面 1, 2'(〈동아일보〉 1924.9.12.; 9. 13.)
66 '보천교 혁신회, 신구 양파로 나뉜 내홍. 계급타파와 미신배척 문제로 혁신의 봉화를 들게 된 보천교'(〈동아일보〉 1924. 9. 17.)

운동을 전 조선적으로 하자는 주창을 하였고, 황석우는 보천교뿐만 아니라 다른 종교를 모두 박멸하자 하다가 언사의 오해로 강단에서 끌어내림을 당했다." 결의문을 만장일치로 통과되었으며 그 내용은 다음과 같았다.

"①보천교의 죄악은 일반이 공인하는 터인바 금번 조사보고에 의하면 더욱 명료하다. 정의와 양심을 가진 자는 묵시할 수 없다. 이에 우리는 보천교의 박멸을 기도한다.

②각 지방에 민중과 단체를 연락하여 전 조선적으로 보천교 박멸운동을 일으킬 일

③이 운동의 사무에 관해서는 서울청년회에 일임할 일.

이상을 결의함. 1924년 9월 27일"[67]

67 '전 조선적으로 박멸. 민중과 단체를 단결하여. 보천교 내막조사 보고회 결의'(〈시대일보〉 1924. 9. 29.) 보천교에 대한 문제제기는 전 해인 1923년부터 있었다. "서울청년회와 토요회土曜會 노동대회勞動大會 무산자동맹회無産者同盟會의 연합주최로 보천교 죄악성토 대강연회"(〈매일신보〉 1923.5.30.)가 1923년 5월 31일에 천도교당에서 시작되었다. 그리고 진주 각 단체연합회에서 보천교의 비행을 성토하고 성토문을 작성하여 배포하는 등 우리민족을 사로로 유인하는 자라 하여 박멸해야 된다는 논지로 궐기대회를 열었다. "보천교 비행 성토문 : 우리는 인간의 자유와 인격을 존중하며 단체의 의지 및 행위를 존중합니다. 그러나 개인 및 단체의 목적 혹은 수단이 신성치 못하여 우리민족 및 인류 공동생활에 장애가 될만한 행위가 있을 때에는 우리는 단연히 그를 용납치 못합니다. 우리는 이와 같은 도덕적 의지하에서 이에 소위 보천교의 가증한 비행을 세상에 광포하여 현명한 여론에 하소연하고자 합니다."로 시작하는 성토문을 작성하여 배포하였다. 여기에는 '보천교는 무엇을 위하여 존재하는가'를 묻고 '민족의 생활을 위함인가' '세계를 위함인가' '위태한 민족의 생명을 구제할 것인가' '정감록을 근거로 한 숙명설인가' '28수 64괘를 진리로 삼는 음양설인가' '조화설인가'를 묻고서는 '교주된 자의 추행' '인물등용에 덕망 및 지식을 표준으로 하지 않고 출금 다소로 인물을 등용함' '(신)교육에 대한 절대 부인하여 자녀들의 야만화 조장' '세계에서 공인하는 삭발을 신적 명령으로 절대 엄금하는 것' '개인적 私葬에 20여만원을 낭비 소진한 것'을 지적하였다. 그리고는 "보천교의 행위는 우리민족의 생존을 저해합니다. 아니 우리민족을 사멸의 영역으로 유인합니다. 그런즉 보천교는 우리민족의 적이외다. 박멸해야만 할 적이외다. (중략) 계해 9월"이라고 외치고 있다. ('보천교의 비행성토'〈시대일보〉 1923.5.31.)

사. 시국대동단(1925)

사회적으로는 보천교에 대한 성토, 박멸 주장이 잇달으고, 보천교 내부적으로는 '신진일파의 혁신운동이 일어나면서 구파라고 할 만한 그 본소에서는 고소를 하느니 마느니 시끄러워졌다. 본소 부근에도 신파의 주장에 찬동하는 교도가 많아지면서' 위기는 극도에 달하였다. 이러한 위기 극복을 위해 보천교 간부를 동경으로 보내 새로 바뀌는 정무총감에게 보천교 취지를 알리기 위해 노력하던 중[68] 시국대동단을 만들어 활동할 계획을 내놓게 된다.[69] "각파유지연맹과 보천교 측의 각 유지가 발기한 시국대동단은 재작 8일 오후 5시부터 시내 백수白水라는 요리점에서 성대한 발회식을 거행하였다. 시내 각 신문잡지 기자 50여 명을 합하여 출석자가 80여 명에 달하였는데 개회 벽두에 보천교의 최고 간부요 동단의 발기인의 하나인 임경호가 등단하여 인류의 삶의 요구에 대한 근원으로부터 인류애의 본의를 연역적으로 말한 후에 '내선의 정신적 결합의 필요'를 역설하고 단을 내려오자 채기두가 뒤를 이어 아래와 같이 취지와 강령을 낭독했다. ①내선인의 정신적 결합을 확고케 할 일 ② 대동단결하여 문화의 향상을 기할 일. 그 다음에 고희준이 등단하여 동단의 성립경과와 이번에 각파유지연맹과 보천교와의 악수한 이유를 설명하고 계속하여 보천교에 대한 세상의 오해를 일소키 위하여 동교의 교리인 해원상생 네 글자에 대하여 간단명료한 설명을 마치고 단을 내려와 조선신문사 부사장 권등權藤이 내빈을 대표하

---

68 "동경경시청 내선과內鮮課에서는 이를 경계하는 중인데 그 밀사들은 동경 유학생 중 2할이나 되는 보천교도들과 일치협동하여 크게 활동할 계획이라 한다."('보천교 혁신파, 동경과 氣脈 상통. 밀사가 결의문을 가지고 가' 〈시대일보〉 1924.9.25.)
69 김철수, 2017 참조

여 (중략) 동단에서는 15명의 집행위원을 선정하고 그 취지를 일반에 널리 알리기 위하여 선전대 8대를 조직하여 10일부터 다음의 일정으로 전선全鮮 각처에 강연을 행한다더라."[70]

이러한 보천교의 사업출발에 대해 당시 사회적 분위기는 싸늘했다. "차천자가 대시국을 건설하고 천하를 통치한다는 갑자년을 맞은 후 대시국의 건설의 첫 사업으로 생각하였는지 섣불리 본 〈시대일보〉에 손을 내밀었다가 찬서리를 맞고 과거의 갖은 죄상과 추태를 세상에 폭로하는 동시에 사분오열의 상태에서 자멸의 운명을 재촉하더니 이번에는 최후를 운명殞命할 순간이 닥치었는지 다시 철두철미한 친일간판을 내걸고 작년 봄에 한때 떠들다가 쑥 들어갔던 소위 각파연맹에게 일금 일만 원이라는 돈으로 악수를 하였는지 매수를 하였는지 하여 경성 일본요리집에서 시국대동단이라는 것의 발회식을 하더니 이제 각지로 7대의 유세단이 출동하여 소위 강연을 한다 하다가 제1착으로 우박을 맞았으니 각파연맹이라는 것의 정체를 모르는 지방인사는 이제야 그 정체를 알고 놀란 것은 물론이려니와 보천교로서는 이로서 마지막 찬서리를 맞아서 '대시국'이 출생하기 전에 '시국대'로 참혹한 임종을 마치려는 모양이다."[71]

그럼에도 불구하고 시국대동단은 예정대로 출범하여 강연지 및 일정(연사)은 다음과 같았다. "대정14년[1925] 1월 10일 광주. 12일 전주. 14일 공주. 18일 원산. 20일 평양. 채기두, 임경호 / 10일 김천. 11일 대구. 12일 창녕. 20일 진주. 22일 부산. 고희준 외 1인 /

70 '내선융화의 시국대동단. 각파유지와 보천교 악수. 내선인 정신적 결합을 공고히 하고 대동단결하여 문화향상이 목적'(〈매일신보〉 1925. 1. 10.)
71 '대시국의 기형아 시국대동단의 첫 망신. 찬서리 맞은 보천교와 각파연맹. 初出陣에 到處逢敗한 그들'(〈시대일보〉 1925. 1. 13.)

10일 서산. 12일 예산. 14일 김제. 15일 논산. 18일 금산. 20일 청주. 22일 제천. 이계조, 나홍석/ 10일 군산. 12일 영광. 14일 함평. 16일 나주. 18일 목포. 20일 해남. 22일 진도. 16일 남원. 18일 고부. 20일 순천. 박병철, 지동섭/ 16일 양양. 박해원외 1인 / 10일 거창. 12일 상주. 14일 영주. 16일 안동. 18일 경주. 20일 울산. 22일 부산. 이창환, 이동혁 / 10일 김포. 12일 강화. 14일 금천. 16일 서흥. 18일 신천. 20일 평양. 이0재외 1인 / 10일 영일. 11일 대구. 14일 밀양. 16일 김해. 18일 통영. 오태환 외 1인"[72]

그러나 활동을 시작하자마자 전국 각지의 연설회장에서는 충돌이 끊임없이 발생하고 있었다. "친일을 운동하는 시국대동단의 간판을 가지고 조선 각지를 돌아다니며 (중략) 도리어 성토를 당하고 장내의 공기는 급작히 살기가 등등하고 (중략) '차선생은 너의 선생이지 우리 청중의 선생은 아니다. 대중을 저와 같이 무시하는 놈이 어디 있단 말이냐' 하며"[73] '이놈은 우리 이천만 민족의 피를 빨아먹는 놈이니까 죽여야 마땅하다' 고 소리치고 불같은 의분을 참지 못하여 경찰의 엄중한 경계에도 불구하고 곳곳에서 난투극이 벌어지고 있었다.[74]

결국 6월에 차월곡은 이러한 시국대동단의 활동을 중지시켰다.

아. 권총단 사건(1925)

1925년 11월에 권총단 사건이 발생한다. "전북 정읍 보천교의

72 '내선융화의 시국대동단. 각파유지와 보천교 악수. 내선인 정신적 결합을 공고히 하고 대동단결하여 문화향상이 목적'(《매일신보》 1925. 1. 10.)
73 '차선생은 네 선생. 연사와 청중의 대격투로. 시국대동 강연은 自身 聲討化'(《시대일보》 1925. 1. 13.)
74 '대동단원 頭上에 鐵拳으로 制裁. 불같은 의분을 참지 못하여 경찰의 엄중한 경계에도 불구. 대구역 사건 사실 내용'(《시대일보》 1925. 1. 15.)

조만식 일파가 해외 모 단체의 계통에 있는 김모, 장모 등 2명과 연락을 맺어 몇 십만 원의 보천교 돈을 끌어내어 이용코저 하다가 이모의 밀고로 사건이 폭로되어 해외로부터 들어온 2명과 아울러 도합 8, 9명이 경기도경찰부의 손에 체포되었다. (중략) 동 경찰부 고등과장 가와사키河崎 경부보는 24일 새벽에 연루자 1명을 또 체포"[75]했다. 여기서 '해외 모 단체'는 만주의 정의부였다. "보천교의 관계자들로 정의부원 김모, 장모와 보천교 돈 몇 십만 원을... 권총 두 자루를 가지고 돌아와서 경남 방면으로 돌아다니며 부호를 협박 혹은 공갈하여 군자금을 모집한 사실"[76]이 드러났다.[77]

"정의부 의용군 별동대원 3명이 정의부 재무부원 이춘산의 인솔하에 군자금을 모집할 계획으로 벌써 10여일 전에 교묘히 대련을 거쳐 인천 방면으로 들어와 (중략) 정읍 보천교 본부에 20만원이 있다는 것을 청구"[78]했다. "그들이 계획했던 것은 세상의 조소를 받은 보천교의 일파와 조만식 등의 일파는 해외에서 모 정치적 운동단체에 중대 사명을 띠고 있던 김모 외 1명과 서로 연락을 취하여 보천교의 약간 남은 돈을 끌어내어 그를 이용하는 동시에 각지 부호들에게 다수한 금전을 모집하여 모 계획을 하려던 것이라는데 (중략) 해외에서 잠입했다가 잡힌 2명은 상당한 지식이 있는 자격자로 일찍부터 경관의 주목을 받아오며 경기도 경찰부 고등과장도 아는 청

75 '전후 10명 체포. 그중에는 여자도 수명. 해외에서 온 청년은 2명. 경기도경찰부 활동 사건' (〈동아일보〉 1925. 11. 25.)
76 '중대사건 重犯. 진주 4명 체포. 정의부의 권총가진 4명은 진주경찰서에서 잡혀 취조' (〈동아일보〉 1925.)
77 "만주 정의부의 밀사로 보천교 일파와 연락하여 (중략) 소위 권총 두자루 사건."(〈시대일보〉 '권총 두 자루 사건' 1925. 11. 29.)
78 '정의부 의용군 별동대원 잠입설. 정보가 전하는 그들의 목적은 정읍 보천교에서 돈 얻을 것과 백백교의 8만원도'(〈동아일보〉 1925. 12. 11.)

년이더라."[79]

　'보천교를 이용하여 30만원의 거액을 변통하여 만주에 있는 조선민족 운동단체로 보내려던 사건'이었고, "그들의 목적은 보천교의 본부가 있는 정읍에 이르러 차경석을 위협하고 30만원이라는 거액을 빼앗으려는 목적"[80]이었다. 이 사건의 주모자들은 "권총단 사건 (중략) 체포한 사람이 여덟 명으로 동경의 사립대학을 졸업하고 해외에 있던 청년과 보천교도가 수범인 듯하며" 지난 달 8일에는 진주 부호의 집을 수명의 강도가 들어와 권총을 가지고 상해가정부원이라 하고 약 100여 원을 탈취했다. 그들은 모두 보천교도로 보이고 취조한 바에 의하면 진주 보천교 진정원장 김수권의 지휘를 받았다 하였다.[81] "조만식, 한규숙, 정찬규, 정상협"[82] 등이었다.[83]

자. 사진촬영 계약 사건(1927)

　처음 보도된 사건의 시작은 이렇다. "대정 14년[1925] 11월 2일 경남 거창군 거창면 하동 김병호라 하는 사람에게 자기의 사진 사절판四折版 10만매를 각 교도에게 배급할 목적으로 기금 2만원에 촬영하여 달라고 주문계약을 한 후에 동월 25일 이내로 촬영시일

---

79 '또 3명 체포. 경찰부에 인도'(〈동아일보〉 1925. 11. 22.)
80 '정읍 권총단 내용. 차경석을 위협하고 30만원을 빼앗으려다 발각'(〈매일신보〉 1925. 11. 25.)
81 '진주강도단은 전부 차경석 제자. 4명 모두 보천교도로 진정원장의 지휘를 받아 강도질'(〈시대일보〉 1925. 12. 7.)
82 '민족운동자금으로 30만원 변출계획. 만주에 있는 조선민족 운동단체와 연락. 자금으로 30만원을 변통하려던 사건. 보천교 이용사건 어제 공판'(〈동아일보〉 1926. 11. 14.)
83 "보천교에서는 만주에다가 착안했던지 지난 12월부터 신여성이 선두가 되어 집안, 통화방면에서 어수룩한 농민과 부녀를 유혹하여 입교를 시킨다는 바 (중략) 농민과 부녀들이 교를 믿겠다고 허락한 자가 40여명에 달한다 하여 참의부 당국에서는 엄밀히 조사하여 박멸할 계획이라"('보천교 두 여성 남만에서 준동' 〈동아일보〉 1928. 2. 5.)

은 차車로부터 다시 통지할 약속이고 만일 끝칠 때에는 재료준비에 대한 손해금 2만원을 차車로부터 김金에게 지불할 터이든 바 그동안 수차 최고催告를 하였음에도 불구하고 끝까지 차車는 촬영 기일을 통지하지 아니함으로 원고 김병호는 (중략) 많은 손해를 보게 되어 전주지청에 소송을 제기하고 대구지방법원에 손해배상 청구소송을 제기하였다."[84]

조사 결과, 그 내용을 보면 보천교의 간부 이달호 등이 김병호와 계약하였는데, "교주 차경석의 사진을 찍어 한 장에 2원씩만 받고 6백만인 교도에게 팔면 많은 이익이 있을 뿐만 아니라 일반교도에게 사진으로라도 교주를 보게 하는 것은 우리 교를 위해서라도 마땅히 할 바라 하여 2만 원은 6백만여 장의 사진을 만들어낼 비용으로 꾼 것이라 하며 사진을 판 금액은 쌍방이 똑같이 나누기로 하였으나 돈 2만 원만 받아가고 지금까지 사진은 찍어주지 아니할 뿐 아니라 채권액이 만원도 반환치 아니하였다."[85]

그러나 차월곡 측은 이달호가 벌인 일이고 그가 중간에서 2만원을 소비하였으므로 "나는 어떠한 사실이 있는지도 알 수 없으니 도저히 차압을 묵인할 수가 없다."고 했다. 그러나 김병호가 차경석을 걸어 물품대금 손해배상 13,421원 40전의 청구소송을 하자 연유가 어찌되었든 보천교 측은 곤혹스러운 상황에 처했다. 주지하다시피 당시 사회적 분위기는 보천교에 호의적이지 않았고, 이런 연유들로 보천교 측의 주장은 받아들여지지 않았던 것이다. 설상가상

---

84 '차천자의 사진 10만매. 2만원 계약을 불이행. 차천자가 사진을 아니 찍어 고소를 당했다.'(《매일신보》 1927. 3. 31.)
85 '천자 사진으로 이익을 모의한 이달호 등 중요간부 몇몇.'(《중외일보》 1927. 5. 21.)

으로 "차천자가 정읍에 훔치왕국을 건설하려고 집을 짓는데 벽돌을 쓰려고 박인원에게 부탁하여 벽돌 102만장을 주문한 사실이 있었는데 그 대금 중 지불하지 못한 것과 또는 계약위반에 관한 손해배상금으로 13,421원 40전을 청구했다."[86] '사진 문제 등 소송이 진행되었으나 패소'하여 보천교 측은 돈을 물게 되었다. 이에 '차천자 궁 차압'을 위해 집달리들이 함께 가차압을 하러 갔다가 교도들과 충돌하는 등 사건이 발생했고[87] '보천교 측에서는 몇몇 중요간부의 협의로 현금 1천원과 연와煉瓦 30만장에 1천원, 2천원으로 하여 별 일없이 차압하였으나 형세는 매우 위험하였다.[88]

이를 당시 신문에는 '보천교 종막終幕의 한 장면'으로 보도하고 있었다.

차. 경무국장 정읍 방문(1928)과 성전신축(1929)

1928년 10월에는 아사리淺利 경무국장이 차천자를 방문했다는 기사가 게재되었다. "남도 각 방면을 돌아다니던 경무국장 아사리淺利는 지난 7일 오후 수삼인의 수종자를 데리고 문제의 보천교 교주 통칭 차천자를 정읍군 입암면 대흥리 차천자의 대궐로 비밀리에 방문하였다는데 회견은 약 30분간이었다 하며 차천자는 최고 간부 즉 신하격인 인물 50여 명을 내세워 의관을 정제케 한 다음 군대식으로 2열 종대로 진을 벌리어 경례를 하는 등 산해진미를 준비하여

---

86 '차천자를 걸어 만여원 청구소. 경성 지방법원에서 진행 중'(《매일신보》 1927. 7. 21.)
87 〈동아일보〉 1927. 4. 29.
88 '정읍 차천자의 궁궐을 경관이 포위하고 가차압. 거창 사는 김병호라는 사람의 빚 4천원으로 필경 가차압 처분까지 당하게 된 정읍 차경석. 문제의 발단은 차경석의 사진대 2만원'(《중외일보》 1927. 5. 21.)

관대하였다는 바 방문한 내용은 절대 비밀이라더라."[89]

그리고 "보천교에서는 대정 12년[1923]부터 총 공비 150여만 원의 거액을 투자하여 굉장한 대전당大殿堂을 건축중이든 바, 금번 준공되었음으로 금월 26일에 이전 낙성식을 성대히 거행한다는데, 당일에 각 지방으로부터 15만여 명의 신자가 집합할 예정으로, 목하 본부에서는 준비에 대분망大紛忙 중이라"[90]는 기사도 보도되었다.

"보천교가 만주에 침입하였다 함은 이미 보도한 바이어니와 근일 보천교도 수 인사이 신의주에 와 안동현을 왕래하며 다수한 목재를 매수하는데 (중략) 벌써 매수한 것이 만여 원 가치라 하며 압록강 상류에 있는 3개소에서 15만 원 가치의 재목을 매수하기로 하여 실행중이라는 바 그 재목은 보천교의 본소인 정읍에 50만 원의 건축비로 교주 차경석이 거처할 궁궐을 건축한다."[91] 성전 신축과 더불어 "보천교 교주 차경석이가 기사년 기사월 기사일 기사시에 대시국에 등극을 하여 천자가 된다는 소문"이 돌았고, 기사년 기사월 기사일 기사시는 곧 오는 음력 4월 16일 낮 11시경이었다.[92]

보천교 본소 건축에 쓰여졌던 기와 조각들. 황와黃瓦, 청와青瓦 조각들이 보인다.

89 '천리 경무국장이 차천자를 방문. 정읍 차천자궁에 가서 만나. 회견 내용은 절대 비밀' (《동아일보》 1928. 10. 10.)
90 '보천교당 신축 낙성식. 26일에 거행'(《매일신보》 1929. 4. 14.)
91 '훔치의 迷天 大罪. 정읍에 궁궐 建造한다고 선전. 압록강 연안에서 목재를 매수 중' (《동아일보》 1925. 3. 22.)
92 '황당무계한 망설로 玉璽 王冠 값을 詐取. 기사년 기사일이 가깝다 야단'(《매일신보》

카. 공명만화단 사건(1929)

3·1운동 후인 1919~1920년에 신덕영申德永·최양옥崔養玉 등은 대동단大同團 및 상해 민국임시정부와 연계하여 전라도 등지에서 군자금을 모집하다 체포되어 수년간의 옥고를 치루고 출옥한 후, 1928년 중국 산시성에서 안창남安昌男 등과 독립을 위해 함께 노력한다는 의미에서 대한독립공명단을 조직하였다.[93] 대한독립공명단은 1920년대 중반 국내외의 지원이 약화되어 독립운동의 전개가 힘들던 시기에, 포기하지 않고 모험적 거사로 군자금을 마련하여 항일무장독립운동을 전개하려고 하였던 점에서 의의가 있다.[94]

"공명단 사건이 돌발한 이래로 전 조선의 경찰은 극도로 긴장하여 물 한 방울 샐 틈 없이 비상경계를 하는 중인데 지난 26일에는 황해도 연백군에 권총 청년 두 명이 나타나 부호를 협박하고 자취를 감춘 일이 있어 경찰 총동원으로 범인 수색에 몰두하든 바 재작 27일 오후 4시경에 또 다시 경기도 안성군에 부호 양기원의 집에 권총을 휴대한 청년 한 명이 나타나 '나는 상해 가정부에서 나왔으니 군자금을 내놓으라'고 위협하여 현금 100원을 받아서 유유히 자취를 감추었는데 (중략) 상해 가정부원으로 경기도 양평군에 사는 여므○○이라 자칭하며 군자금을 강청하므로 주인 양기원은 (중략)

1929. 5. 4.); '등극은 春夢化하고 당하는 것은 배척운동. 신자측에서는 열렬한 배척운동, 각지 채권자들의 채권 소송 답지. 소위 대시국 차천자 근황'(《중외일보》 1929. 7. 2.)
93 대동단, 대한민국임시정부, 흥사단 등과 연계하여 독립운동자금을 모집하였으나 여의치 않아 국내에 단원을 파견하여 현금 우송 차량으로부터 군자금을 마련하려 하였다. 1929년 초 최양옥과 金正連은 국내에 들어와 李善九를 동지로 가입시킨 후 양주군 화도면과 미금면의 경계인 마치고개에서 우편차량에 보관된 현금을 탈취하려 하였으나 뜻을 이루지 못하고 체포되었다. 1930년대 초 조직이 와해되었다.
94 한국정신문화연구원, 『한국민족문화대백과 사전』, 1991, '공명만화단 사건'.

군자금으로 받았다는 영수증에 노백린이란 도장을 찍어주었다"[95]고
했다. 또 "지난 26일 안성에서 시국을 표방하되 상해의 여운형이라
자칭하고 현금 200원을 받아들고 종적을 감추었는데, 자기는 보천
교 차경석의 직계 부하로 있는 터인데 오는 기사년 기사월 기사월
기사시는 대시국 천자 차경석이 등극하는 날인 바 (중략) 피해자 측
에서는 이 사실을 숨기기 위하여 그와 같이 얼토당토 아니한 노백
린의 명의로 영수증을 시작"[96]했다고 말하고 있었다.

그리고 "지난 10일에 공명만화단원 심룡출(32세)을 동대문에서
검거되었는데, 이 청년은 일찍 정읍 보천교 정교부장으로 있다가
세상의 모든 불평을 품고 그곳을 사면한 후 각처로 돌아다니며 불
온한 사상을 선전하던 자"[97]로 금번 체포된 것이라고 속보로 알리고
있다. 그는 "일찍이 보천교 간부로 있으면서 불온한 사상을 가지고
교도들에게 그 주의와 사상을 선전하고 이어서 해외로 가고자 그곳
을 사면한 후 그 여비를 각처로 주선하였으나 여의치 못하여 나중
에는 최후의 수단으로 장호원의 부호 장성달의 집에 침입하여 120
원을 강탈"[98]했다는 것이다.

타. 내란죄(1929)
원래 내란죄라는 것은 형법 제 77조에 '정부를 전복顚覆하고 방

---

95 '괴청년 東閃西忽. 금번엔 안성에 출현. 상해가정부에서 나왔다고 하며 군자금으로 현
금 100원을 가져갔다. 영수증엔 盧伯麟 印'(〈동아일보〉 1929. 4. 29.)
96 '가정부란 전혀 誣告. 대시국 魍魎作戱. 차천자 부하의 所爲인 것과 피해자 허위고발
로 판명되었다. 경찰부 엄벌을 훈령'(〈중외일보〉 1929. 5. 4.)
97 '체포된 심룡출은 보천교의 전 간부. 계속하여 혐의자 2명을 검거. 共鳴萬和團 사건'
(〈매일신보〉 1930.10.13.)
98 '공명단원이란 빨간 거짓말. 해외갈 자금 얻을 목적으로 시국표방하고 강요'(〈매일신
보〉 1930.10.15.)

토방土邦를 참칭僭稱하며 기타 조헌朝憲을 문란케 할 목적으로 폭동暴動하는 자'[99]를 대상으로 한 것이다. 그런데 1929년에 보천교에 대해 내란죄가 언급되면서 신문지면을 채운 일이 발생했다. "최근 전주지방법원 정읍지청 검사국에서는 보천교 방주되는 김홍규, 김기용 등 50여명을 내란죄로 취조중이라는데 그 내용은 비밀임으로 알 수 없으나 탐문한 바에 의하면 보천교 이전 간부 채규일에 관련된 1만 5천 원 고소사건에서 어떤 단서를 얻은 듯"[100] 하다고 했다.

그러나 정확한 내용은 드러나지 않고 있었다. 정읍지청에서는 차월곡을 돌연 소환하여 오오쯔키大規 검사가 극비리에 장시간 엄밀한 취조를 한 후 돌려보냈다. 그 내용은 "절대 비밀에 부치나 수소문한 바에 의하면 수년 전 보천교 중요간부로 있다가 밀려난 채蔡모, 임林모 등 일파가 보천교의 어떤 내막을 폭로하여 내란죄로 고발한 것을 필두로 금년 3월 신축 낙성된 소위 십일전의 봉안식[이는 경찰의 금지로 아직 거행치 못했다]은 내용으로는 차천자의 등극을 의미하는 것이라는 풍설도 세상에 현저하여 자못 심상치 아니한 내용을 가진 듯"[101]이라 하였다. 이 기사를 보면, 내란죄 명목이 십일전 봉안식과 관련있는 듯하였다. 7월 15일자 신문 한 면은 보천교 기사가 대부분이었다. '전북 경찰활동 비밀리에 내사. 경찰에서도 극비밀리에 활동. 「등극」「봉안」이 문제'[102]라는 기사를 보면 역시 '등극', '봉안'이 문제가 된 듯하다. 또한 십일전을 태극전이라 명칭한 것도

---

99 '내란죄 구성되면 고등법원서 처리. 아직 결과를 주목중이라'(《동아일보》 1929. 7. 25.)
100 '내란죄로 보천교도 취조'(《중외일보》 1929. 7. 3.)
101 '차경석 걸어 내란죄 고발'(《동아일보》 1929. 7. 3.)
102 《동아일보》 1929. 7. 15.

함께 문제가 된 듯했다. 「천자검天子劍」을 필두로 「옥새玉璽」 등 증품證品 발견. 여러 중요 간부와 검사에게 출두해, 고발자 채규일과 대질 취조를 받아. 차경석 제2차 취조' '관중 쇄도殺到로 검사국 대혼란. 차경석의 얼굴을 보려고. 경관도 출동 엄중 경계'[103] 하였다는 기사들이 게재되고 있었다.

그리고 이때 '신문지상에 나타난 최초의 차경석 면영面影'이 게재된다.[104] "차경석이 마침 자동차에서 내려 취조실로 들어가려 할 때 이 광경을 촬영코자 본사[동아일보] 특파원 사진반과 (중략) 기자를 20여 명 교도가 에워싸 사진을 찍는 것은 불가하다 하며 사진기를 때려부술듯 야단"[105]쳤으나, 신문에 첫 사진이 나왔으며, 그날 신문 한 면은 보천교 기사로 도배되었다. 또 한편에는 연재기사로 보천교에 부정적인 '복마전을 찾아서'도 동시에 연재되고 있었다.

결국 보천교측은 "채규일에게 내란죄로 고발되어 (중략) 엄중한 취조를 받는 한편 여러 채권자들로부터 강제집행을 당하게 되고 또 가산 대부분을 강제 경매까지 당하게 되어 그의 말로는 사면초가로 바뀌었다."[106] '전용 자동차, 종각 등 또 차압. 며느리 방귀까지 집행'[107]되었다 할 정도였다.[108]

---

103 〈동아일보〉 1929. 7. 24.
104 '사진반 포위. 훔치群 소동'(〈동아일보〉 1929. 7. 24.)
105 '사진반 포위. 훔치群 소동'(〈동아일보〉 1929. 7. 24.)
106 '강제집행 만난 차경석. 차압물품은 경매에. 경매금액 80원 50전'(〈동아일보〉 1929. 7. 17.)
107 〈동아일보〉 1929. 7. 17.
108 '보천교 동산 대부분 25일 강제 경매. 집행할 때 다수 교도가 결사 대항. 무장 경관이 출동 집행'(〈동아일보〉 1929. 7. 15.); '제2차 경매 집행일. 物情 騷然한 대시국. 수천교도가 쇄도하여 집달리를 포위, 천여 군중 모여 어서 경매하라고 야단. 문제의 큰 종은 경매 중지'(〈동아일보〉 1929.8.1.); '보천교도 천여명 채권자를 포위 騷亂. 차압온 사람을 죽인다고 야단. 침범키 까다로운 대시국'(〈동아일보〉 1929. 7. 31.); '내란죄로 취조에 착수.

파. 차월곡 사망(1936)

"차경석은 부귀영화도 물거품같이 하루 아침에 버리고 30일 오후 3시 54분에 마침내 병사를 하고 말았다"[109]는 기사가 게재되었다. 이 기회에 조선총독부는 보천교를 완전히 해체하기 위해 철퇴를 가하기 시작했다. 차월곡의 사망 전부터 '경무국에서는 전북경찰부를 지휘하여 정읍에 근거를 둔 보천교를 철저히 소탕코저 그 방침을 연구협의 중에 있었다. 즉 보천교의 차월곡은 본소 건물들의 명칭까지도 궁중의 전殿들과 흡사하게 붙여 소위 불경행위가 극에 달하고 있다는 것이다. 게다가 제 스스로 ○○[기사 삭제하였으나 「천자」로 추정됨]라고까지 참칭하고 그 부하로 하여금 제가 무엇인체 하는 태도를 비밀이면서도 공공연하게 하고 있으므로 민중을 우롱하여 혹 세무민하는 행동 외에 불경한 언동과 행동 등이 적지 아니함으로 불원간 조선 전역에 대철퇴가 내리게 되리라고 한다. 그리하여 경무국 종교유사단체계에서는 총 철퇴령을 앞두고 만반 준비를 정돈하는 가운데 있으며 전북경찰부는 경무국과 연락하여 내사를 엄밀히 하고 있었다.'[110]

"사교邪教 보천교에 대하여 종래의 경험으로 보아서 그들의 행동이 불경죄를 구성할 것이라는 전제하에 총독부 경무국에서는 보천교에 대한 재검토와 조사연구에 착수하였다 한다. 그들의 교주 차경석을 ○극○○[기사 삭제하였으나 「태극」으로 추정됨]라 칭하고 교주의 저택

마술극의 終幕도 不遠.' '등극에 참가코저 8만교도 會集. 헛된 돈 수만원만 죽어났다. 집회금지로 일장춘몽' '내란죄 고발, 훔치群 恐慌' '결정 전에는 발표가 불능, 취조한 뒤에 말하겠다는 정읍검사분국 측 이야기'(〈동아일보〉 1929.7.15.)
109 '말썽 많던 보천교주 차경석 필경 병사'(〈매일신보〉 1936. 5. 1.)
110 '종교유사단체에 철퇴. 필두는 보천교 掃蕩. 경무당국에서 전북경찰부 지휘. 전 조선적으로 旋風捲起'(〈동아일보〉 1935. 12. 19.)

은 궁전을 본뜬 것이라든지 불경죄를 구성치 않는 것이 없다 하며 자칭 3백만 교도를 운운하나 사실에 있어서는 2만밖에 되지 않으며 그 우매한 민중을 속여 유언비어를 전파하는 등 혹세무민하는 행동을 그대로 방임할 수 없다는 것이다. 그리하여 금번 가까운 장래에 그들의 머리위에 응징의 철퇴가 내릴런지도 모르는 상황으로 보천교의 중심지인 전북경찰부는 보천교에 대한 상세한 조사를 하고 있는 중"[111]이라 하였다.

곧 이어 '전북경찰부에서 아연俄然 활동을 개시하여 보천교를 전폭적 검색檢索하기 시작했다. 본거本據는 물론 신도의 집까지. 사교 탄압의 제1포砲'였다.[112] '전북경찰대가 출동 보천교에 대철봉大鐵棒. 지교支教 무극, 증산, 동화교도東華教徒 5만, 가택수사, 서류도 압수'[113]했다. "종교유사단체를 감시해 오던 바 더욱이 조선에서 오랫동안 폐단이 많았던 정북 정읍의 보천교 역시 사교邪教의 범위안에 들어있어 이를 당국이 감시해오던 중 얼마 전에 교주인 차경석 (중략) 교내의 파쟁派爭은 물론 분열까지 되어 무극교, 증산교, 동화교 등도 전북경찰부에서는 9일 고등과장이 검찰부 순사 20명을 데리고 정읍에 이르러 1박한 다음 10일 새벽에 승합자동차에 분승한 다음 보천교의 본산인 접지리를 습격하고 (중략) 각처를 수사하여 문서와 헌금을 압수하였다 하며 현재 보천교도는 정읍군내에만 5만 명이 거주하는 바 10일 안으로 가가호호를 전부 임검臨檢하리라 한다.

---

111 '조선의 사교 보천교, 불경 혐의로 경계 중. 천자라 자칭하고 혹세무민하여 전북경찰 조사 착수'(〈조선중앙일보〉 1935. 12. 19.)
112 '전북경찰부 俄然 활동. 보천교 전폭적 檢索. 本據는 물론 신도의 집까지. 사교 탄압의 제1砲'(〈매일신보〉 1936. 6. 11.)
113 '전북경찰대가 출동 보천교에 大鐵棒. 支教 무극, 증산, 東華教徒 5만, 가택수사, 서류도 압수'(〈동아일보〉 1936. 6. 11.)

그리고 앞으로는 어떠한 경우라도 집회는 물론이오 헌금을 절대로 금지시켜 지금까지의 교세가 영구히 사라지게 될 전조를 보이게 되지나 않을까 관측된다."[114]

이러한 "보천교 검거사건에 대하여 다나카田中 경무국장은 다음과 같이 말하였다. '금번 보천교 검거사건의 자세한 내용은 아직 보고를 받지 아니하여 알 수 없으나 전 이사카井坂 전북경찰부장과 현 무로다室田 경찰부장에게 보천교는 불온한 사상을 가질 염려가 있으니 잘 취체取締하라고 내명을 한 바 있었는데 금번 제1차 검색을 보게 된 것 같다. 이번 사건의 취조진행에 따라서는 혹시 제2차 검색까지 있게 될는지도 알 수 없다.' "[115] "이상한 문서와 중요한 장부를 압수하고 성금 모집을 금지한다고 엄중히 설유한 후 (중략) 이를 계기로 보천교에만 그치지 않고 각종 잡교雜敎에까지 검거의 손을 뻗치기로 방침을 세우고 철저히 근절할 계획"[116]이라 하였다.

이에 발맞추어 언론도 보천교 해체에 가세하였다. 〈조선중앙일보〉에서는 「특집. 보천교의 성쇠기盛衰記」를 게재하고 차월곡 사진과 보천교 본부의 사진을 실었다. '등극설도 일장춘몽. 정자문井字紋의 기치旗幟 무색. 자칭 천자 차경석 일거一去 후에 최후의 조종弔鐘은 울린다.'[117] 보천교에 대한 대탄압은 단순히 대철퇴를 가하는데 그치지 않고 그 흔적마저 깔끔히 지워버리려 했다. "보천교는 건물과 전답 일체를 경찰당국에 맡기어 부채 정리를 의뢰하고 (중략) 오

---

114 '경관 40여명 출동 보천교 본부를 습격. 10일 曉頭에 전북경찰부에서 사교취체의 대철퇴'(〈조선중앙일보〉 1936. 6. 11.)
115 '보천교 검색에 대한 田中경무국장 이야기'(〈매일신보〉 1936. 6. 11.)
116 '사교 보천교에 최후 弔鐘 亂鳴. 포교와 집회를 위시, 성금의 모집도 엄금. 전북고등과장이 직접 취조결과. 보천교의 탄압철저'(〈매일신보〉 1936. 6. 13.)
117 〈조선중앙일보〉 1936. 6. 11.

는 11월 10일에 소위 100만 원의 전당 보천교 본소를 지명 입찰키로 결정하였다. (중략) 보천교 본소는 정읍군 입암면에 건평 1,400평, 부지 8,600평의 넓은 자리를 잡고 있는 36동의 대건물로 그 중에도 무엄히 궁전을 모방하여 차월곡 자신이 본전으로 지어놓은 십일전은 황색 기와를 얹어서 그 외모의 화려 장엄한 점에 있어서나 내부장치의 사치스러운 점에 있어서나 조선 현대건축사상에 드믈게 보는 조선식 건물이라 하며 전 교도들이 현물공납으로 주조한 정온종靜穩鐘은 그 크기에 있어서 경주 불국사의 대종이 지지 않은다."[118]

그리고 "10일에 일반에 공매입찰을 시켰으나 공매가격이 불급不及함으로 입찰이 성립치 못하고 다시 지난 25일에 건물 소재 현장에서 공매한 결과 합계 2만 4천 원의 가격으로 낙찰되었다는데 낙찰한 사람은 정읍의 박명규를 비롯하여 경성, 전주, 군산 등지 인물 26명이라 하며, 오는 12월 15일에는 일제 철훼공사撤毁工事에 착수하리라는데 경락한 물건 중에 제일 중요한 것은 교도의 숟가락을 거두어 만든 1만 2천 근의 종이 5천 7백 원이오 대리석, 화강석으로 장식한 십일전이 3천 원이라 한다. 말성 많던 보천교도 이로써 종막을 짓고 말았다."[119]

하. 선도교 사건(1937)
보천교를 대탄압하여 해산시킨 뒤 계속하여 유사종교 취체를 강

---

118 '[백만원의 전당]도 마지막 길, 처량히 우는 靜穩輓鍾. 자칭 차경석 등극의 꿈 헛되이 깨져. 이제는 그 본거의 형해조차 없어진다'(〈매일신보〉 1936. 10. 27.)
119 '일금 2만 4천원에 보천교 대전당 告終. 만인의 고혈로 건축한 아방궁 00 競落의 신세'(〈매일신보〉 1936. 11. 30.)

화해 나갔다. 1937년 5월 초에 개최된 경찰부장 회의에서도 유사
종교 취체정책에 대한 상세한 지시가 하달되고 있었다. 그 결과 "조
선내에 있는 유사종교는 종래 67종이 있었는데 보천교의 탄압 이
래 유사종교에 대한 민중의 신앙도 점차 없어졌으며 (중략) 현재 유
사종교라는 것은 천도교를 비롯하여 시천교, 평화교, 청림교, 대도
교, 선도교, 정도교, 인천교, 동학교 등 10수 교에 불과"[120]하였다.

그러나 보천교가 대탄압으로 해체되고 난 뒤에 다시 새로운 종교
운동을 재흥시키려는 노력이 간간히 나타났다. 그중 하나가 1937
년 선도교 사건이다. '불식장생의 선도교, 사기의 현장 검증. 교주
김홍기 등 16명 불원 송국送局. 5도에 걸친 범죄범위'[121] '불식장생
을 표명하고 내면에는 비밀결사 조직. 지도분자에는 대학 출신도
혼재. 평강서平康署의 선도교 사건'[122] 라는 기사들이 보인다. 이에
따르면, "선도교 근거지를 건설하려고 중요 간부가 리목리[강원도 평강
군 현내면 리목리]에서 활동하는 것을 소화 10년[1935] 4월 15일에 평강
경찰서에서 단서를 잡고 활동하여 100여 명의 교도를 검거 취조한
후 (중략) 금년[1937] 4월에 소위 교도의 대선생이라는 김홍기(일명 홍
원. 41세)와 부교주 김종섭(일명 일제-濟)을 체포하고 중역간부 등 20
여 명을 검거하여 엄중 취조중이다. (중략) 그 선도교 내용을 보건대
교도 목적은 불식장생不食長生이라는 교지로 소화 2년도[1927]부터
시작되어 경기, 황해, 강원, 함남북 지방을 망라하여 전도한 그 교

---

120 '유사종교를 재검토. 사교만은 단호 조치'(〈매일신보〉 1937. 4. 14.); '민중의 각성을
향상시켜 일체 사교를 엄중 취체. 식자와 협력하여 일반의 민도 향상. 整備한 경무국의
대방침'(〈매일신보〉 1937. 4. 14.)
121 〈동아일보〉 1937. 7. 13.
122 〈동아일보〉 1937. 8. 5.

도수가 1만 2천여 명에 달하고 입교금이라는 명목으로 한 사람이 5원 이상 내지 1천 원까지 사취한 금액이 6만여 원의 거액에 달한다. 소화 10년[1935] 4월 이래 오늘까지 검거 수는 연인원이 수백 명에 달하였다."[123]

또 선도교와 동근이지同根異枝이라는 '인도교人道敎 중심 비밀결사'도 발각되었다. "간부 33명 불일 송국送局. 소위 신국가 건설을 표방코 우매한 유림층 망라' '180만 원을 갹출, 만주에서 농장 경영. 조직체 신농사神農社는 공산제共産制 모방. 국외에까지 미친 음모' '명산에 기도 순례. 기이한 한자 암호 사용' '궁궁을을로 설법.' '자칭 옥황상제.' '유불선 삼교 종합. 105간부로 형성. 직제는 자연계 순환원리를 응용. 일사분란의 기괴한 조직' '기원은 천도교. 선도교와 동근이지同根異枝'라는 기사들이 연이어 게재되었다.[124]

거. 보천교 재흥사건(1938)

1938년 무렵부터는 '보천교 재건운동'도 신문지상에 등장했다.[125] "보천교 포교소 포교사로 보천교의 간부였던 서백일은 직접 지하에 잠행하여 남선南鮮 일대의 보천교 재건을 계획하고 일련종 포교소 간판을 걸고 점차 신도를 획득, 그 후 경기도에 결성된 보천교 재건본부와 연락하여 현재까지 경남, 경북, 전남, 전북, 충남, 충북에 수십 개소의 포교소를 설립, 신자 약 5천명을 비밀리에 획

---

123 '불식장생의 선도교, 연인원 2백여명 검거. 간부는 북만주에 잠입중 被逮'(〈동아일보〉 1937. 6. 13.)
124 〈동아일보〉 1937.9.5.
125 '보천교 재건운동. 정체 드디어 폭로되다'(〈조선신보〉 1938. 6. 17.)

득"[126]했다는 내용이었다. 이와 유사한 내용들이 도처에서 나타나고 있었다.

"전남지방에서 서상조는 벌써 해산된 보천교 간부였는 바 (중략) 각지를 순회하며 나는 강증산의 영혼과 신통되므로 소화 16년[1941] 1월 1일에는 충남 계룡산에 도읍을 정하고 동국東國이라는 지상천국을 건설"[127]한다고 알렸고, "지난 1월 상순경에 전라남북 양도를 통하여 소위 증산교라는 사교를 만들고 (중략) 교도 문文모 외 다수를 검거하였는데, 보성군에 사는 남송이란 별명을 가진 허욱이란 자는 역시 보천교의 일파"[128]였다. 또 보천교 해체 이후 보천교 일부 간부급들은 계속하여 지하운동으로 보천교 재건을 도모하였다. 황극교도 이와 유사한 활동을 하고 있었다. "지하운동으로 보천교 재건을 하고저 비밀리에 황극교라는 종교결사를 만들어 전 조선 각도에 세포조직을 확대하여 대규모의 교세를 신장하던 중, 소화 12년[1937] 8월에 전 조선 각지로부터 간부급 160명을 집중적으로 검거"[129]되었다 한다.

---

126 '사교 보천교 재건의 두려운 음모 폭로. 부산에서 一味를 검거'(〈대판조일신문〉 1938. 6. 16.)
127 '황당무계설로 徒衆聚集. 계룡산 밑에 夢想천국. 보천교도 催眠師 일당 27명, 전남 일대 횡행타가 被檢'(〈동아일보〉 1939.1.29.)
128 '차천자의 후예로 이상천국을 몽상. 증산교 九曲派 일당을 送局'(〈매일신보〉 1939.4.12.)
129 '보천교의 재건사건, 황극교 공판 회부. 15일 전주법원에서 개정'(〈동아일보〉 1940.6.5.)

4 신문기사 해제를 마치며

　이 글은 일제 강점기 한국어 발행의 신문에 게재된 보천교 관련 기사들을 정리하려는 목적에서 구성되었다. 당시 한국어 발행 신문들은 민간지로 〈조선일보〉(1920.3.5~1940.8.10), 〈동아일보〉(1920.4.1~1940.8.10), 〈시대일보〉와 그 후속신문(1924.3.31~1937.11.5)들이 있었고, 조선총독부 기관지인 〈매일신보〉(1910.8.30~ 1945.8.14)가 간행되었다. 이들 신문들에 게재된 보천교 관련 기사는 모두 1,299건이었고, 이를 내용적으로 본다면 1920년대 전반기에는 국권회복운동을 다루는 등 보천교에 우호적인 기사들도 많았다. 보천교가 3.1운동 이전 소위 '제주의병 사건'과 연결되었다거나 1921년의 경우는 조선독립 관련으로 경북을 위시한 전국에서 대검거 사건이 있었고, 상해임시정부와 만주의 독립운동 자금모집 등 국권회복운동에 참여했다는 기사들이 게재되고 있었다. 그러나 1924년 갑자년 천자등극설과 〈시대일보〉 사태를 전후해서 부터는 부정적 기사가 압도적으로 많은 편이었다. 심지어 〈시대일보〉 사태는 그 시작과 진행과정까지 언론에 상세히 소개되면서 보천교 성토와 박멸운동으로 연결되었던 것이다. 즉 보천교의 활동을 황당무계하고 혹세무민하는 것으로 기술함으로써 독자로 하여금 미신·사교邪敎라는 부정적 이미지를 제공하고, 보천교의 다수 활동이 위험하고 참혹하다는 부정적인 판단을 유도하고 있었다.

이러한 부정적 이미지화와 부정판단은 총독부의 기관지인 〈매일신보〉를 포함한 한국인 발행의 신문의 경우에 큰 차이가 나타나지는 않았다. 그러한 기사들은 특집이나 연재 등의 형식을 빌어 독자들에게 전달되고 있었다.

해방을 맞고 정부가 수립된 후인 1949년 8월에 반민족행위특별조사위원회에서 정인익鄭寅翼이라는 자가 조사를 받았다. 그는 1923년 동양대학 문화부 3년 중퇴하여, 〈조선일보〉 기자(1923), 〈중외신보〉 기자(1926), 〈매일신보〉 사회부장(1929), 사업부장(1938), 〈매일신보〉 동경지국장(1938)을 거쳐 편집국장(1941)까지 올라 해방 전까지 지내며 일제강점기 내내 신문사에서 활동했던 인물이다. 조사위원회는 그에게 "신문사에 근무 시에 양심적 가책을 받은 사실이 없는가"라고 질의했다. 이에 그는 "본인은 민족적 입장에서 최선을 다 하였으며 광주학생 사건, 보천교 사건, 6·10만세 사건, 제1차 공산당 사건, 고려혁명당 사건 같은 것은 본인이 주로 취급하여 왜 관헌에게 암암리 위협을 주었다고 생각합니다"라고 답했다. 여기서 '보천교 사건'이 거론되었다. 구체적으로 어느 사건을 말하는 지는 명확하지 않다. 다만 그것이 민족적 사건이었던 것만은 분명했다. 제1차 공산당 사건이 1925년이고, 6·10만세 사건이 1926년, 고려혁명당 사건이 1928년, 그리고 광주학생 사건이 1929년이고 보면 20년대 중·후반의 사건으로 짐작된다. 그가 보천교 사건을 두 번째로 답한 것도 중요하다. 그만큼 그의 뇌리속에 보천교 사건은 '일제에 암암리에 위협을 준' 주요한 사건으로 기억되었던 것이다.

여기서 살펴본 신문기사가 보천교 관련 내용의 전부일 수는 없다. 관련 자료를 수집하면서 본의 아니게 빠진 부분도 없지 않을 것이다. 또 재판기사나 총독부가 자료로 제공한 기사들은 신문마다 중복 게재되어 있기도 하였다. 하지만 국내신문의 보천교 인식의 대강을 이해하는 데에는 크게 부족하지 않을 것으로 생각한다. 다만 신문의 보천교 인식은 총독부의 종교, 특히 유사종교 정책이나 언론정책과 무관하지 않았다. 따라서 그 부분과 연계해서 이해하여야 할 것이다. 이 부분은 본고에서 다루지 않았다. 본고를 토대로 보천교 연구가 보다 확대되기를 기대한다.

정읍 대흥리에 남아있는 보천교 건물들

2장
보천교 관련 공문서의 해제

김철수, 「일제강점기 공문서 생성과 보천교 관련 공문서의 실태」, 『일제강점기 보천교의 민족운동 자료집』 III, 2018을 수정·보완한 글이다.

1 보천교와 일제강점기 공문서

조선총독부 공문서는 당시의 신문자료나 일반 출판물 등과 함께 식민지 시기의 사회상을 복원하는데 필수적인 자료이다. 1910년 8월 29일, 일제가 한국을 강점한 이후부터 1945년 패망해서 물러갈 때까지, 조선총독부는 조선을 식민지로 통치하는 과정에서 수많은 공문서를 생산했거나 접수했다. 이러한 기록물들은 종류도 다양할 뿐더러 그 수량은 헤아리기가 불가능할 정도이다. 이 공문서들은 식민통치의 과정과 결과를 그대로 반영하고 있기 때문에 온전하게만 보관되어 있다면 그 어떤 자료보다도 소중한 가치를 지녔을 것이다.

그러나 이러한 자료에도 한계가 없지는 않다. 주지하다시피 당시 조선총독부의 최상위 관료와 직원은 일본인이었다. 따라서 공문서들은 결국 한국인이 아니라 식민지를 지배한 일본인 관리가 생산한 기록물이다. 따라서 이 기록물은 철저히 일본인의 식민지 지배라는 관점에서 생성될 수밖에 없었고 일본제국의 식민정책 방향에 준거하여 기록되었다. 때문에 일제는 패망을 눈앞에 둔 1945년 8월 14일, 내각회의에서 기밀문서의 폐기를 결정했고, 이에 따라 각 관청에서는 조직적이며 대규모적인 문서소각이 행해졌다. 예를 들어, 육군은 '각 부대가 보유한 기밀서류를 속히 소각하라'는 지령을 통해 말단 부대에 이르기까지 철저한 문서소각을 지시했다. 이러한 결정으로 인해 소각 대상이 된 문서는 "외사, 방첩, 사상, 치안 등의 관련문서, 국력판단이 가능한 여러 자료"로 군사와 경찰관련 문서가 중심이었다.[1] 이와 비슷하게 조선총독부에서도 8월 15일부터 중요 서류의 일제 소각이 행해져 수많은 공문서들이 사라졌다.[2]

그런 와중에도 폐기되지 않고 남아있었던 조선총독부 공문서들은 현재 국가기록원을 비롯하여 국사편찬위원회, 고려대학교 아세아문제연구소, 국립중앙박물관, 규장각 한국학연구원 등에 분산 소장되어 있다.[3] 국가기록원은 조선총독부 본부 문서과가 보관하고 있던 기록 중 무단 파기를 면한 문서를 일부 보존 관리하고 있으며, 국사편찬위원회는 법전조사국, 조선총독부 중추원, 조선사편수회 문서들과 대검찰청에서 연구 자료로 대출해준 경성지방법원 검사국 관련 문서 일부를 소장하고 있다. 국립중앙박물관은 조선총독부 박물관 문서를 소장하고 있다. 이들 중 국가기록원이 가장 많은 문서를 소장하고 있는 편이다.

이러한 상황에서 보천교와 관련된 공문서들도 찾기가 쉽지 않다. 보천교는 일제강점기의 초기에 교단형성을 시작하여 1920년대에 들어서는 적지 않은 신도수와 자금력을 보유한 소위 '유사종교단체'이고 보면, 식민권력의 입장에서는 한 순간도 감시의 눈을 뗄수 없었을 것이다. 더구나 식민권력은 3.1민족독립운동을 겪으면

---

1 加藤聖文,「敗戰と公文書廢棄-植民地·占領地における實態」,『史料館研究紀要』第33号, 2002, 124쪽.
2 박성진·이승일,『일제시기 기록관리와 식민지배. 조선총독부 공문서』, 역사비평사, 2007, 311~312쪽.
3 조선총독부 공문 소장처들은 다음과 같다. 국가기록원(www.archives.go.kr)과 국가기록포탈(http://contents.archives.go.kr), 국사편찬위원회(www.history.go.kr)와 역사정보통합시스템(www.koreanhistory.or.kr), 국립중앙박물관(www.museum.go.kr), 규장각 한국학연구원(e-kyujanggak.snu.ac.kr/index.jsp)이다.

서 종교단체와 독립운동과의 연계성을 직접 눈으로 확인했기 때문에 보천교 역시 주요 관심대상이었음은 분명했다. 그만큼 보천교에 관한 다량의 공문서와 보고서들이 생성되어 보천교 탄압에 이용되었을 가능성은 매우 높다. 그러나 이들 공문서들도 식민권력이 패망하는 시점에 거의 소각 폐기되어 현재는 그 일부인 90여개 정도의 공문서들만 확인 가능한 실정이다.[4]

이렇게 남아있는 공문서의 내용들을 살펴보더라도, 서로 연계된 공문서들이 거의 없어 대부분의 공문서가 훼손·누락되었음을 감지할 수 있다. 뿐만 아니라 남아있는 자료들 중에도 온전치 못한 것이 많아 처음 양상을 온전히 복원하고 그 전후맥락의 내용을 완벽하게 확인하는 작업이 불가능에 가깝다고 볼 수 있다. 그럼에도 불구하고 앞서 언급했듯이 공문서는 당시 보천교의 상황을 확인하는데 빼놓을 수 없는 자료이기 때문에, 현재 남아있는 자료들을 대상으로 본고에서는 그 일부에 대한 번역을 통해 관련 내용들을 정리해 보고자 한다.

---

4 보천교와 관련된 공문서들은 대부분 국사편찬위원회가 소장하고 있고, 일부는 국가기록원과 아시아자료역사센터(http://www.jacar.go.jp/)에 소장되어 있다.

2 공문서 생성과 보천교에 관한 공적 기록들

원래 일본제국은 제국의회가 입법권을 행사했으나, 강점된 조선은 원칙적으로는 조선총독이 입법권을 행사하는 특수지역이었다. 조선총독부는 독자적으로 제령制令을 반포할 수 있었고, 이에 따라 총독부의 각 기관은 공문서를 수발하고 있었다.[5] 먼저 일제강점기 치안관련 조직의 구성과 변화를 살펴볼 필요가 있다. 당시 종교단체들은 학무국이 담당하고 있었지만, 1915년 「포교규칙」의 공포에 의해 보천교 등은 '유사종교단체'로 분류되어 경무국의 통제를 받고 있었기 때문이다.

1910년 강점 때부터 1919년까지는 일반적으로 무단통치기라 부르며, 헌병경찰에 의한 군사적인 지배가 이 시기의 주요 특징이다. 조선총독부의 소속관서로 중앙에 경무총감부警務總監部가 있었고, 각 도道에는 경무부가 설치되었다. 그리고 도道 경무부는 관할 경찰서를 지휘하는 조직형태였다. 여기에 헌병은 최고 치안책임자였다. 곧 중앙의 헌병대 사령부로부터 각도 헌병대와 그 아래의 헌병분대가 경찰업무를 관장하면서 두 조직(헌병, 경찰)의 장을 겸하는 헌병경찰체제가 수립되었던 것이다. 이러한 체제에서 헌병은 육군

---

5 1910년 일본 천황의 긴급칙령(칙령 제324호 '조선에 시행할 법령에 관한 건' 1910.8.29. 이 칙령은 제국의회의 승인을 받지 못해 동일한 내용으로 1911년 법률 제30호로 다시 공포되었다.)을 보면, "제1조. 조선에서 법률을 요하는 사항은 조선총독의 명령으로 규정할 수 있다. 제6조. 제1조의 명령을 制令이라고 칭한다."고 하였다.

대신의 관할 하에 있으면서도 치안유지와 관련된 경찰사무 집행은 조선총독(혹은 상급의 총독부 경찰관)의 지휘를 받고 있었다.

　이러한 일제강점기 초기의 관제는 1919년 3·1운동을 계기로 크게 변화했다. 1919년 8월 공포·시행된 칙령[6]에 의한 관제개정으로, 헌병경찰제도가 폐지되면서 중앙의 독립관청이었던 경무총감부와 각 도 경무부 등이 폐지되었다. 그리고 도지사가 경찰권을 행사하게 되었으며, 종래 헌병분대와 분견소가 설치되어 있어 경찰서를 두지 않았던 지방에도 경찰서와 주재소를 설치하게 되었다. 중앙에는 폐지된 경무총감부 대신에 경무국이 설치되었고, 여기에 경무과, 고등경찰과, 보안과, 위생과를 두었다. 이러한 관제구성은 1945년까지 지속되었다.[7]

　그리고 각 도(전국 13도)에 있는 경무부는 경무총장의 지휘를 받았다. 도道의 경무부장과 도장관道長官(초기에는 조선인 6명, 일본인 7명)의 관계를 보면, 규정상으로는 도 경무부장은 도장관의 명령에 따라 지방경찰 사무를 집행하도록 하고 있었다. 그러나 보통 각 도의 경무부장을 맡은 현역 육군좌관佐官[8]에게 도장관의 명령은 그다

---

6 1919년 8월 19일, 하라原敬 내각시대에 조선총독부 관제의 획기적인 개정안이 공포되어 20일부터 시행되었다. 주요 내용은 총독임용의 범위를 확장시킴과 더불어 "총독은 천황에 直隸하며 위임된 범위 안에서 육해군을 통솔해 조선방비를 관장한다"라는 조항을 삭제하고, "안녕질서의 保持를 위해 필요하다고 인정될 때는 조선에서 육해군의 사령관에게 병력사용을 청구할 수 있다"라고 개정했다. 이 때 문관 출신자의 총독 임용의 길을 열어놓았으나 실제로 등용된 사례는 없었다.
7 다만 부분적인 변화는 있었는데, 예를 들어 1937년 일제가 중국을 침략하면서 효율적인 전쟁수행을 위해 식민지 조선을 총동원체제로 재편할 때, 총독부 기구도 이에 맞추어 바뀐다. 1939년 경무국에 防護課를 설치해 防空, 消防, 水防 사무를 보았고, 1938년에는 경무과에 경제경찰계가 신설되고, 1940년에 경제경찰과로 분리·독립되었다.
8 경무총감부의 長인 경무총장은 朝鮮駐箚憲兵長인 陸軍將官(영관급)이었고, 각 도의 경무부장은 각도 헌병대장인 육군좌관(위관급)이었다.

지 강제력을 갖지 못했던 것이 당연했다. 따라서 1915년에는 규정을 개정하여, 경무부장의 치안업무 수행에 도장관의 승인이 필요하다는 제한을 두어 도장관의 통무권統務權을 강화했다. 1919년 관제개정 때에는 도장관을 도지사로 바꾸면서 도지사의 권한을 대폭 강화해 나갔다. 도지사 아래 지사관방과 제1~3부를 두었는데, 3부는 지방관제 외부에 두었던 헌병경찰제도를 폐지하고 도지사가 경찰권을 행사하도록 만든 기구였다. 여기의 부장에는 도 사무관이 임면되었고, 1921년 2월의 관제개정 때는 이러한 제 3부가 경찰부로 개칭되었다. 그 안에는 경무과, 고등경찰과, 보안과, 위생과를 두었다.[9] 이렇듯 식민지 조선을 통치했던 일제는 이렇게 해서 조선총독부 경무국을 정점으로 해서 그물망처럼 짜인 근대적 경찰조직을 정보기관처럼 운용했고, 이 기관들이 식민통치의 기초 정보를 수집하는 과정에서 많은 비밀기록을 생산해 내었다. 이러한 식민지 경찰의 비밀기록 생산은 식민지에 대한 억압기제의 산물이었다.

특히 경찰조직 내의 보안과, 고등경찰과의 사찰과 정보수집 과정에서는 수많은 비밀기록이 생산되었다. 그들은 문서 취급상의 지시사항으로 비밀을 요하거나 주의해 취급할 공문서에는 '비祕' '인비人祕' 등의 표시를 붉게 쓰거나, 또는 미리 고무인으로 만들어 두고 날인하였고 번호를 달아 반드시 밀봉密封하여 각 관련부서로 송부했다. 1921년 「충청북도 처무규정」에는 공문서의 번호에 관한

---

9 헌병경찰제가 폐지되고 보통경찰제가 시행되면서, 경찰에 민간인을 임용했고 조선인의 생활과 활동을 감시 통제하기 위해 경찰서와 경찰관의 수를 증가시켰다. 1府·郡에 1 경찰서를 설치하여 警視·警部로 그 長에 임명하고, 경부 아래 警部補를 두면서 종래 조선인에 한하여 임명한 巡査補를 폐지했다. 그리고 1面 1주재소를 기준으로 경찰기구를 확장하였다.

조항을 신설해 놓았는데, 제86조 2항을 보면 "비밀 및 인사에 관한 문서는 '문서건명부'의 번호에 '충북비忠北祕' 또는 '충북경비忠北警祕' 또는 '충북경고비忠北警高祕' 등의 문자를 관冠하여 문서 주무과 또는 고등경찰과에서 붙인다"고 하였다.[10] 현재 남아있는 보천교 관련 공문서들에도 거의 대다수가 이러한 '비祕' 자가 적혀있거나 혹은 날인되어 있다. 그리고 관리번호는 '경종경고비京鍾警高祕('경성 종로경찰서 고등경찰과 비밀문서'의 줄임말)' '경고특비京高特祕' 등으로 되어 있음을 볼 수 있다.

이렇게 국내외에서 수집된 정보를 취합한 조선총독부의 해당 경무관련 부서에서는 필요에 따라 정보를 다시 일본 본국이나 각 군 수뇌부 및 해당 정보와 관련된 관계자들과 공유하는 과정을 진행했다. 예를 들어, 1919년 「불온자不穩者 발견처분의 건」(1919. 1. 14.)의 경우도 "지금 국권회복國權恢復을 표방한 선도교仙道敎인 사교도邪敎徒의 불온기획을 발견하여 취조 중"임을 알리면서, 그 발송처로 조선총독부의 총독과 정무총감 뿐만 아니라 '내각 총리대신, 각성各省의 대신大臣, 척식국장관拓殖局長官, 경시총감警視總監, 군 사령관軍司令官, 양 사단장兩師團長, 헌병대 사령관憲兵隊司令官, 관동장관關東長官, 관동군 사령관關東軍司令官, 검사총장檢事總長' 앞으로 발송하고 있었다.

특히 1910년대 비밀리에 포교하던 보천교가 식민권력의 집요한 공작으로 1922년 1월에 교명을 등록·공개했고, 그 직후인 1922년 3월 27일에는 조선군 참모부가 「태을교에 대하여」라는 공문서를 생성한다. 이는 그동안 비밀리에 포교활동을 전개하면서 국권회복

10 박성진·이승일, 앞의 책, 79쪽.

운동과 연결되어 있던 보천교의 실체를 확인하고 각 관계기관에 알리려는 문서로 보인다. 이 공문서는 '육군성, 참모본부, 예하부대, 조선총독부, 조선헌병대 사령부, 관동군 사령부, 봉천귀지소장貴志少將, 봉천독군督軍 고문, 길림독군 고문, 니시尼市(이르쿠츠쿠) 특무기관, 북만北滿 파견대 사령부, 합시哈市(하얼빈) 특무기관, 포조(浦潮. 블라디보스토크) 파견군 사령부, 남부 오소리(러시아 연해주 지역의 도시인 우수리스크) 수비대, 중국 주둔군 사령부, 중국 공사관부附 무관, 청도 수비 육군참모부, 진해 요항부要港部, 육군 운수부 부산지부, 상해 소림소좌小林少佐, 간도 연락반, 훈춘 연락원員'으로 광범위하게 발송되었다. 또 조선의 각 지역(예. 평안남도)에서 생성된 공문서도 조선총독 뿐만 아니라 내각총리대신, 각 성 대신, 척식국 장관, 경시총감, 조선군사령관, 조선 양 사단장, 조선헌병대 사령관, 관동장관, 관동군 사령관 등으로 발송되고 있었다. 다시 말하면, 평남 도지사가 식민지 조선의 치안상황에 대한 주요 사건을 보고할 때, 본국 일본의 대신大臣들은 물론 각 지역 점령지 사령관 모두가 상황보고의 대상이었던 것이다. 일제의 식민지 지배 결정에 참여하거나 영향을 미칠 수 있는 상층부 간에 정보공유 현상이 폭넓게 진행되고 있었음이 확인 가능하다.

이렇게 조선총독부가 생성한 많은 공문서들이 '비밀문서'로 취급되어 자의적 폐기 또는 소각되었다. 보천교와 관련된 기록들도 예외가 아니었다. 현재 확인할 수 있는 공문서 자료는 대략 90개 정도이다.[11] 추정컨대 총독부의 각 기관에서 생성한 보천교 관련 자료들

11 본고에서 고찰한 90여건의 공문서에는 공판·심문조서 및 아래와 같은 단행본 성격의 보고서는 제외되었다. 朝鮮總督府, 『朝鮮の保護及倂合』(1917); 平安南道, 『洋村及外人事情

도 다수였으나 1945년 8월 15일을 전후하여 대부분 소각, 폐기되었을 것이다. 앞서 언급했듯이, 현재 남아있는 자료들도 대부분이 비밀자료들이다. 그 중 남아있는 목록을 내용별로 분류하여 살펴보면 다음과 같다.

시기별로는 1910년대가 5건, 1920~1924년도가 43건, 1925~1929년도가 11건, 1930~1936년도는 하나도 없었고, 1937~1939년도가 18건이었다. 그리고 1940년대는 13건이었다. 당연히 3·1운동 이후 조선독립을 위한 국권회복 운동이 활발히 진행되었던 1920년대 전반기의 공문서가 다수였음을 알 수 있다. 이는 공문서의 내용에서도 확인되는데, 내용별로 보면 '보천교 소개 등 일반적인 내용'이 3건, '보천교의 국권회복 및 독립운동' 관련 내용이 22건이었다. 이러한 '국권회복과 독립운동' 관련 공문서는 1910년대가 3건, 1920~1924년대가 15건, 1925~1929년대가 3건이었다. 그리고 '보천교 성토, 박멸, 내홍' 내용이 11건, 〈시대일보〉 사태' 관련 건이 9건, '보천교 재흥 및 유사종교' 관련 건이 29건(이는 모두 1937년 이후의 공문서들이다), 기타 내용이 15건이었다. 그 대표적인 공문서들은 보면 다음과 같다.

① '보천교 소개 등 일반적인 내용'의 공문서
- 「태을교太乙敎 포교布敎에 관한 건」(경무국 고등경찰과, 1920.6.10.)
- 「태을교에 관한 건」(평안북도지사, 육군성, 1920.6.10.)
- 「태을교에 대하여」(조선군참모부, 1922.3.27.)

一覽』(1924); 全羅北道, 『普天敎一般』(1926); 朝鮮總督府, 『朝鮮の統治と基督敎』(1933); 村山智順, 『朝鮮の類似宗敎』, 朝鮮總督府(1935) 등이다.

② '보천교의 국권회복 및 독립운동' 관련내용

- 「태을교도 검거에 관한 건」(전라북도 경무부, 1919)
- 「불온자 발견처분의 건」(전라북도 경무부, 1919.1.14.)
- 「독립운동자금을 위한 중국지폐 위조자 검거의 건」(경무국 고등경찰과, 1919.10.18.)
- 「태을교도 검거에 관한 건」(경무국 고등경찰과, 1919.12.26.)
- 「국권회복을 목적으로 한 단원의 검거」(경무국 고등경찰과, 육군성, 1921.3.31.)
- 「국권회복을 목적으로 한 태을교도의 검거」(경무국, 1921.5.10.)
- 「태을교도의 폭동에 관한 건(제1보)」(경무국, 1922.8.22.)
- 「불령선인 국민대표회의의 근황에 관한 건」(상해 총영사, 1923.2.14.)
- 「국민대표회 대표 이름에 관한 건」(경무국, 1923.2.21.)
- 「상해정보」(경무국, 1923.8.7.)
- 「의열단원 오복영吳福泳 등의 행동에 관한 건」(경성 종로경찰서장, 1923.9.28.)
- 「보천교진정원 불온문서 사건에 관한 건」(경성 동대문경찰서장, 1923.10.2.)
- 「의열단원의 행동에 관한 건」(경성 종로경찰서장, 1923.10.2.)
- 「의열단원 검거의 건 속보」(경성 종로경찰서장, 1923.12.26.)
- 「의열단원 검거의 건」(경성 종로경찰서장, 1924.1.7.)
- 「보천교도의 행동에 관한 건」(경성 종로경찰서장, 1924.2.20.)
- 「김좌진 일파의 행동」(관동청 경무국장, 1924.11.10.)
- 「김좌진 군자금을 얻다」(관동청 경무국장, 1924.11.26.)
- 「보천교 혁신회 간부의 동정動靜과 교도 이민移民 정책」(관동청 경무국,

1925.2.5.)

- 「정의부正義府 지부장 회의□□□□에 관한 건」(안동安東영사, 1925.3.13.)
- 「정의부와 보천교와의 군자금 모집계획에 관한 건」(경기도경찰부 고등경찰과 1925.11.10.)

③ '보천교 성토, 박멸, 내홍' 관련 내용

- 「각파유지연맹 행동에 관한 건」(종로경찰서장, 1924.4.4.)
- 「강연회 보고에 관한 건」(경성 종로경찰서장, 1924.9.28.)
- 「보천교 토론 강연회에 관한 건」(경성지방법원 검사정, 1924.10.3.)
- 「서울청년회 창립 제4주년 기념회에 관한 건」(경성 종로경찰서장, 1924.10.7.)
- 「보천교혁신회 공정公庭 명도明渡에 관한 건」(경성 종로경찰서장, 1924.10.11.)
- 「보천교 간판 탈취에 관한 건」(경성 종로경찰서장, 1924.11.1.)
- 「보천교의 동정에 관한 건」(경성 종로경찰서장, 1924.11.1.)
- 「보천교 신구파 내홍에 관한 건」(경성지방법원 검사정, 1924.11.3.)
- 「보천교의 분쟁에 관한 건」(경성 종로경찰서장, 1924.11.3.)
- 「혁청단 강연회 보고」(경성 종로경찰서장, 1925.1.15.)
- 「보천교 본소本所에서의 혁신운동 야기의 건」(경성 종로경찰서장, 1925.11.12.)

④ '〈시대일보〉 사태' 관련 내용

- 「〈시대일보〉 대 보천교에 대한 사상단체의 동정에 관한 건」(경성 종로경찰

서장, 1924.6.10.)

- 「보천교회 및 시대일보사의 동정에 관한 건」(경성 종로경찰서장, 1924.6.14.)
- 「〈시대일보〉에 대한 보천교의 태도에 관한 건」(경성 종로경찰서장, 1924.7.6.)
- 「시대일보사 건件 조사회에 관한 건」(경성 본정경찰서장, 1924.7.14.)
- 「시대일보사 제1회 이사회에 관한 건」(경성 종로경찰서장, 1924.8.11.)
- 「주식회사 시대일보사 발기인회 상황에 관한 건」(경성 종로경찰서장, 1924.8.11.)
- 「〈시대일보〉 속간에 관한 건」(경성 본정경찰서장, 1924.9.2.)
- 「보천교혁신회 선전문 인쇄에 관한 건」(경성 종로경찰서장, 1924.9.20.)
- 「〈시대일보〉 경영에 관한 건」(경성 종로경찰서장, 1924.9.25.)

⑤ '보천교 재흥 및 유사종교' 관련 내용

- 「인도교人道敎 간부의 신국가 건설 위장 사기사건에 관한 건」(수원경찰서장, 1937.3.11.)
- 「인도교 간부의 신국가 건설 위장에 따른 보안법 위반 및 사기 등의 사건에 관한 건」(경기도 경찰부장, 1937.3.13.)
- 「유사종교 삼황선도교三皇仙道敎 검거에 관한 건」(경기도 경찰부장, 1937.3.23.)
- 「유사종교 삼황선도교에 관한 건」(경기도 경찰부장, 1937.3.26.)
- 「선도교도의 불온계획 검거의 건」(강원도 경찰부장, 1937.8.21.)
- 「인도교 간부의 신국가 건설 위장에 의한 보안법 위반 및 사기사건 검거에 관한 건」(수원경찰서장, 1937.11.20.)

- 「선도교도의 불온계획 검거의 건」(강원도 경찰부장, 1937.12.23.)
- 「심리연구를 표방한 보안법 위반 및 사기사건 검거의 건」(연천경찰서장, 1938.9.27.)
- 「용의류종容疑類宗 검거에 관한 건」(경기도 경찰부장, 1938.11.12.)
- 「태극교太極敎라고 칭하는 불온 유사종교 검거의 건」(강원도 경찰부장, 1938.11.18.)
- 「인도교의 보안법 위반 사기사건 검거의 건」(연천경찰서장, 1938.12.2.)
- 「용의류종 검거에 관한 건」(경기도 경찰부장, 1939.2.2.)
- 「선도교 검거에 관한 건」(경기도 경찰부장, 1940.7.16/7.18/9.1/9.5/14. 4/12.21.)
- 「증산교 재건사건 검거에 관한 건」(경기도 경찰부장, 1940.7.29.)
- 「선도교에 관한 건」(양평경찰서장, 1940.9.11.)
- 「선도교 검거에 관한 건」(양평경찰서장, 1940.10.26.)
- 「증산교 교도의 불온언동에 관한 건」(수원경찰서장, 1940.10.26.)
- 「증산교 재건사건 검거에 관한 건」(경기도 경찰부장, 1940.11.4.)
- 「선도교 사건 송국送局에 관한 건」(경기도 경찰부장, 1940.12.12.)

⑥ 기타 내용
- 「조선종교사에 나타난 신앙의 특색」(학무국, 1920.11.3.)
- 「형평사 혁신동맹의 건」(경성 종로경찰서장, 1924.4.26.)
- 「국제무산청년회 기념일의 상황에 관한 건」(경무국, 1924.9.12.)
- 「고려공산당 대표회 결의안 반려返戾의 건」(내무성 경보국장警保局長, 1924.10.30.)
- 「학우회學友會 최근의 행동에 관한 건」(경시총감, 1924.12.12.)

민족운동사학회에서 추최한 '보천교와 보천교인의 민족운동' 학술대회

3 보천교 관련 공문서의 주요 내용

　다음은 현재 남아있는 공문서를 중심으로 그 내용을 정리하여 본다.[12] 정리를 위해 공문서는 아니지만, 보천교 내용이 포함되어 있는 각종 보고서 중 다음의 일부도 함께 참조하였다.

---

12 이러한 공문서들 중 「태을교도 검거에 관한 건」(1919. 12. 26)/「태을교 포교에 관한 건」(1920. 6. 10)/「국권 회복을 목적으로 하는 단원의 검거」(1921. 3. 31)/「국권 회복을 목적으로 하는 태을교도의 검거」(1921. 5. 10)/「흠치교吽哆教 사건의 취급에 관한 건」(1921. 5. 14)/「태을교太乙教에 대해서」(1922. 3. 27)/「상해上海 정보」(1923. 8. 7)/「의열단원의 행동에 관한 건」(1923. 10. 2)/「의열단원 검거의 건」(1924. 1. 7)/「보천교 진정원眞正院 불온문서 사건에 관한 건」(1924. 1. 7)/「보천교도의 행동에 관한 건」(1924. 2. 20)/「보천교 혁신회 선전문 인쇄에 관한 건」(1924. 9. 20)/「보천교 동정에 관한 건」(1924. 11. 1)/「김좌진 일파의 행동」(1924. 11. 10)/「김좌진金佐鎭 군자금을 얻다」(1924. 11. 26)/「보천교 혁신회 간부의 동정과 교도 이민 정책」(1925. 2. 5)/「보천교 혁신회 간부의 동정과 교도 이민 정책」(1925. 2. 19)/「정의부正義府 지부장 회의 개최□□에 관한 건」(1925. 3. 13)/「조선총독부 경무국장 대시국천자大時國天子 방문 극극劇」(1928. 10. 9)/「아사리淺利 경무국장이 동천자東天子를 방문」(1928. 10. 10)은 『일제강점기 보천교의 민족운동 자료집 I』(2017)에서 1차로 번역(김철수 역)을 마쳤고, 이에 대한 해제 글은 안후상(「일제강점기 보천교의 민족운동사 연구를 위한 사료 검토-일제의 '판결문'과 '공문서'를 중심으로-」)이 정리하였다. 또 금번 『일제강점기 보천교의 민족운동 자료집 III』에 번역(김철수 역)·게재된 공문서의 목록은 다음과 같다. 「상해 불령선인의 근황에 관한 건」(상해총영사, 1925. 8. 14.)/「유정근俞政根 체포 및 판결」(경성지방법원, 1923. 8. 27.)/「강연회 보고에 관한 건」(경성 종로경찰서장, 1924.9.28.)/「고려공산단체 중 제3회 정기대표회의 결의안」 중 '종교에 관한 문제'(내무성 경보국, 1924. 10. 30.)/「독립운동자금으로서 중국지폐 위조자 검거의 건」(경무국 고등경찰과, 1919.10.18.)/「의열단원 검거의 건. 속보」(경성 종로경찰서장, 1923.12.26.)/「불온자 발견처분의 건」(전라북도 경무부, 1919. 1. 14.)/「용의류종容疑類宗 검거에 관한 건」(경기도 경찰부장, 1938.11.12.)

- 「조선사상사건 판결. 선도교도의 조선독립운동 사건」(『사상휘보』 21호, 1939년 12월)
- 『고등경찰요사高等警察要史』(경상북도 경찰부, 1934) 중 보천교 관련 내용
- 『고등경찰에 관한 관내상황』(전라북도, 1926. 6.)의 「관내 유사종교」
- 『대정大正 13년 관내상황』(고등경찰과, 1924. 7.)의 「종교와 종교유사단체」

이상의 문서를 중심으로 주요한 내용을 개략하면 다음과 같다.

1) 보천교 일반

일제강점기에는 종교단체 뿐만 아니라 각종 단체활동이 기본적으로 제한을 받고 있었다. 특히 종교단체들이 3·1민족독립운동을 주도한 이후 식민권력의 감시는 더욱 심해졌다. 식민권력의 입장에서 "종교계는 두 종류로 나눌 수 있다. 첫 번째는 독립운동 기타 민족을 위해 결사조직으로 성립시켰던 것이며, 두 번째는 순연한 종교"였다.[13] 전자의 종교단체는 끊임없는 주의와 감시의 대상이었다.

전자[역자 주: 독립운동 관련 종교단체]는 일본인의 압박이 심하기 때문에 민족적 비밀 결사를 삼았다. 때문에 다수의 민족 혁명자가 수령이 되어 정치적 의미를 가지고 가르침을 믿게 하였다. 3·1운동 당시에도 각 종교계가 공통적으로 혁명에 참가했다. 때문에 우리들은 정치적으로 직접 종교를 타파하는 일

---

13 「高麗共産團體 중 第三回 定期代表會議 決議案」 중 '宗教에 관한 問題'(내무성 경보국, 1924. 10. 30.)

에 전력을 주력해야만 한다.[14]

　당시 종교 유사 단체의 중심을 이루고 있는 것은 천도교, 시천교侍天敎 및 보천교 등이었다. 기타 청림교靑林敎 및 황조교皇祖敎 등도 있었지만, 그 신도는 소수였고 활동도 미미하여 특기할 만한 사항이 없었다. 보천교는 발생지인 전라북도 뿐만 아니라 강원도와 경상북도 등지에서 교세를 확장하면서 활발한 활동을 하고 있었다.

　(강원도에서) 보천교는 1922년 말에 신도가 불과 176명에 지나지 않았다. 1923년 말에 일약 1,265명의 다수 신도를 확보하며 급격한 신도 증가를 보였다. 현재 천도교 및 시천교가 계속적으로 쇠미할 즈음에, 보천교는 두드러지게 활동을 계속하고 있다. 보천교는 태을교라고 칭하고, 극비리에 미신 사설邪說을 희롱하여 어리석은 사람을 유혹 입교시켜 상당수의 신자를 확보하였다. 도내에도 1921년 경부터 이러한 신도들 사이에 미신을 이용해 마침내 국권회복 독립운동의 획책을 강의함에 이르러, 결국 그 음모가 폭로되어 수 백명의 연루자가 검거되기에 이르렀다. 그 수뇌자들이 각각 처형되자 이로 인하여 일순 좌절되어 잠시 그 자취를 감추기에 이르렀다.
다음으로 1922년 1월경부터 태을교를 보천교로 개칭해 종래의 비밀 권유를 폐지하였다. 관헌의 양해를 얻어 공공연하게 일반 민중에게 교헌을 반포하고 보천교 선교사를 임명하였다. 각 지방 모두에서 종래 태을교의 잘못을 설하고 보천교의 참됨을 설하면서 극력 권유 연설활동을 하여, 작년 7월 강릉에서 보천교 정교부正敎部의 신설을 보고, 금년 12월 춘천에서 보천교 강원도 진정원을, 양양에 보천교 정교부를 개설하고, 다만 고성 그밖에 핵심 지역에 점차 포교 기관의 완비를 도모하여 대대적으로 교세의 확장을 계속 획책하였다. 이와 같이 해서 본교는 더욱 우세를 점해 각지에 산재하는 한편, 태을교도가 분발하여 이에 들어오는 자 많아 최초 선포하는 진면목인 교헌 같은 것은 이것을 설해, 이로써 지방 우민을 유혹하는 수단의 형태가 되었다. 마침내 본교에 입교하면 조선독립의 여명에는 고위고관을 맡긴다는 이야기를 하고, 혹은 병액病厄이나 그 밖의 재난을 면하여 일가—家 행복을 향수享受한다거나 혹은 갑자년에는 국난을 회복한다는 이야기를 포교수단으로 이용하고 있다.[15]

(전라북도에서) 종교 유사단체의 주요한 것은 천도교, 상제교, 보천교, 미륵교, 무극대종교, 단군교, 대화교, 청림교, 수운교 등이다. 이들 단체 중 가장 주의를 요하는 것은 관할인 정읍군 입암면 소재의 보천교로써 최근 내홍이 연달아 생겨 교세의 쇠퇴가 심해져도 그 잠재 세력 있어 마땅히 업신여기기 어려운 점 있다.[16]

(경북지방에서) 신도는 봉화·군위·의성에 가장 많다고 하며, 도내 전반적으로 보면 대략 궁핍한 벽지에 산재해 있다. 그리고 교도수와 집금액에서 1928년도는 1927년도에 비해서 약간 감소를 보였다. 또 표면상으로는 무계無稽하고 미신적인 언동이 감소하였지만 이면에서는 교주의 등극·관위의 수여·재액災厄극복 등의 언사를 늘어놓으며 활발한 활동을 하여 무지한 민중은 이를 맹신하여 장래의 영예로운 지위와 행복을 몽상하여 비밀리에 입교해 신앙을 받드는 자가 아직도 적지 않다. 1928년 중 판명된 부분만 해도

---

15 『대정大正 13년 관내상황』(고등경찰과, 1924. 7.)의 「종교와 종교유사단체」
16 『고등경찰에 관한 관내상황』(전라북도, 1926. 6.)의 「관내 유사종교」

가산을 매각해서 본부에 본인이 직접 납입한 자가 34명에 6만 5900원이고, 본부 소재지로 이주한 자가 25가족이 있었다."[17]

이로 미루어 보천교에는 다수의 사람이 몰려들어 상당한 교세를 유지했고, 또 많은 자금을 확보하고 있었던 것으로 보인다. 그리고 도시지역에도 신도들이 많았겠지만 주로 한벽한 곳을 중심으로 교세를 형성하고 있었다.

보천교는 강증산 사후(1909), 그 제자 중 한 사람인 차월곡이 형성한 교단이다. 처음에는 뚜렷한 명칭이 없이 태을교(또는 흠치교)라 칭하고 오로지 비밀포교를 신조로 하여 교리를 유포하고 신도들을 모집했기 때문에 당국의 엄중한 단속을 받아왔다. 그러다 1922년 1월에 서울 창신동(이후 가회동으로 옮김)에 보천교 경성진정원을 설립하면서 교단명칭을 '보천교'로 알리고 교단을 공개하게 되었다. 이처럼 보천교가 공개되자마자 식민권력은 3월에 보천교에 관한 상세한 내력을 정리한 공문서를 조선통치와 관련된 각 관계기관에 발송하였다.[18]

여기에는 우선 "조선 남부[남선南鮮] 방면에서 세력을 지닌 태을교는 그 교리 저급하여 이에 귀의하는 자들도 역시 하층저급下層低級한 다수의 무리로 많은 염려를 요要한다. 종래 조선인은 일반적으로 미신에 강력히 이끌리어 종종 사단事端이 발생하는 사례로 보아 그

---

17 경상북도 경찰부, 『高等警察要史』, 1934.
18 「태을교太乙教에 대해서」(朝特報 第11號. 1922. 3. 27). 1920년 6월 10일에는 「태을교 포교에 관한 건」(高警 第17263號)의 공문서로 흠치교, 태을교 및 선도교仙道教의 유래를 첨부하여 내각 총리대신, 각성 대신, 척식국장관, 경시총감, 검사총장, 조선군사령관, 양兩사단장, 헌병대 사령관, 진해요항부 사령관, 관동장관, 동同군 사령관에 발송한 바 있다.

세력의 소장消長은 상당한 주의를 요하는 것으로 인정된다”고 경계해야 할 단체임을 내세웠다.[19] 그리고는 그 내용으로 ‘서언’을 적고, ‘내력’으로 ‘교주 강일순의 출생, 강일순의 편력, 신종교의 창설, 기이奇異한 주문, 교주의 이적異蹟, 교주의 죽음과 대분열, 제2세 차경석(그는 동학당 수령이 생전에 아끼던 사람이다), 기이의 전설, 태을교 입교의 의식’을 정리했으며 마지막에는 ‘현황’으로 상당한 분량의 보고서를 작성하였다. 참고로 ‘서언緒言’의 내용을 살펴보면 이렇다.

태을교는 최근 항간에 무식 계급에 적지 않게 세력을 가지고 있는 종교단체로 흠치교 또는 보천교라고 칭한다.

본교는 지금부터 10여 년 전, 전라북도 고부군古阜郡의 강일순을 중심으로 해서 일어난 기괴한 종교로, 본교本教을 처음 만들자마자 바로 삼남三南(충청·전라·경상) 지방에 전파되고, 지금은 서북지방까지 도달하여 그 교도 무량수無量數 10만이라 칭한다. 그리고 헌성금獻誠金이라는 명칭 아래 수십만 원의 큰 돈을 징수[징집徵集]하는 일이 있으며, 원래 본교는 종교로 인정되지 않는 단체로서 당국은 이를 정치운동을 음모하는 비밀단체라 보아 그 검거 자주 엄밀하게 해서, 수년 이래 강원도와 삼남지방에서 수백 명의 교도들을 체포 처형시킨 일이 있다. 또 작년 봄에는 전주에 모인 십만 원의 돈을 압수하고 다수의 교도를 체포하였다. 그 후 관헌의 취조는 더욱 엄중해졌다.

따라서 종종 본교를 중심으로 한 기괴한 소문이 떠돌아 다닌다. 본교를 신봉하면, 그 제2세 교주 차경석(錫에 石으로 쓰다)이 갑자년(대정 13년. 1924) 4월 황제가 되어 수도를 계룡산(충청남도)에 두게 되고, 마땅히 그

19 「태을교太乙教에 대해서」(朝特報 第11號. 1922. 3. 27).

교도는 마음대로 고관 귀작高官貴爵을 받을 수 있다고 한다. 또는 앉아서 세계의 형세를 알 수 있는 능력을 얻는다거나, 혹은 장생불사의 수명을 얻는다거나, 더 심하면 천제天帝를 알현할 수 있고, 죽은 부모를 대면할 수 있다고 한다. 또 생전 명토冥土에서 수명을 임의로 연장할 수 있다는 등을 말해 그 허망황탄虛妄荒誕한 설설設說은 도저히 식자識者로서는 믿을 수 없을 것 같다.

그런데 앞에서 서술한 바와 같이, 관헌의 압박이 더욱 심해져 그 교도들 중에 영리한 자들은 이처럼 교도가 박해를 받으면 견디기 어렵다고 보아 당국의 양해(당국에 유사종교단체로 등록하여 교단을 공개하는 일을 말한다-역자)를 얻어 공연표방公然標榜할 필요가 있다고 하였다. 그리하여 경성에 경성본부를 설립해 당국의 양해를 구하려고 노력 중인데도, 이 또한 교도 사이에 의견이 갈리어 심한 충돌이 발생하였다. 한편 시내 제동齋洞에 태을교 본부가 있으며, 또 동일하게 동대문 밖 창신동에도 태을교 본부 및 보천교가 있고, 남대문 밖의 모처에도 또한 태을교의 본부라고 칭하는 곳도 있다. 시험 삼아 이들의 본부인 곳을 방문하면, 어느 쪽도 동일하게 활기 없는 중년 이상의 남자가 결발結髮하고 삿갓을 쓰고 두루마기를 입고 상위자리에 앉아 있는 것을 볼 수 있다. 그 삭발하는 점에서 보면 마치 청나라 말년에 일어난 의화단義和團과 비슷한 점이 있다. 하여간 수백만의 교도를 가지고 기괴한 주문을 외우면서 소원을 성취할 수 있다고 말한다.[20]

---

20 「태을교太乙敎에 대해서」(朝特報 第11號. 1922. 3. 27). 이 보고서는 조선통치에 직·간접적으로 관계있는 기관으로 광범위하게 발송되었다. 육군성, 참모본부, 예하부대, 조선총독부, 조선헌병대 사령부, 관동군사령부, 봉천귀지소장貴志少將, 봉천독군督軍고문, 길림독군고문, 니시尼市특무기관, 북만北滿파견대사령부, 합시哈市특무기관, 포조浦潮파견군사령부, 남부오소리수비대, 지나주둔군사령부, 지나공사관부附무관, 청도수비육군참모부, 진해요항부要港部, 육군운수부 부산지부, 상해소림소좌小林少佐, 간도연락반, 훈춘연락원員으로 발송되었다.

그러나 1924년 〈시대일보〉 사태로 축발된 보천교 성토가 진행되면서 교단은 어려움에 처하게 된다. 성토대회가 시작될 무렵부터 보천교에 대한 조사보고들이 연이어 이루어졌다. 1924년 9월 27일, 중앙기독교 청년회관에서 개최된, 서울청년회 주최의 강연회에서는 보천교의 내력 및 사기와 위선적 미신 포교의 실례를 들어 죄과罪科를 보고한 후, 청중들이 등단해 보천교를 성토했다. 여기서 연사들은 당시 보천교의 부정적인 실태를 보고하고 있었지만, 그 가운데 보천교의 교명의 의의, 기원, 교의, 약력 역사, 차경석의 실체, 대시국, 행정기관, 천자등극설이 미뤄지게 된 사연 등 다양한 내용들이 함께 보고되었다. 원문은 다소 많지만, 이날 강연회에서 보고한 내용을 간추려 보면 아래와 같다.[21]

보천교는 자칭 미륵불인 강증산으로부터 시작되었고, 그는 서천대법국천계탑西天大法國天啓塔에서 출발해서 천하를 주유周遊했으며 9년간 천지공사를 행하였다. 천지공사를 행할 때는 만고신명을 소집하여 백지에 글자를 써서 소각했다. 차경석의 본명은 윤홍輪洪으로, 차경석의 아버지 차치구車致九가 동학란 때에 피살당한 후, 차경석은 동분서주하면서 다니다가 전주에 가서 일진회원이 되어 음양복수陰陽卜數로 광언망설하며 여기저기 돌아다니던 중에 강증산의 제자가 되었다. 증산이 사망한 후, 차경석은 자기의 이종누이異從妹였던 강증산의 처 고씨[역자 주-고판례이다]를 유인해서 자신의 집에 유치하여 세상에 널리 알렸다. 곧 고씨는 도통하여 옥황상제 즉 강증산의 조서詔書를 내려받을 수 있었기 때문에, 정성正誠이 지극한 자는 고씨를 보는 것이 가능하고, 만약 보고 싶으면 반드시 폐백을 받치라 선전하여

21 「講演會 報告에 관한 件」(경성 종로경찰서장, 1924.9.28.)

비단을 3, 4회 받은 뒤에 고씨를 만나게 했다: 그렇게 해서 금전을 사취했고, 반드시 고씨를 보고자 할 때에는 상에 홍색의 비단보자기로 싸서 그 안에 옥황황제의 조서가 있다고 말하였다. 이를 바탕으로 수집한 금액이 거액에 달했다. 이처럼 고씨를 이용하였다. 그러나 마지막에는 모든 교인들의 신앙이 전부 고씨에게 돌아감에 따라, 차경석은 고씨를 쫓아내 버렸다.

이러한 보천교의 교의는 이른바 일심상생一心相生 거병去病 해원解怨이라 말하며, 주문은 「훔치훔치 태을천상원군 훔리치야도래 훔리함리사바아」이다. 보천교가 숭배하는 신은 다음과 같다. 이른바 성전에는 강증산을 주임主任으로 하고 왼쪽에는 구천상제, 오른쪽에 칠성신을 봉안해 예배하였다. 그밖에 동자신童子神, 조왕신 등이 있으며, 일반 교도는 우선 도수度數를 믿었다. 지금의 선천도수는 모두 가고 후천 5만년 무극도수가 오기 때문에, 진실로 차경석이 5만년 무극도수 대시국의 천자가 된다고 말하였다. 그리고 모년某年은 그 도수가 곤도수坤度數가 된다고 하여 무극이 태극이 된다. 그런 까닭에 무극도수인 후천세계에는 '결발結髮'을 하지 않으면 안 되고, '결발'은 태극이 된다고 말하였다. 후천에는 서양인도 '결발'하여 왕의 지위太極가 된다. 또 동양은 음陰도수, 서양은 양陽도수가 된다. 따라서 선천先天은 양도수이며 후천后天은 음도수이기 때문에 선천에는 서양문명이 동점東漸하고 후천에는 동양문명이 서점西漸한다. 일본은 화火도수이기 때문에 지진이 많고, 조선은 목木도수이기 때문에 푸른 옷을 입어야 하고 교인들도 푸른색 옷을 입는다.

신유년[1921]에 차경석이 방주들을 소집해 예언하기를, 명년에는 반드시 호열자[역자 주: 콜레라를 말한다]가 유행할 것이므로 모과木果를 준비해 탕복蕩服하면 병이 침투하지 못하고 전쾌全快할 것이라 하며 교인으로 하여금 돈 수만 원을 써서 모과를 매입하게 하였다. 이것이 3년 전의 일이다.

최초의 교명은 태을교이며, 주문에 '훔치'라는 말이 있어 훔치교라고도 하고, 후에 차경석이 보화교普化教라고 개칭했다. 당국에 일종의 양해를 얻을 때는 보천교라고 개칭하기에 이르렀다. 보화普化란 갑자甲子 4월에 등극해서 일반 민중은 보천普天하게 된다는 것이다. 보천이란 차천자車天子가 천하를 통일한다는 것이며, 현재 교도 수는 약 30만이고, 교도가 가장 많은 곳은 제주도로 전 인구 4만에 2만이 교도이며, 다음으로 경상남북도이다. 신유년[역자 주: 1921년이다] 9월 24일, 함양 황석산黃石山에서 방주方主 및 정리正理를 소집해서 천지에 제祭을 올린 후, 그 국호를 대시大時라 하고 교명을 보화교라 했다. '대시국진정대보大時國眞正大寶'라고 왕의 칭호를 새기고 자신은 곤룡포왕이 입는 의류를 입고 제위에 등극했고, 그 때 옥황상제에게 기도하여 이를 알리고, 교인들에게 금전과 물품을 사취한 것이 대략 다음과 같다. 오색비단 2백 필, 장지章紙 5,990원, 소 40여 마리, 쌀 50석, 제물이 2만여 원, 합계 8만 여원이다.

차경석은 대명보종황제大明普宗皇帝의 후신이라 칭해서 대시大時라는 국호國號를 선포한 후, 자칭 대시국 황제라 하였다. 무기인戊己印을 조각했다. 그것은 중앙토中央土로 황제의 도장이었고, 황후의 도장도 만들어 자기의 부인에게 주었다. 갑자년[1924] 4월에는 차경석이 등극한다고 했으나, 지금에 이르러서는 다시 거짓말을 만들어 말하길, 차천자가 기사년[1929]에 등극한다고 하였다. 갑자년에는 등극 운수만 오겠지만, 지금부터 5년 후 술간기사 4년 사이에는 분명히 등극할 것이라 말하고 금전을 취하였다.

기미년[1919]에 차경석이 상해에 가정부假政府가 설치되었다는 이야기를 듣고, 각 방주에게 말하기를, 정감록에 가정 3년에 진정眞正이 바다의 섬 가운데서 나올 것이라 말하였기 때문에 우리들은 진정원眞正院을 설립하기로 정하였다. 작년 3월, 경남 진주에 진정원을 설치할 때에 교도들에게 말하기를,

올해는 포교 15년에 해당하는 해이며 15의 수는 천도天道에 부합하는 것이기 때문에 진주에 진정원을 설립하고자 하는 것은 진주眞主인 진정眞正의 출현 이전임을 믿었기 때문이다.

다음에 보천교도의 피해상황을 말함에, 조선 전역에 교도가 바둑판 같이 흩어져 있다. 바둑판 말馬이 국내局內에 없으며 안 되듯, 또 정읍은 왕도인 까닭에 교도는 전부 정읍으로 이주해야 한다고 하여, 각 도에서 정읍 근방으로 이주한 가구 수가 수천 여 호에 달했다. 그 교도가 이주할 때에는 가대家垈 재산을 전부 팔아서 본부에 납입했기 때문에, 적수공장赤手空掌으로 배고프고 추운 자, 죽음을 부여잡고 아이를 데리고서 걸식 배회하는 자들이 그 수를 알 수 없을 정도였다. 또 정읍에 이주해서 가산을 탕진하여 고향에 되돌아가는 자 현재 속출하고 있다. 먼저 입교했을 때에는 1주일 동안을 밤낮으로 자지 않고 주문을 읽어 교인의 정신을 미혹시킨 후에, 매우 가난한 자에게는 8임을 권고하여 40원씩을 허위로 취하고 가장 유력한 자에게는 6임을 권고해서 1500원을 선납시켰다고 한다.

이 외에도 '차경석의 사치' '차경석 모친의 국장國葬'[22]에 대한 이야기도 있다. 또 차경석은 16년 전, 황소 1필을 구입하여 두고 교인들에게 '이 소가 말하는 날에 천자가 되며, 그 날 저녁 천하가 크게 정해져 화초가 무궁할 것'이라 말했으나, 3년 전 12월에 이 소가 병사했기 때문에 이 말을 비밀로 해서 같은 색의 소를 비밀리에 정읍 본소에 사 두었다. 이 소는 범인凡人들의 안목으로는 소로 보이지만, 사실은 용마龍馬이며 자기가 장래 탈 용마라고 하였다.

---

22 재작년 7월, 차경석이 그 어머니를 잃었을 때 천자의 어머니는 성모聖母이기 때문에 아무쪼록 국장을 모방해서 12도감 등을 두고 장례를 집행했다. 총 장례비용이 30여만 원으로 그 때 모인 인원은 교인 및 기타 8만 2천여 명에 달했다. 전부 총 합계가 백만 원 이상에 도달했다고 한다.

차경석의 죄악을 성토하고, 우리들은 우리의 생명을 위해 또 장래의 우리 민족을 위해 하루라도 빨리 이 해독인 보천교를 파멸시켜서 3천만 동포를 구하지 않으면 안 된다. 사람이 사람을 구하려는 일을 침묵으로 보고 있을 수만은 없다. 제군들이여, 이 3천만의 우리 동포의 생명을 빼앗으려는 보천교를 어찌하면 좋겠는가. 이 밖에도 보천교의 불미한 일 실로 많지만 그것은 생략한다. 오직 우리들은 이 경우 어떻게 해서든 그들의 해독에서 3천만의 동포를 탈출시킬 수 있는가를 생각하지 않으면 안 된다.

그리고 또 다른 연사가 등단하여 '제군들이여, 우리들에게 해를 끼치는 종교는 저 보천교 하나만은 아니다. 이 때 청중은 탈선이라 꾸짖어 일어서 멈추라고 소리쳐 잠시 단에서 내려왔으며, 다시 단에 올라가서 이야기를 계속해서 주장하였다. 다시 단에 올라 오해하지 마시고 내가 결코 보천교와 관계있는 자가 아님을 믿어 주어야 한다.'

2) 국권회복운동과 보천교

보천교의 국권회복 운동은 3·1운동 이전부터 보여지고 있었다. 1919년 1월 14일, '국권회복을 표방하는 선도교인 사교도의 불온 기획을 발견'하였다.[23] 이 사건으로 차월곡 외 42명이 검거 대상이었고 다수가 검거되었다.

전라남도 제주도 구우면 수원리 거주 무직 이찬영李燦英이란 자, 작년[1918] 11월 12일 목포 입항의 배로 제주도에서 내착해 몰래 큰 돈을 따로 운반한다는 소문을 목포경찰서에서 듣고, 동인同人의 소재를 파악해 취조한 바,

---

23 「不穩者 發見處分의 件」(전라북도 경무부, 1919. 1. 14.)

본건과 같은 사실을 발견하기에 이르렀다.

차륜홍車輪洪은 강증산이 재생해서 조선을 통일할 것이라는 등 터무니없는 말로 계속해서 희롱하였다. 1916년경에는 남선南鮮 지역 각지에 다수의 교도를 얻게 되었고, 동년 12월경 같은 교도 중의 중립자重立者 여러 명을 정읍의 자택으로 소집해 이후 3년을 기한으로 국권을 부흥해야 한다는 뜻을 밝혔다. 그리고 성공하는 날에는 각 중요한 지위를 줄 것이라고 말하고 회동자의 동의를 얻었고, 그 준비로써 본부를 정읍에 두고 내무계, 외무계, 재무계를 두어 각 사무를 분담해서 적극적으로 교세의 발전과 자금의 모집에 노력해야 할 것을 협의하였다. 1916년 이래 여러 사람이 돈을 낸 금액은 대단히 다액에 달했던 것 같아 취조의 결과, 금일에 이르기까지 판명된 것은 약 2만 9천원이 되었고, 또 이찬영이 목포에서 몰래 보낸 금액은 7천원으로 제주도에서 교도로부터 모은 것이다.

이 사건은 목포경찰서에서 취조 중이며, 보안법 위반으로 사기취재取財로 송치할 예정이었다. 그러나 차월곡은 1917년 11월 소재를 감추어버려 체포하지 못했고 그 밖의 다른 교도들 다수는 체포되었다.

또 3·1운동 이후에 발각되어 김형렬金亨烈(위봉사 신도 총대표. 태을교주), 곽법경郭法鏡(위봉사 住職) 등 16명이 검거되고 보안법 위반으로 해당 검사국에 송치되었지만, 3·1운동 전해부터 전개되었던 사건도 있었다.[24] 그 내용을 보면 다음과 같다.

---

24 "종래 흠치교, 태을교 및 선도교의 유래와 더불어 그 관계는 여러 설 구구해서 다시 판명해야 할 것이다. 본 건의 검거와 함께 상세하게 말한다 해도 그 일부분을 알게 되었음으로 그 유래를 별책으로 첨부하였다."(「태을교도 검거에 관한 건」,高警 第36610號. 1919. 12. 26)

발각의 단서

지난해 8월 태을교 교주 김형렬金亨烈은 동 교도와 함께 홀연히 전라북도 전주군 위봉사威鳳寺의 신도가 되었다. 이후 위봉사 및 위봉사의 전주포교당에 회합해 거주하였다. 한편 위봉사 주지 곽법경郭法鏡도 미신사교인 태을교도로서 불교에 귀의하였다. 이로써 세도世道 인심을 이롭게 한다고 칭해 각지에 순회 포교하면서 태을교도의 불교 귀의를 권하여 꾀하고 있었다. 김형렬과 곽법경은 불교도인 가명 아래 몰래 태을교도를 규합하여 자기의 사욕을 채우고, 또한 장래 같은 교의 단체적 세력을 이용해 불온한 계획을 세우고자 하였다. 이와 같은 사실을 탐지하여 11월 12일 검거에 착수하게 이르렀다.

(중략)

범죄의 동기

태을교 교주 김형렬은 대정 7년(1918) 8월 16일, 미리 알고 있던 전라북도 전주군 위봉사 주지 곽법경을 그 임시 거처인 경성부 황금정黃金町 4정목四丁目으로 방문해, 태을교는 미신교로서 관헌의 단속이 엄중하여 공공연하게 포교하는 일이 가능하지 못하나, 귀하는 다행히 현재 절 신도의 권유에 힘쓰고 있기 때문에 우리 교도를 표면적으로 절의 신도로서 취급을 받도록 한다면, 위봉사의 경비는 물론 승려의 수당 등도 부담을 할 것이라고 부탁하여 곽법경이 승낙하였다. 이로써 태을교도는 표면적으로 위봉사의 절의 신도가 되고 그 가명 아래 숨어서 공공연히 위봉사, 위봉사 말사 금산사 및 위봉사 전주포교당에서 회합해 태을교의 포교를 하기에 이르렀다.

범죄 사실

김형렬은 위봉사 전주포교당에서 스스로 절의 신도 총 대표가 되어 곽법경을 포교사에, 기타 절의 신도 부총대副總代 2명, 서무원, 재무원 및 서기 각 1명의 기관을 두었다. 지금도 경기, 충청남북, 전라남북, 경상남북, 황해, 평북 및 강원도 각 도에 절의 신도 총대總代 백 명을 두고 교묘하게 관헌의 시선을 피해 아래와 같은 언동을 하면서 오로지 태을교의 입교 권유에 노력하였다. 특히 올 봄에 소요[3·1민족독립운동이다—역자]가 발발한 후에는 미묘한 민심을 이용하여 조선의 독립을 풍자하였다. 또 단체의 세력 양성이 필요하다고 역설하여 다수의 교도로부터 기부금 기타의 명의로 적지 않은 금액을 거두어 모아, 이것을 김형렬과 곽법경 등 간부들이 착복하게 되었다.

그래서 본 건 검거 당시, 위봉사에 비치된 태을교에 속한 절의 신도 명부에 의하면, 약 4천 5백 명이 등재되어 있고, 미등재된 사람도 적지 않았다.

(1) 대정 7년(1918) 음력 9월 19일, 즉 흠치교(증산교)의 개조 강일순姜—淳의 탄생일에 즈음하여 태을교도가 불교에 귀의한 가명 아래에서, 전라북도 김제군 수류면 금산리 금산사(위봉사 말사)에서 제1회 태을교도의 회합을 개최하였다. 그 이래 김형렬은 그 부하와 곽법경과 함께 각 방면에 걸쳐서 포교 또는 입교를 권유하면서, 태을교를 신앙하면 질병이 있는 사람은 쾌유하며, 질병이 없는 사람은 더욱 강건해지고, 또한 모든 원하는 것이 성취된다(조선 독립의 성공을 의미한다). 그리하여 본교는 공공연하게 신앙하는 일이 가능해지고, 이로써 표면적으로 위봉사의 절 신도가 되어 본교를 신앙하고, 또 신자는 이런 의미에서 타인에게 입교를 권유할 만하다고 설설說하였다. 새로운 입교자는 서약서에 서명 날인한 후, 총대總代의 손을 거쳐 입교한다. 입교 후는 전주포교당의 경비經費라고 칭해 각 사람들로부터 연간 30전을 거두고 또한 이밖에 50전 내지 10원의 기부를 강요해 다액의 금액을 거두어들였다.

(2) 태을교를 열심히 신앙하고 또 다액의 금전을 기부하는 자는 갑자년 흠치교의 개조 강일순 선생이 소생해서 동양의 맹주가 될 때 고위고관직에 오를 것이다. 또 그 때에는 태을교도 이외 사람들의 재산 전부를 받아들여 태을교도는 그것을 분배 받을 수 있을 것이다.

(3) 흠치교의 개조 강일순 선생은 돌아가신 후에 하늘에 올라 미륵불이 되어 살고 있으며, 태을교도는 미륵불에 많은 금품을 기부해야만 할 것이다. 평소 기부를 하는 사람은 병란, 흉년, 악질의 삼재三災를 면할 수 있을 것이다.(미륵불은 위봉사 말사 금산사 이외의 절에는 없으므로 금산사의 미륵불에 많은 기부를 하니, 이것이 김형렬과 곽법경 등이 착복하는 수단이 되었다)

(4) 곽법경은 금산사 승려 김익현金益鉉에게 태을교도로서 불교에 귀의한 자 현재 7천여 명 달하고 이후 더욱 증가할 경향이 있다. 따라서 장래 조선의 일을 이야기하고 또 이를 단행함에 모두가 단체의 세력에 기대하면 그 목적이 도달될 수 있을 것이다. 불교 귀의는 실로 큰 단체임을 잃지 않는다. 자신은 김형렬과 모의하여 이러한 의미에서 태을교도를 위봉사 절의 신도로 만들고, 당신도 함께 권한다면 암암리에 단체의 세력을 키워 장래 조선이 독립될 것이라 계획을 풍자하였다.

아직도 김형렬과 곽법경 이외의 앞에서 표기한 피고 등은 위에 두 명의 뜻을 받아들여 신도 모집의 수단으로 조선의 독립을 풍자하고 그 밖의 불온한 언동을 발설한 자들이다.

(5) 올해 11월 6일(음력 9월 14일) 전주포교당에서 김형렬은 30여 명의 신도들을 대상으로 흠치교 개조 강일순 선생이 다시 태어나 동양의 맹주가 된다면 조선은 독립하고 자신은 재상에 이를 것이라고 하였다.[25]

25 「태을교도 검거에 관한 건」(高警 第36610號. 1919. 12. 26)

3·1운동 직후인 1919년 10월 18일에는 경상북도 제3부에서 담당하여 검거한 '독립운동자금으로 충당하려는 중국 지폐 위조 사건'이 발생하였다. 당시 대한광복회가 지폐를 위조하여 독립운동자금을 마련하려는 활동을 하고 있었던 것으로 보아 이와 관련되어 있고, 또 김좌진과 연계될 수 있는 상황으로 보인다. 대한광복회는 군자금 모집, 친일부호 처단, 무기구입, 독립군 양성 등을 목적으로 1915년 7월 대구에서 조직된 비밀결사였다. 그리고 조직은 총사령에 박상진, 부사령에 이석대가 맡고 있었고, 부사령은 만주에서 독립군 양성을 담당하였다. 그러나 이석대가 전사한 뒤에, 김좌진이 맡아 1915년부터 국내외에서 활동을 하고 있었고, 그의 주요활동이 군자금 모집이었다. 그러다 1915년 12월에 설치된 길림광복회 조직을 맡았고,[26] 여기서 김좌진은 지폐를 위조하여 군자금을 모집하려는 방법을 시도했다.[27] 방법은 1917년 음력 4월 중 중국 안동에서 중국지폐를 위조한 후 정화正貨와 교환하여 군자금으로 충당하려던 계획이었다. 그러나 1918년 1월 관련자들이 체포되어 계획은 실패했다. [28] 이러한 화폐위조의 시도는 국내에서도 이루어졌다. 김석연, 이기정, 이철순은 당시 국내에서 유통되고 있던 일화日貨 50전 은화를 위조하려는 방법을 사용하였다. 이들은 실제로 위조를 시도해 동전 제작에 성공했으며, 이를 대량으로 제작하기 위

---

26 「新民府 金佐鎭 被殺은 確實」(〈매일신보〉 1930. 2. 13); 「凶報를 確傳하는 白冶金佐鎭訃音」(〈동아일보〉 1930. 2. 13.)

27 「不穩言動者 發見處分의 件」, (강덕상, 『현대사자료』 25, 39~41쪽); 「金石然 李起鼎 李哲淳 판결문」(1918. 7. 19. 경성지방법원)

28 대한광복회 조직은 김좌진의 화폐위조 사건과 함께 1918년 초 대부분이 체포되어 해체되고 있었으나 만주에 있었던 김좌진은 체포를 면해 이후 만주 항일투쟁에서 선봉에 설 수 있었다.

해 기계 구입비용을 마련하고 설계까지 마쳤으나 발각됨으로서 뜻을 이루지 못했다.

그러면 3·1운동 직후의 중국 지폐 위조사건은 어떤 내용이었는가를 살펴보자.

경상북도 대구부 덕산정의 하일청河一淸(40세)은 훔치교의 선생으로 종래 각지를 배회하는 재산가로 불평을 품고 있었던 조선인들에 대해 몰래 훔치교(본교는 미신 사교로서 종종 조선의 독립을 주장하였다)에 계속해서 입교를 권유하고 있어 그의 행동에 주의를 기울이고 있던 중 사건이 발생하였다.

여러 차례 대구에서 그 거동이 더욱 불심한 점이 있었다. 이에 엄밀 내사 중인 바, 그가 상해 임시정부의 군무軍務총장 이동휘李東輝를 통해 조선의 독립을 기획하고, 나아가 자금조달을 위해 원래 이동휘 부하인 안우준과 박행원 등과 공모해 안우준의 집에 인쇄기계를 설치하고 중국 지폐를 위조해 상해 임시정부로 밀수출하고 있다는 단서를 얻었다. 이에 아직 미완성의 중국 위조지폐를 수습, 입수하였다. 10월 9일, 하일청은 경성으로 향해 출발할 때부터 부원이 미행해, 10일 경성 도착 후 수사의 결과, 인쇄소의 소재 판명을 해서 동 11일 먼저 수모자 2명을 체포함과 동시에 종로결찰서의 응원을 얻어 범인을 체포하였다. (중략) 그 증거품으로 지하실에 있던 다음의 물건을 압수하였다. 석판기계 1대, 석판지석砥石 4개, 약품 약 31종류, 위조 중국 지폐 약 2백만 원, 국치國恥경고문 1매, 다른 인쇄물 여러 종류.[29]

이 무렵은 3·1운동 직후 세워진 러시아 대한국민의회 노령정부,

29 「독립운동자금으로서 중국지폐 위조자 검거의 건」(경무국 고등경찰과, 1919.10.18.)

대한민국 임시정부(상해), 한성임시정부(서울)가 상해 대한민국임시정부로 통합되어(1919. 9. 11), 그 운영 및 독립운동 자금이 절대적으로 필요한 시기였다. 또 국권회복을 목적으로 하는 보천교인들이 계속 검거되고 있었다. 강원도 금화경찰서에서는 1921년 3월에 조준호趙俊浩 등 태을교인 16명을 검거했다. 그 사건의 개요는 다음과 같다.

조준호는 대정 9년(1920) 음력 4월에 알지 못하는 피고 우부근과 함께 경기도 고양군 용강면 청강리 60번지 태을교도 노중근盧重根을 방문하여, 이 사람으로부터 태을교의 목적은 국권 회복에 있는 까닭에 신도 권유는 비밀로 해야만 한다는 뜻을 들어 알았다. 결속을 단단히 하려는 목적으로 연명부에 연서하고, 집으로 돌아온 후 교도의 권유에 노력하였다. 피고 박창만朴昌萬, 김용섭金龍燮, 김광쇠金光釗, 안수철安壽喆, 한학교韓學敎, 김재훈金在勳, 김동수金東秀, 조학준趙學俊을 입교시켰다.

대정 9년(1920) 8월 15일 노중근을 경성으로 초대하여 입교자 16명을 편입해, 노중근은 입교자에게 조선은 조선인의 독립만세에 의지해 독립해야만 하는 까닭에, 우리 교도는 태을교에 의지해 독립을 계획해야만 하고, 그 목적을 달성하기 위해 일치단결해야 한다. 8명을 1조로 하여 동맹 의형제를 조직해 국권 회복을 계획함에 있다고 개시開示하였다. 이에 각 피고는 이를 믿고 8인조 2조를 조직해 연명부에 의지해, 각 피고 연서하고 닭의 피를 마시고 단결하여 그 목적 달성을 맹세한 이래 범의犯意를 계속해서 오늘에 이르렀다.[30]

30 「국권 회복을 목적으로 하는 단원의 검거」(高警 第9437號. 1921. 3. 31)

같은 해 5월에도 강원도 이천伊川경찰서에서 김문하金文河 등 국권회복을 목적으로 하는 태을교도 14명을 검거하였다.

김문하金文河는 시천교侍天教 신자로서 일찍이 배일排日 사상을 가져 오로지 동지의 규합에 노력하면서 기회가 오기를 기다리던 중, 우연히 김문하 부인이 병에 걸렸다. 대정 9년(1920) 12월 5일 태을교도로서 현재 원산지청에서 취조 중인 이치홍李致弘이라는 자를 내방하니, 태을교를 신앙하면 부인의 병이 완전히 완치되는 것은 물론 이후 재앙에 만나는 일이 없을 것이라는 감언에 속아 김문하와 그밖에 2명을 입교시켰다. 나아가 올해 2월 18일 이치홍은 김문하를 불러 태을교의 숨은 목적은 국권 회복에 있다고 말해, 태을교 수령 차석정車石井[차경석의 오기이다-역재]은 올해 중으로 황제가 될 수 있도록 활동 중인 신자들은 일치 협력해서 그 목적 달성에 노력해야만 한다.

그래서 교수教首 차석정[차경석의 오기이다-역재]은 관통공부關通工夫라는 신술神術을 연구 중에 있으며, 곧 그것이 완성될 때에는 세상만사 자기가 하고 싶은 대로 되며, 필요한 것은 물론 공중을 비행하는 일도 자유롭게 되며, 신자 1인으로 백만의 병사에 대항할 수 있는 능력을 얻을 것이다. 따라서 올해 5월 이후는 경찰 관리들이나 일본 군인들을 자유자재로 살해할 수 있게 된다고 거리낌 없이 말하였다. 또한 태을교 두령[교수教首]이 조선국 황제가 될 때에는 상응하는 관직을 줄 수 있다고 선전하였다. 이로써 김문하는 이를 흔쾌히 승낙하여 피고 박경문朴璟文 외 9명을 입교시켰다. 앞의 3월 2일부터 동 17일까지 국권 회복의 운동자금으로 각자로부터 돈 12원씩을 징수해, 이것을 이치홍李致弘에게 교부하고 이후 신자들에게 미신적 언사를 마음대로 하게 되었다.[31]

31 「국권 회복을 목적으로 하는 태을교도의 검거」(高警 第13765號. 1921. 5. 10)

3) 해외 독립운동과 보천교

뿐만 아니라 앞서 '지폐위조 사건'에서도 나타났지만, 이 무렵 보천교는 해외 독립단체와도 긴밀하게 연결되어 있었다. 보천교와 상해 임시정부의 연결도 공문서에서 종종 찾아볼 수 있다. 보천교의 인적人的 교세와 상당한 자금력은 독립운동에 필수요건이었기 때문이다. 다만 보천교가 국내에서 활동했던 '유사종교단체'였기 때문에 그 접근이 쉽지 않은 터였다. 「상해 불령선인의 근황에 관한 건」에도 그러한 내용이 보인다.

> 원래 (상해)임시정부의 간부였던 이동녕李東寧, 이시영李始榮, 김구金九 등은 현 정부[역자 주: 조선총독부이다]에 반대하여, 이에 대항할 만한 최근 통일회統一會[일명 통일당統一堂이라 칭한다]를 조직하였다. 그들은 조선 전라북도 정읍에 있는 '훔치교' 교주 차경석이 재산 수백만 원과 수백만 명의 교도가 있어도, 근래 총독부 관헌의 핍박이 심해, 해외 도항의 뜻을 보여, 이 즈음 그들을 이곳에 초치하여 그를 당주黨主로 추대해 각지 독립단을 통일하고자 다시 계획 중이다.[32]

당시 이처럼 보천교의 확장된 교세(인력과 자금력)는 그렇지 않아도 중국과 만주지역에서 인력(군사력) 충원의 어려움과 열악한 자금으로 인해 곤란을 겪고 있었던 독립운동가들에게는 큰 매력이었다. 위에 언급했던 김좌진은 자금모집 목적으로 1923년 5월(음력)에는 유정근을 국내로 파견하였다. 유정근은 본명이 유민식으로 한말 기

32 「상해 불령선인의 근황에 관한 건」(상해총영사, 1925. 8. 14.)

호학교畿湖學校, 대동법률전문학교에 재학했고, 1919년 4월 임시
정부 수립에도 참여하여 활약했으며, 임정의정원에 충청도 대표로
선임되었다. 이어 재정심사위원회, 예결위원회 의원으로 활약했고
민단부장民團部長에 임명되어 교민들의 활동을 통할하였다. 그리고
1922년 3월경 북로군정서 김좌진의 요청으로 다시 만주로 건너가
김좌진을 보좌했고, 이후 신민부 중앙집행으로 활동한 인물이었다.
김좌진은 이때 독립전쟁을 수행하기 위해 무기를 구입하려고 했다.
그는 유정근과 보천교도 신찬우申贊雨를 밀사로 파견하면서 국내 자
산가들에게 자금협조에 대한 문서(공함)를 보냈던 것이다. 그리고
유정근이 자신의 밀사임을 증명하기 위해 자신과 함께 찍은 사진을
동봉하는 방법을 사용하였다.[33]

이때 김좌진은 보천교주 차월곡을 만주로 초치招致하여 그의 자
금력을 비롯한 종교적 역량을 이용할 계획을 세웠다. 당시 보천교는
전국적으로 다수의 교도를 지닌 교단이었고, 교주 차월곡은 상당수
의 자금(300만원)을 소유한 인물로 파악되었다. 따라서 그를 독립운
동에 참여시킨다면 큰 성과를 거둘 수 있을 것으로 판단했기 때문이
었고, 여기에 큰 중점을 두었다. 곧 차월곡을 북만주로 도만渡滿시킬
수 있다면 보천교의 자금력을 활용하고, 보천교도들을 군인으로 만
들어 군사력을 증강시킬 수 있다는 판단이었다. 국내로 들어온 유정
근을 적극적으로 도왔던 자들은 김동진(김좌진의 친동생)과 김항규였
다. 김항규는 일찍이 김좌진과 단발을 단행했던 자이다.

---

33 「유정근兪政根 체포 및 판결」(경성지방법원, 1923. 8. 27.) ; 「軍資募集의 計劃 着手도
前에 發覺되어 逮捕金佐鎭의 사명을 받아가지고 온 兪政根이 事件의 中心이 된 모양」(〈조
선일보〉 1923. 8. 2.)

그러나 김목현金穆鉉이라는 자로 인해 만주독립군단 총사령관 김좌진 밀사 참모 유정근兪政根은 검거되었고, 김좌진과 보천교 간부의 연결 관계가 발각되었다. 김목현은 통화현通化縣에 소재한 사관학교인 신흥학교新興學校의 졸업생으로, 1920년 7월 경성 복심覆審법원에서 공갈죄로 1년의 형을 받았던 자이다. 그 동안 그는 상해 임시정부 요원 또는 만주 독립운동가들과 연락함으로써 총독부의 단속대상이었으나, 이후에는 경찰서의 형사순사부장 시마다島田와 야마우치山內가 그를 이용해 불령자 검거 방면에 이용하였다. 특히 보천교 내막을 내정內偵토록 명령받고 보천교에 접근하고 있었다. 보천교 경성진정원에는 각 방면의 형사 또는 밀정 다수가 출입하여 진정원 간부요원 등의 일거수일투족을 감시하고 있었다.

이 사건으로 유정근은 체포되어 3년의 옥고를 치른 후 출옥하자 다시 만주로 탈출하여, 1925년 3월에 김좌진, 김혁金赫 등이 영안寧安에서 조직한 신민부新民府에 참여하여 무력항일투쟁을 계속하였다.[34]

결과적으로만 본다면 유정근을 파견한 목적은 일정한 성과가 있었던 것으로 보인다. 김좌진은 1924년에 보천교로부터 5만 원의 자금을 지원받았으며 신민부도 보천교로부터 매년 상당의 보조를 받았다고 한다.[35]

---

34 무극대도교에 따르면, 김혁은 보천교 신도로 1916년 만주 유하현에서 조철제를 수련시켰다고 한다(이정립, 『증산교사』, 증산교본부, 1977, 69쪽. 여기에는 '신도'로 표현되어 있으나 다른 곳에서는 이 '신도'가 김혁이라 했다). 그러나 김혁은 국내에서 3·1운동에 가담한 이후 만주로 이주한 것으로 알려져 있어 시기적으로 어긋나는 점이 있다. 좀 더 상세한 고증이 필요한 부분이다.
35 국사편찬위원회, 『한국독립운동사』 4, 1968, 760쪽.

동녕부東寧府에 근거를 둔 김좌진은 9월 상순 태을교 본부 보천교 교주 차경석으로부터 5만원을 받아 동부同府에서 옛 부하를 소집하여 무력행동에 나섰으며 □□□동녕부에서는 불령선인不逞鮮人 두목 최진동崔振東은 □□□□□ 치안방해자□□□□□체포□□□□□김좌진은 동부에 침입하여□□□□□목하 길림성 영안현 영고탑□□부하를 파견하고 동녕부 지사와 □□운동運動□□□□□[36]

근년 김좌진은 자금 부족 때문에 부하를 해산하여 전혀 활동 불능 상태가 되었다. 이번 봄 조선 내 보천교 교주 차경석車景錫과 연락하여 만주 별동대로서 행동하게 되었다. 지난 10월 초순 교주 대표 모某씨가 영고탑寧古塔에 와서 2만여 엔의 군자금을 주었다. 이로써 김좌진은 이 돈으로 옛 부하를 소집해 삼차구三岔口에 근거를 두고 포교와 무장대의 편성을 계획해 동지를 인솔해 동녕현東寧縣에 들어가고자 하였다. 최진동崔振東[37]이 동현同縣 중국 관리 때문에 붙잡힌 것이 두려워, 영고탑에 되돌아가서 연락자를 찾아서 동현同縣 지사知事 매수 운동을 하였다고 한다.

김(좌진)은 종래 독립단의 두목으로서 상당히 인망이 있어 그가 상당한 군자금을 준비해서 부하를 널리 모집하니 다수의 참가자가 있었고, 보천교를 배경으로 해서 행동하려고 하였다.

36 「김좌진 일파의 행동」(祕 關機高 第30344號의 1. 1924. 11. 10)
37 만주에서 중국 순경국장巡警局長으로 근무하다가 1919년 3·1독립운동이 일어나자 군무도독부軍務都督府를 설치하고 무장독립군을 훈련시켰다. 함북 온성일대의 적 기관을 파괴하고, 군자금을 모집하는 등 대대적인 활약을 벌였다. 1920년 6월 4일에는 대한독립군을 지휘하여 봉오동鳳梧洞 부근에서 일본군 120여명을 사살하는 큰 전과를 올렸다. 북로군정서北路軍政署 김좌진金佐鎭 등과 청산리 전쟁을 승리로 이끄는데 기여하였다. 1924년 1월에 길림성장吉林省長이 동녕현지사東寧縣知事에게 보고하기를 "그를 단장으로 하는 대한도독부의 독립군의 수가 4,119명이요, 장총 4,059정, 기관총 27정, 대포가 4문 등이라."(〈동아일보〉)고 하여, 그 규모가 컸음을 알 수 있다. 그러나 1924년 9월에 마침내 동녕東寧경찰서에 체포되었다.

그의 장래는 상당히 주의를 요하는 것으로 인정된다.[38]

신민부뿐만 아니라 당시 보천교는 만주의 정의부와도 연결되어 있었다.

> 길림에서 돌아온 보천교 간부 김응두金応斗의 당지當地 경찰관헌에게서 흘러나온 바에 의하면, 길림성 성 아래 남쪽 길에 본부를 둔 정의부에서 군사, 서무, 재무, 외교, 사법, 경찰, 교통, 실업實業, 참모 9부를 두고, 이 사무를 장악하지만, 종래와 같은 방침으로는 도저히 독립□□이 의심스러워서 최근에 이르러 실업 및 교육 방면에 뜻을 두고 우선 실력의 양성을 촉진하여 서서히 독립을 계획하고자, 양기탁梁起鐸, 손정도孫貞道, 이청천李靑天, 손일민孫一民, 최일崔一 기타 정의부의 지도자[수흠首欽] 수 명이 발기하여, 자금 10만 엔의 예산으로 농무 조합을 설립해 토지상조土地商組 및 미간지 개척 등에 필요한 자금을 대부貸付하고, 농업을 장려하여 백성의 재산을 풍부하게 함과 동시에 한편 보통학교, 중학교, 서당書堂 등을 확장해 교육의 보급에 노력하여 국민정신을 함양하여 이로써 그 목적의 달성을 기대하였다. 각 관계자에 대해서 연구 결과, 이번 달 18일부터 정의부 본부에 각 지부장을 소집해서 토의하려고 지금 준비 중이라는 뜻을 □□□□□□ 통보를 하달함이라.[39]

상기의 '보천교 간부 김응두'는 1924년 8월경 이상호가 보천교 혁신운동을 일으켰을 때 보천교혁신회 고문으로 함께 활동했고, 또

---

38 「김좌진金佐鎭 군자금을 얻다」(祕 關機高收 第32743號. 1924. 11. 26)
39 「정의부正義府 지부장 회의 개최□□에 관한 건」(1925. 3. 13)

실패한 뒤 만주로 갈 때에도 동행했던 자였다. 그리고 정의부와의 관계는 제령 제7호 및 출판법 위반으로 징역 3년형을 받은 평안남도 평양부 상수리上需里 조만식趙晩植[40]의 활동에서 뚜렷하게 드러난다. 이를 보여주는 내용이 『양촌 및 외인사정 일람洋村及外人事情一覽』에 있는 「보천교도의 시국표방 강도」와 『보천교일반普天教一般』에 들어있는 「보천교 간부와 재외 불령단의 관계」이다. 공문서로 본다면, '대정 8년 제령 제7호 위반 강도죄 사건'으로 알려진 「정의부 및 보천교의 군자금 모집계획에 관한 건」(祕 關機高授第 32743號)이란 보고서이다. 이에 관한 상세한 전말은 본책의 '3장. 보천교 관련 보고자료 해제-『보천교일반』과 『양촌 및 외인사정 일람』'에 설명하였으므로 참조하면 된다.

이때 보천교와 정의부는 다음 사항을 협정했다.

①보천교는 재외독립단 사업의 원조를 위해 만주개척 사업비 30만원을 제공하여 사업을 경영하고 이로부터 생긴 이익금은 독립운동자금으로 충당한다.

②조만식趙晩植 이춘배李春培는 재외독립단과 연락 책임을 맡으며, 보천교 측은 두 사람이 유력한 독립단과 연락하여 확증을 얻으면 전항의 금액을 제공한다.

③전항 확증의 방법은 유력한 독립단에서 무장군인 수 명을 조선 내에 특파하는 방법을 강구하여 사기 독립단이 아님을 입증한다.

④독립단 측에 무장군인을 특파함과 함께 조선 내에서 군자금 모

---

40 '조만식과 권총단 사건'에 대한 증언, 신문자료 등 각종 자료는 안후상의 「보천교와 물산장려 운동」(1998, 369-372쪽)에 정리되어 있다. 여기 조만식과 고당 조만식曹晩植 (1883~1950)은 별개의 인물이다.

집에 종사하고, 보천교 측은 이에 필요한 여비旅費와 기타의 경비를 부담하고 자산가의 조사와 안내 및 모집에 조력한다.

⑤모집하여 얻은 군자금은 독립단과 보천교가 절반으로 한다.

그러나 실행을 하기 전에 경기도 경찰부원과 관할 정읍서井邑署의 단속에 걸려 일당이 체포되었다.

또 보천교가 만주의 의열단과 연결되었다는 자료들도 다수이다.[41]

보천교 청년회 대표로서 국민대표회에 출석한 경성 출신의 강일姜逸은 타인의 학생증명서를 빌려 7월 21일 상해에서 출범出帆하는 치쿠고마루筑後丸로 일본 내지를 향해 간다고 하며, 출발했다든가 혹은 경성에 귀환한다고 말하는 자 있고, 동제덕문학교同濟德文學校 생도 김홍섭金洪燮(전북 김제)과 변동화辺東華(전북 익산 또는 장성)도 동선同船하고 있었다고.[42]

오복영 등과 함께 조선에 들어온 조선인이 국민대표 회의에 보천교 대표라고 칭해서 출석하였다. 자칭 배홍길裵洪吉이라는 사람으로 전라남도에서는 상당한 내사가 필요하다고 인정하였다.[43]

특히 강일과 배치문[배홍길] 등이 상해 국민대표회의에 보천교 청년회 대표로 참석했다가 의열단 단장인 김원봉의 권유로 의열단에 가입해 활동하였던 것이다. 1924년 1월에 「의열단원 검거의 건」이 보이며, 1927년 12월 26일에도 「의열단원 검거의 건 속보續報」[44]가

---

41 이는 「상해上海 정보」(1923. 8. 7), 「의열단원의 행동에 관한 건」(1923. 10. 2), 「의열단원 검거의 건」(1924. 1. 7)과 연결된 공문서이다.
42 「상해上海 정보」(□高警 第2693號. 1923. 8. 7)
43 「의열단원의 행동에 관한 건」(京鍾警高祕 第11684號. 1923. 10. 2)
44 「의열단원 검거의 건 속보」(1927. 12. 26. 경성종로경찰서장).

나온다. 이 때 강일과 배치문裴致文,[45] 문시환,[46] 김정현 등 다수가 검거되었다. 여기서는 강일(본명 강홍렬)의 사례를 중심으로 살펴보려 한다. 「의열단원 검거의 건 속보」와 『고등경찰요사』의 「의열단의 자금모집 사건」을 참고하여 정리하였다.

강일姜逸의 공술 요지[47]

강일의 연락처인 합천陜川 읍내에 형사를 파견해 합천서陜川署의 지원을 받아 여행지에 대해 취압取押하여, 강제적으로 연행하여[인치引致] 조사하다. 이 사람은 경성 경신儆神학교와 중앙학교에 2, 3년씩 통학하면서 사상운동 단체들을 출입하고 있는 중, 대정 11년(1922) 7월 공산당원 고故 최팔용崔八鏞[48]으로부터 제다齊多에서 공산당 대회 개최하고, 그 후 상해에서 국민대

---

45 전남 목포木浦 사람으로 이명은 배홍길裵洪吉이다. 1919년 3·1독립운동 당시 목포 시장터에서 독립만세시위를 하던 중 일경과 충돌, 보안법 및 출판법 위반으로 징역 1년 6월형을 언도받고 옥고를 치렀다. 출옥 후에도 항일독립운동을 계속하던 중 1923년 5월 상해의 국민대표회의國民代表會議에 참석한 후 의열단義烈團에 입단하고 국내로 잠입하여 활동하다 체포되어 치안유지법 위반으로 옥고를 치렀다.
46 문시환文時煥(1897~1973)은 일제 강점기의 독립운동가로, 1923년 중국 상해에서 개최된 국민대표회의에 경남기성회慶南期成會 대표로 참가하였다. 상해에서 보천교청년회普天敎靑年會 대표 강홍렬姜弘烈 등과 함께 의열단義烈團에 입단하였고, 이른바 의열단 제3차 암살·파괴 계획으로 불린 계획을 실행하기 위해 조선으로 파견되었다가 구여순·강홍렬·김정현·오세덕·배치문·강일 등과 같이 일제 경찰에 검거되어 1923년 12월 경성 종로경찰서에 구금되었다.
47 강일姜逸은 일제강점기 열렬한 독립운동을 펴온 관암鶴巖 강홍렬姜弘烈(1895~1958) 이다. 3·1운동 당시 영남지역 학생대표로 독립선언문을 배포하고 보천교도였고 1923년 상하이에서 개최된 국민대표대회에 보천교 청년회 대표자격으로 참가했다.
48 최팔용(1891. 7. 13~1922. 9. 14)은 일본으로 건너가 와세다대학早稲田大學에 다니면서 1917년 2월 조선인유학생 학우회 편집부 부원, 1918년 3월 「학지광學之光」 편집인 겸 발행인이 되었고, 12월 유학생 중심의 독립운동방안 협의에 참여하고 김규식金奎植의 파리강화회의 파견을 지지했다. 1919년 2월 조선청년독립단을 결성하고 「2·8독립선언서」와 민족대회 소집 청원서에 대표자로 서명했다. 1920년 5월 홍원청년구락부 조직에 참여했고 그해 가을 서울에서 사회혁명당 결성에 참여했다. 5월 상해上海에서 개최된 고려공산당 창립대회에서 중앙위원 및 국내 간부로 선정되었다.

표회도 개최할 것이므로 출석하면 어떠한가라고 권유를 받았다. 최팔용으로부터 여비 150원을 받아 중국 쌍성보雙城堡에 거주 중인 현정건玄鼎健에게 대구 공산당 대표라고 적힌 위임장을 받아 제다齊多에 갔다. 그러나 예의 대표 자격 문제로 싸움이 일어나 목적을 달성하지 못하였다.

러시아 공산당으로부터 35원의 여비를 받았고, 현정건 쪽에서는 상해에서 160원의 대표회 출석 여비를 받아 보천교 청년회 대표로 대정 12년(1923) 1월부터 금년 6월까지 참석한 후, 금년 7월 김원봉金元鳳의 추천에 의해서 의열단에 입단하였다. 김원봉에게서 자네는 보통 단원이 아니고, 특별히 간부로서 인선된 이상, 단원들을 모집해서 상해로 보내고 또는 조선 내에 지부를 설치해서 이곳에 들어가라고 지시를 받았다. 또 자금 모집과 그밖에도 힘을 다해야만 한다고 명령을 받았다.

이를 승낙하여 조선에 들어올 즈음, 김원봉의 지시에 의해 상해 혜령惠靈전문학교 재학증명서를 얻어, 모지門司[일본 후쿠오카현에 있는 항구도시-역자] 경유, 7월말 부산에 상륙, 부산진 좌천동佐川洞의 최천탁崔天鐸을 만나 함께 동래읍내 허영조許永祚를 동래의원으로 방문해, 동지 문시환文時煥을 불러들여, 김원봉으로부터 보내온 신임장과 권총, 부호에 대한 협박문, 조선인 관공리에의 사직 권고문, 아울러 의열단 선전문을 지참하였으며 자신과 함께 이것을 사용해서 자금 모집을 해야만 한다는 김원봉의 명령을 전했다. 문시환은 이것을 승낙한 후, 상해 윤자영의 의뢰라고 칭해 안국동 김기수, 화동花洞 유치형兪致衡과 유장오柳章五 외 3명에게 윤자영 앞으로 송금할 것을 시달示達하고, 11월 2일경 대구 사람 내지內地 유학생 이상□李相□을 중국 북경에 데리고 가서 김원봉 등과 만나 무기 및 신임장이 필요함을 말하고, 휴대할 때는 발각될 염려가 있다고 하였다. 김원봉으로부터 안동현安東縣 박광朴洸 앞으로 부쳐야만 한다고 약속하였다. 앞에 보고한 바의 목적으로 조선에 들어왔으나 실행에 이르지 못했다고 공술하였다.

다른 말은 없지만 그 동안 박운표朴運杓 등의 동지와 함께 자금 및 단원 모집에 활동하는 형적形迹은 있어도 증거를 찾을 수 없고, 더욱이 자백하지 않아 계속해서 조사 중임.

문시환은 동래서東萊署에서 수배를 내렸고, 부산서釜山署에서 심문하여 당當 경찰서로 압송 취조取調되었지만, 당 경찰서에서 판명된 사실 외에는 다시 말하지 않았다. 다만, 의열단에 입단해서 신임장을 얻었지만, 북경에서 강일 곧 강홍열姜弘烈에게 보관을 의뢰했고, 조선에 들어온 이후 동지와 다시 3회 만났지만 어떤 돌출행동[돌행突行]도 하지 않았다고 말하였다.

오세덕의 아버지[실부實父]는 군수의 관직에 있었으나, 대정 8년(1919) 3월 이후 독립운동에 열중했다. 당시 신상완申尙琓이 조직을 계획하였던 독립단 도단獨立團道團의 우두머리를 맡아 임시정부로부터 초청을 받아 박용만朴容萬의 조카 박건병朴健秉과 함께 여비 150원씩을 받아 상해에 도착하였다. 이후 임시정부의 행동을 비판하고, 스스로 철혈단鐵血團을 조직해서 반대했으나 성공하지 못했다. 북경 박용만의 밑에서 놀고 먹으면서 공산당에도 투신하지 않다가, 블라디보스톡에 와서 러시아 영토 각지를 전전하며 고려공산당 대회에 출석하고, 대정 11년(1922) 여름에는 무관학교에 들어가려 했다.

---

49 오세덕吳世悳은 1919년 11월 대한민국임시정부의 철원군 조사원에 임명되어 활동하였다.

제21 시베리아西比利亞 보병학교에 입학해서 특별한 대우를 받은 후, 블라디보스톡의 모某학교에서 교사가 되었다. 공산당 총회에 출석했으나 흥미를 느끼지 못하여, 북경에 올 목적으로 자택으로부터 여비를 송부 받고 봉천奉天에 왔다. 그 때, 북경 기차가 다니지 않아[불통不通] 갈 수가 없어서 경성으로 돌아가 자택에 있으면서 해외 동지와 편지 왕래로 연락하여 의열단으로부터 비용을 지급받아 동경에 유학하려는 1인으로서 출발하려 했다. 아버지에 의해 만류당한 후, 동경에 있는 김영규金永圭로부터 조선인 학살 사실에 관한 보도를 받고, 이를 인쇄 배포하고자 했으나 달성하지 못하였다. 다시 이를 북경 천도교 내 김천우金天友에게 보내 인쇄 배포를 부탁하고, 기회를 보아 내지內地 또는 중국에 가려는 희망을 가지고 있는 중, 작년 말 김천우로부터 가까운 시일안에 친구가 밀행密行할 것이니 잘 부탁한다는 통신을 받아 기다리고 있었다. 그러던 중 구여순具汝淳이 서울에 와서 자금 모집과 암살 목적으로 조선에 들어온다는 뜻을 듣고 크게 기뻐하였다.

의열단원은 이전에도 입경入京할 때는 황옥黃鈺 등을 찾았고, 상황이 나쁠 때는 자택을 찾는 것이 사례가 되었다. 지금 우선적으로 자택을 방문하는 것은 신용이 두터운 것이라고 생각되며, 먼저 공산당으로부터 자금이 송부되면 자신의 수단으로 한성은행에 예입預入하는 것을 약속하였다. 자금모집의 방법에 대해서는 작년 말 연구의 결과로써 민간으로부터 강탈하고자 하면 수천 원 이상을 탈취하는 것이 불가능하고, 단체 중 보천교에는 수십만 원의 현금이 있으며, 차월곡이 이를 보관하고 있다. 특히 소재지인 정읍 모촌某村[대흥리이다-역자]은 한 마을 전체가 보천교도인 바, 이를 강탈하려면 다수의 사람이 필요하고 더욱이 운반에 성공하지 못할 것으로 예측되었다. 따라서 황모黃某(배치문裵致文?)라는 보천교에 신용이 두터운 자를 통하게 하면 이 사람이 내부의 정보를 얻어 착수할 수 있을 것이다. 그리고 김천우 등과 함께 지난 해 계획한 한성은행 습격을 단행하고자 하였다. 그 준비 여부를 물으니 구여순은 파괴 기구는 봉천 방면에서 보낼 예정이며, 도착을 기다려 재빨리 실행해야 한다고 답하였다. 그 전에도 작은 무기라도 있으면 개성지점에서 연말 즈음에 다액의 현금을 보낼 것이기 때문에 이를 확인하여 □□ 강탈해야만 한다. 현금을 수송하는 자는 한성은행원이며, 12월 30일경 경의선 열차에서 하차하여 은행 가방을 들고 있는 자가 있으면, 역驛에서 주의해서 보면 식별이 용이하다고 알려주었다. 좋은 기회이지만, 무기 부족 때문에 실행이 어려울 것이라 비관하고 후일을 약속하였다. 항상 은행에서도 현금 수송은 지배인 이외에는 비밀이기 때문에, 일찍이 숙직할 때 상세 조사해 두어야만 한다는 뜻을 부언하였다. 은행에서 탈취할 경우는 다른 동지들로 하여금 운반시켜야 한다. 오뭇는 이것에 간여하지 말아야 하며, 암살에는 김시현金始顯을 체포하려는 오종섭吳宗燮을 □□□ 살해해야만 한다고 주장하였다. 후일에 실행하는 것이나 그밖에 각종 만남의 기회가 오기를 기다린다.

(중략)

배치문은 소재 불명인 자로 목포서장으로부터 반전返電있어 소재 탐사 중임.[50]

강일 곧 강홍렬은 1923년 12월 29일 그의 고향인 경상남도 합천에서 체포되었는데, 그는 경성 경신학교와 중앙학교에 3년씩 다녔다. 그는 1922년 7월 공산당원 최팔용으로부터 여비 150원을 받아 북만주 쌍성보雙城堡에 있는 현정건의 소개로 대한공산당 대표로 러시아령 제다齊多의 공산당대회에 출석했지만 자격 문제로 분쟁이 생겼으며, 또 상해 국민대표회로부터 160원

---

[50] 「의열단원 검거의 건」(京鍾警□□ 第16789號. 1924. 1. 7)

의 여비를 받아 보천교 청년회 대표로 1923년 1월부터 6월까지 국민대표회에 출석하였다. 그 후 그해 7월 김원봉의 권유로 의열단 간부원이 되어 의열단의 행동을 원조할 것을 약속하였다. 먼저 자금 모집이 급한 용무임을 알고 조선 내에서 자금 모집이 가능한지 아닌지 시찰을 의뢰 받았다. 올해 초여름으로 바뀔 무렵에 동지인 배동지裵同知[역자 주: 배치문이다], 문승한文承漢[역자 주: 문시환이다]과 함께 조선에 돌아와 시찰한 후, 중국에 이르러 천진, 남경을 거쳐 북경에서 김원봉과 만나, 조선 내에서는 무기나 신용있는 의열단의 증표를 보이지 않으면 절대로 불가능하다는 뜻을 전하였다. 이에 김원봉 등은 미리 준비해 둔 신용장을 사용하여 군자금 모집에 착수하기로 결정하고, 강일, 배동지, 문시한에게 교부하였다.

강일은 단원 및 자금 모집계에 임명되어 1923년 여름 상해에 있는 혜령 전문학교의 재학증명서를 얻어 조선에 들어왔다. 그는 7월 말 부산진 좌천동 최천택·동래 읍내 허영조·동지 문시환에게 신임장·협박문·관공리 사직 권고문·의열단 선전문을 교부할 테니 자금 모집을 하도록 명령했다. 그 후 상해에 있는 윤자영의 부탁이라며 경성부 안국동 김기수와 화동 유치형 집에 있는 류장오 외 3명에게 윤자영(청송군 출신) 앞으로 송금하도록 강요하였다. 11월 2일경에는 대구 사람 이상쾌라는 자를 데리고 북경에 가서 김원봉과 면회하여 무기와 신임장이 필요하다는 것을 설명하고, 그것을 안동현에 거주하는 박광(고령군 출신) 앞으로 송부해줄 것을 약속받고, 다시 자금 모집의 목적으로 조선에 되돌아왔으나 실행에 이르지 못했다.

4) 보천교 진정원眞正院 불온문서 사건과 보천교의 고민

1923년 9월 1일, 일본에서 관동대지진이 발생했다. 일본은 이러

한 대내외적 위기상황에 직면하여 한국인과 사회주의자를 탄압할 기회를 엿보던 중이었다. 대지진은 좋은 기회를 제공하였다. 수도 도쿄東京과 가나가와현, 사이타마현埼玉県, 지바현千葉県에 계엄령이 선포됐다. 계엄령 아래에서 군대·경찰이 조직적으로 움직였고 각지에서 자경단이 조직되었다. 그리고 그들에 의해 한국인과 사회주의자가 수없이 피살되었는데, 약 6,000명 가량의 한국인이 학살당했다.

이러한 관동대지진의 소식은 식민지 조선에도 금방 전해졌다. 민심이 동요되었고 사회가 불안하였다. 그런데 보천교 진정원에서 이 기회를 이용하여 소위 '불온문서'를 만들어 배포하려던 사건이 발생했다. 그 간단한 내용은 이렇다.[51]

"경성부내 보천교 진정원은 동경지방 관동대지진에 수반된 민심의 동요를 이용하여 오는 부업품공진회副業品共進會 개최에 맞춰 사람 출입이 왕성함을 기해 불온문서를 산포散布하여 민심을 선동하려는 불온계획을 착착 진행하였다. 이미 일부의 준비를 마쳤고 진정원 간부 등은 이름을 보천교 의식참열儀式參列이라 칭하며 전북 정읍 소재 보천교 중앙본소를 향해 출발 준비 중이라는 정보를 접하였다.

더욱 내사內査를 시도하고 일을 긴급히 수배할 필요가 인정되어, 대정 12년 (1923) 9월 23일 오후 11시경 구리다栗田 경부의 지휘 아래 아마우치山內,

---

51 「普天敎眞正院不穩文書事件ニ關スル件」(京東警高祕 第3545號), 1923. 10. 2. 식민권력은 본 사건을 조사한 결과, 정보제공자가 보천교에 대한 불만으로 사건을 조작했다고 보고 정보제공자를 구속하면서 사건을 축소·종결지었다. 그러나 이 시기를 전후한 식민권력의 관련 공문서 및 보천교의 상황 등 여러 정황을 볼 때 한 두 명이 조작하였다고 보기에는 의심의 여지가 많다.

시마다島田 형사순사부장 이하 형사 9명을 보천교 진정원에 출장시켰다. 진
정원의 승낙을 얻어, 진정원의 가택을 압수 수색하여 별지와 같이 3종[역자
주 : 선전문, 서약장, 통지문] 모두 약 백여 매를 발견하기에 이르렀다.”

　소위 ‘불온문서’인 선전문宣傳文은 ‘순리循理의 천도天道는 악자惡者
를 증오僧하며 폭자暴者를 감계戒한다. 전 달에 도이왜적島夷倭敵의 제도帝
都인 동경東京에서 일어난 진재震災’ 운운하면서 시작된다. 종교단체
답게 불온문서는 ‘하늘의 순환이치’에서 시작하여 악한 자와 난폭한
자는 결코 하늘에서 용서치 않음을 서두에 내세웠던 것이다.
　그리고 관동대지진은 ‘섬나라 오랑캐 왜적[도이왜적島夷倭敵]’의 수도
인 도쿄東京에서 발생했으며, ‘역사적 광채가 빛나는 한민족이 금일
망국에 이르렀으나’ 다시 한번 기회를 맞아 일어설 것을 촉구하는
내용으로 이루어졌다. 제국주의의 도시[제도帝都]에서 발생한 대지진
을 기회로 한민족이 분연히 일어설 것을 촉구했다. 강점 치하에서
일본을 ‘섬나라 오랑캐 왜적’으로 표현하였다는 사실만으로도 민족
독립운동에서 보천교의 위상에 대한 새로운 평가가 가능하다. 비록
성공하지 못하고 체포되었지만 보천교를 재평가할 수 있는 하나의
자료로 보아도 무리가 없을 것이다.
　그러나 해(1923)를 넘기면서 당시 보천교는 어떤 행동을 취해야
할지 기로에 놓이게 된다. 1924년 2월의 자료에는 이러한 보천교
의 고민과 행동방향에 관한 내용이 보인다.[52]

　“보천교의 부침浮沈은 실로 기로에 서 있다고 해도 과언이 아니다. (중략)

---

52 「普天敎徒ノ行動ニ關スル件」(京鍾警高祕 第1760號), 1924. 2. 20.

독립운동을 시도해도 손병희의 3·1운동(1919. 3. 1)에도 미치지 못할 것이 분명하며, 연기延期의 방책으로 만주방면으로 차경석 이하 출동하여 일대一大 포교布教를 시도함으로써 기대를 실현 □□□□□□ 이에는 상당한 비용과 당국의 주목을 받아 생각보다 효과 심히 적어서 채용하지 못했다. (중략) 교도教徒의 신용 상 제 1로 천도교당 이상의 교당教堂 신축, 학교의 신축, 사회사업 시설을 경영하여 인기를 획득하는 수단으로는 100만 엔의 자금을 요한다. 그렇지 않으면 교도는 기대에 반反해서 사방으로 흩어질 것이다.

그렇다면 최후에 어떠한 방책으로 나아가야 할 것인가. 지난번 회합의 주된 용건이었지만, 이상호李尙昊(象鎬) 이하 이른바 신지식을 가진 자는 이때 일반교도들에게 차교주는 5만년 후의 향락설을 주장함으로써 갑자년 운운은 참된 이야기[진설眞說]가 아니다. 아울러 올해는 당국에서도 우리 교를 신용하여 다소의 양해와 원조가 있다. 이때 교도들은 비밀스런 가르침[밀교密教. 갑자년 천자등극설을 말한다-역자]의 어둠으로부터 광명으로 나오는 것을 기뻐하고 바른 길[정도正道]로 나아가야 한다고 선전하여, 4월이 되기 전에 각 도로 나누어 선전 강연대講演隊를 파견해야 한다는 설이 나왔다. 그러나 구습舊習을 숭배하는 이른바 미신迷信에 얽매인 간부[사土]들이 찬성하지 않아, 결국 이는 실행되지 못하였다. 구舊 2월 초순부터 순회강연을 할 예정이지만 이때 당국에서도 오해가 생겨 이해를 못해 취체取締를 받았다. 교도 중에는 이상한 미신을 믿어 관헌官憲에 대해 어떠한 저항을 일으키지 않아, 보증하기 어려워 이것 간부들이 가장 고심하는 바이다.

기타 교도들 사이의 의견의 다름[상위相違], 포교 방법의 결정 등이 있지만 이러한 것들은 지엽적 문제이다."

이 내용은 당시 보천교의 상황을 잘 드러내고 있다. 보천교는 재편된 내부조직(60방주제 등)을 토대로 1920년대 들어 적극적인 활동을 전개하였고 자칭·타칭 600만이라는 교도를 확보하기에 이르렀다. 특히 앞서 보았듯이 3·1민족독립운동 이후에는 군자금 모집과 만주의 독립운동단체와도 연결되어 활동하여 왔다. 그러나 1924년에 들어서면서 기로에 선 것이다.

왜 이 해가 고민인 것일까? 1924년은 갑자년이다. 그런데 보천교는 1921년 황석산에서 고천제告天祭를 하면서 시국時國 건설을 내세웠고, 갑자년이 되면 교주 차월곡이 천자天子의 자리에 오르고 그를 보필하던 사람들도 재상宰相의 자리를 얻는다고 선전하였다. 소위 '갑자년(1924) 천자등극설'이다. 이러한 천자등극설이 이루어지지 않으면 보천교 내부에서는 보천교의 부침浮沈을 고민할 수밖에 없었다. 보천교 정책의 중대문제로서 분기점을 맞게 된 것이다. 보천교의 고민과 행동방향이 논의될 수밖에 없었다.

3·1운동과 같은 독립운동을 시도해도 성공 가능성이 희박했다. 인원으로만 본다면 충분한 숫자이지만, 성공하기에는 이미 대내외적 상황이 녹록치 않았다. 식민권력의 집요한 공작과 끊임없는 감시도 강화되었고, 보천교의 대외적 이미지도 천자등극설로 긍정적이지도 않았을 것이다. 이전 해에도 소위 '불온문서 사건'을 경험한 터였고, 혹여 성공한다 해도 3·1운동에 미치기에는 역부족일 것이라 생각되었다. 대안이 필요했다. 신도들과 일반인들의 관심을 끌기 위한 각종 방안들이 제시되었다. 김좌진과 유정근이 계획했던 '만주 방면으로 진출하는 방안'도 있었고 '천도교당 이상의 교당[성전聖殿] 건축 방안'과 '학교 신축' 및 '사회사업 시설 경영 방안' 등이

제시되었다. 여기에는 100만 엔의 큰 자금이 필요했다.

먼저 만주 방면으로 진출하는 방안에 대해서도 고민이 많았다. 그리고 교당 건축안은 실제로 실행되었다. 1920년 무렵, 조선의 3대 건축물은 조선총독부, 천도교 대교당, 명동성당으로 알려졌다. 천도교 대교당과 중앙총부의 건설비가 27만원이었다. 보천교는 결국 이후 보천교 중앙 본소 성전을 신축하게 된다. 거의 100만원을 들여 공사를 진행하여 '천도교당 이상의 교당'의 방안은 이루어진 셈이다. 보천교는 어려운 상황이었지만, 고민했던 방안을 하나 하나 행동으로 옮겨 나갔던 것이다.

5) 보천교도의 만주이주 계획

1921년, 보천교에 많은 신도들이 들어오면서 차월곡은 외유를 계획한 적이 있다. "이제 수백만의 신도를 집결하여 국내에서 절대絶對한 세력을 이루어 온 세상이 주목을 이끌게 되었으니 이로부터는 내부의 모순과 외부의 비난이 일어날 중대한 위기가 빚어지게 될" 것으로 판단하여,[53] 국외로 나가 만주와 노령露領에 있는 수백만 교포들을 단일 세력으로 형성하여 국제적으로 활동할 수 있는 무대를 만들려는 구상이었다. 그 이듬해부터 당시 남·북만주, 노령露領, 남경南京 등지의 후보지를 조사했으나, 이 계획은 국내의 조직정비와 각도의 진정원 신축 등의 사유로 이루어지지 못했다.

이후에도 차월곡은 보천교의 해외이주를 끊임없이 고민했던 것으로 보인다. 이미 대종교를 바탕으로 독립투쟁을 전개하던 김좌

53 이정립, 『증산교사』, 100~103쪽.

진 장군이 만주이주와 항일 독립운동의 협력제의를 해왔던 터였다. 1923년, 김좌진 장군이 보낸 밀사 유정근이 체포되면서 김좌진과 차월곡의 관계가 발각되었고, 보천교를 만주로 불러들여 같이 활동하려던 계획이 무산되었다는 사실을 살펴보았다. 일제강점기 만주는 조국을 떠나 뜻을 품은 민중들의 삶의 터전이었고 독립운동의 전초기지였다.

이상호도 1924년 8월에 보천교 혁신운동으로 배신한 간부였지만 중국으로 도주한 뒤 만주에서 보천교인의 만주이주를 계획하고 있었다. 교주를 다시 만나 용서를 구하는 이상호도 이런 이야기를 하지 않을리 없었을 것이다. 그의 제안은 생각해 볼 여지가 있었다. 이 무렵 보천교 간부들은 위기에 처한 보천교의 활성화를 위해 대안을 마련코자 회의를 거듭하여 왔다. 그러한 대안 가운데 하나가 포교의 확대와 활동무대의 확장을 위해 마치 대종교처럼 만주로 나갈 생각이었다. 그러나 자금이 문제였다.

식민권력이 생성한 자료 중에는 1924년 말에 '보천교 혁신회 간부의 교도 이민정책'에 관한 관동청 경무국의 비밀 보고서가 보인다. 그 내용은 다음과 같다.

이민계획과 일본인과 중국인日支人 관계

보천교 혁신회 간부 등은 작년부터 조선 내에 있는 교도를 만주로 이주 발전시켜 영구 안주의 땅으로 삼으려는 계획을 세워, 봉천 동성東省실업회사 지배인 아카츠카 야타로赤塚彌太郎 등에게 원조를 청하고, 동 지배인은 우리 외무성 방면에 양해 원조를 받고자 하여 상경上京하였다.

또 한편으로 흑룡회원 나카무라 시게루中村繁 등과 협력하여 활동한 결과,

점차 조선총독부의 양해도 얻을 수 있게 되었고, 동년 11월경부터는 마침내 본 계획이 점차 구체화됨에 이르러 이민을 시킬 수 있게 되었다.

길림성 액목현의 토지는 원래 길림실업연점吉林實業煙店 주임 진무라 가쿠운神村鶴雲(실업연점은 동성실업회사東省實業會社와 출자관계에 있었다) 및 후지요시 미호藤吉三保 등이 대정 11년(1922) 경부터 길림 거주 만주족 사람이며 또 자산가인 이기서伊紀書(송육松毓이라고도 한다)와 이혜신李惠臣(이작주李作舟라고도 이른다, 길림실업청원吉林實業廳員임) 등과의 사이에 농업 특히 수전사업을 계획하고 있어, 노야령老爺嶺의 동쪽[이동以東], 장광재령張廣才嶺의 서쪽[이서以西], 랍법하拉法河 상류의 새로운 마을[신점新站](랍법참으로도 말한다), 퇴박참退搏站 일대의 토지면적 약 10만 향지(그 안의 약 3만 향지는 이미 수전 경지이다)가 된다. 따라서 이번에 이곳으로 아카츠카赤塚가 원조한 보천교도를 이주시킬 예정이다.

토지 계약 성립과 그 후의 경과

일본 측 대표 진무라 가쿠운, 아카츠카 야타로 및 중국 측 지주 400여 명을 총 대표해서 송육松毓 및 이혜신李惠臣과의 사이에 작년 11월 중 합변계약合辨契約[54]이 성립되어, 일본 측에서 돈 70만원, 중국 측에서 앞에 적은 10만 향지(견적 가격 70만원)를 출자해서 삼익공상호 명의로 해서 사업을 일으키는 것으로 하였다. 그러나 그 계약서는 일본과 중국[일지日支] 관헌의 허가 이후에 효과가 발생하는 것으로 협정하고 있었다. 따라서 아카츠카는 재在 길림제국 총영사관의 인가를 받고자 1월 13일 심택深澤 총영사 대리에게 본 계획 내용을 진술하여 양해를 구하였다. 외와길림 중국 군사고문 임소좌林少佐도 방문하여 원조 방법을 말하고, 한편으로는 중국 측 대표 이혜신이

---

54 중국에서 외국 자본과 공동으로 사업을 경영하는 것을 말한다.

길림 관헌의 인가를 얻기에 앞서 장작림張作霖의 의향을 엿보고자 하였다. 1월 16일 봉천을 나와[출봉出奉], 23일 길림으로 돌아오는[귀길皈吉] 것도 그 내부의 사정 때문이다.

그럼에도 불구하고 본 사업과 관련된 일본과 중국의 당사자가 현재 중국 관헌의 상태에서 짐작하는 시점時은 인가를 받는 일이 용이하지 않을 뿐만 아니라 그의 불법 압박을 □□□ 우려하고 있는 것과 같다.

보천교도와 삼익공三益公과의 관계

진무라 가쿠운은 길림에서 온 아카츠카 외에 김응두, 이상호와 함께 1월 16일경 중국 측 대표 등과 소작관계의 여러 계약을 맺으려 만나고자 하였다 (金은 자본주, 李는 조선인 소작 대표로서). 이혜신의 부재 혹은 토지 상황에 대한 안내가 없어 결국에는 하나도 결말이 나지 않았다. 아카츠카 및 이상호는 18일, 김응두는 다음날 19일 모두 길림에서 돌아간다고 하고, 다만 보천교 간부 등은 본本 음력 정월 급히 교도 3백호 내지 5백호를 액목현으로 이주시키려 희망하여, 제1차 투자금 십 수만 원을 준비해 1월 27일경 다시 길림에 올 의향을 누설하고 있었다.

동성東省실업회사는 본 사업에 관해 출자하거나 기타 하등의 관계도 없음은 물론 모든 자본금은 보천교 혁신회로부터 나온 것이다.[55]

보고서에 의하면, 보천교 혁신회가 길림성 액목현 지역(현재의 길림성 교하현 일대)을 영구 안주의 땅으로 만들어 이주하려는 계획을 실행하기 위해 자금을 확보하여 봉천지역 실업가의 협조를 얻었다는 사실이다. 우선 1차로 1925년 음력 정월에 교도 300호 내지

---

55 「普天敎革新會幹部ノ動靜ト敎徒移民政策」(關機高授 第3145號), 1925. 2. 5.

500호의 교도들을 이주시켜 농경지 개척을 계획하였다. 그런데 그 규모가 너무 엄청나다.

모든 자본금은 보천교 혁신회로부터 나왔다고 했다. 당시 1원은 현재 약 4만원 정도로 볼 수 있어, 합변계약을 한 70만 원이라면 현재 시세로 280억 정도로 추정가능하다. 그리고 보천교는 이 자금으로 농업 특히 수전水田사업을 계획했고, 면적 약 10만 향지晌地를 계약 체결하였다. 10만 향지는 1,800만 평~3,750만 평의 범위에 있는 토지이다.[56] 그 규모가 어느 정도였는지 가히 짐작할 만하다.

6) 차월곡 사망 후의 보천교 관련 사건

1936년 차월곡의 사망과 동시에 식민권력은 보천교 교단을 철저하게 해체시키기 시작했다. 교단조직 뿐만 아니라 본소의 건물들마저 경매에 부쳐 보천교의 재기를 차단시켜 버렸다. 또 유사종교 해산령을 통해 보천교와 같은 민족종교 단체의 활동을 철저하게 단속해 나갔다. 그러나 이러한 와중에도 이전의 보천교 교도들에 의한 보천교 재흥과 관련된 사건들이 종종 발생하고 있었다. 1938년 11월에 검거된 「용의류종容疑類宗 검거에 관한 건」과 「선도교도仙道教徒의 조선독립운동 사건」의 내용을 살펴보겠다.

보천교를 이탈한 한병수는 유사종교 표방에 의해 금품의 사취를 기도하고, 1928년 인도교人道教를 일으켜 이후 황당무계한 후천사회설을 설說해

---

56 김철수, 「일제강점기 종교정책과 보천교의 항일민족운동」, 『보천교 다시보다』, 상생출판, 2018, 351~352쪽 참조.

몽매한 신자로부터 금 1만 5천 9백여 원을 사취하였다.

그는 1923년경 전라북도 정읍군 입암면 접지리 보천교 본부 근처로 이주한 이래, 교도로서 교의의 진수를 연구하려 열의 중이었다. 그 후 얼마 지나지 않아 이 교의에 불만을 품고 보천교를 이탈했다. 1924년 음력 7월경, 우주 삼라만상은 음양오행의 상생상극으로 인한 것으로 그 심리가 상통하여 하나가 되면 도통에 이르며, 음양의 상극을 배제하여 이것이 결실에 이를 때는 우주는 춘하추동, 주야, 한서寒暑의 구별 없이 사계절이 항상 봄이 된다. 장차 선경 후천으로 변해 이 이치에 의지할 때, 사람은 병이 없고 재난이 멈추고 영생불사 만지萬智 만능을 얻을 수 있다고 굳은 신념을 단단히 품기에 이르렀다. 이에 일찍이 정읍에 있을 당시 교류가 있던 보천교도 진수남陳壽男, 전호근 외 3명에 대해 이 교리를 설하여 공명共鳴을 얻었다. 또 열심히 포교하여 지지를 받게 되었기 때문에 태을선 태을교라 이름하고 스스로 교주가 되었다. 그 후 경성을 중심으로 조선 전역에 포교하려고 결의하여 1938년 음력 2월경, 경성부내 황금정 이하 불상不詳에 거주하고, 인도교人道敎라 개칭하였다.[57]

이에 대해 식민권력은 보안법 위반 및 사기죄를 들이대고 관련자들을 검거하였다. 또 조선을 일본제국의 굴레에서 벗어나게 하려는 목적으로 활동한 선도교仙道敎에 대해서도 감시와 탄압을 가하고 있었다.

피고인 김중섭은 어려서 수년간 서당에서 한문을 배웠을 뿐이며, 20세에 아버지의 권유에 의해 보천교에 입교했다. 이 후 보천교가 장래 조선을 독립

57 「용의류종容疑類宗 검거에 관한 건」(경기도 경찰부장, 1938. 11. 12.)

시켜 교주 차경석이 통치할 것을 목적으로 하고 있음을 알고, 교도 획득을 위해 포교에 전념하였다. 그 후 보천교가 다시 실천적 운동을 하고 있음에도 불구하고 헛되이 신도에게 금품을 탈취함에 지나지 않음에 분개해, 26세 때에 탈교하였다. 그 즈음 우연히 1928년 봄 무렵 경기도 고양군 용강면 남리 거주의 김홍기와 만나, 김홍기에게서 불식장생不食長生의 도를 듣자마자 이것을 이용해 표면적으로는 불식장생 신선으로 변함을 얻는다고 뜻을 설說하였다. 이로써 교도를 획득하고 장래 일본제국이 위기에 임박했을 때 일격에 혁명을 수행할 것을 결의하였다. 이러한 결의에 기초해, 조선으로 하여금 일본제국의 굴레에서 이탈시키고자 하는 목적을 지니고, 도道(후세 사람들은 이를 선도교라 하였다)로 칭하고, 종교 유사의 결사를 조직해 스스로 그 부교주가 된 이래 교세확장에 노력하였다.[58]

이 사건의 관련자들도 치안유지법과 형법에 의거해 검거하여 죄를 확정짓고 있었다.

---

58 「선도교도仙道敎徒의 조선독립운동 사건」(『사상휘보』 21호, 1939년 12월)

4 공문서 해제를 마치며

　일제의 한국강점(1910) 직후부터 활동을 시작했고 1936년 교주 차월곡의 사망과 함께 거의 해체상태에 이르렀던 보천교 교단의 실상을 복원하는데 당시 조선총독부의 각 관계기관에서 생성한 공문서는 매우 중요하고 필수적인 자료이다. 지금껏 가장 많이 이용되어 왔던 신문이나 교단자료들의 내용들을 상호보완적으로 확인 가능함은 물론 식민권력의 특성상 그동안 확인하기 어려웠던 사실들을 찾는데도 매우 유용한 자료가 공문서이기 때문이다.

　그러나 일제는 1945년 패망에 가까워오자 자신들의 정당치 못한 소행들을 숨기기 위해 각 관계기관에 조직적이고 대규모적인 문서 소각을 지시했고, 이에 따라 안타깝게도 보천교 관련 공문서들도 대부분 사라져 거의 남아있지 않은 실정이다. 특히 식민지 지배를 위해 각종 민족독립운동을 탄압하며 일선에서 식민지 조선인들을 억압, 통제했던 경찰·치안·사법관련의 비밀 문건들은 소각의 1차 대상일 수밖에 없었을 것이다. 주지하다시피 당시 종교단체들은 학무국이 담당하고 있었지만, 보천교는 일제가 규정한 소위 유사종교의 대표적 단체로 경찰이 담당하고 있었다.

　보천교와 관련된 자료들은 다수 소각되어 현재 찾아볼 수 있는 공문서는 약 90여개 문서가 확인되고 있다. 이 역시 차월곡이 사망한 이후 보천교 재흥 노력이나 사교邪敎 관련의 문서들(29건)과 〈시대일보〉 관련(9건)이 다수여서, 해방 이후 보천교에 대한 부정적 이미지를 형성하는데 기여하여 왔다. 그러나 대규모적인 소각에도 불구하고, 90여개 중 22건이 국권회복과 독립운동 관련 내용과 연결될 수 있는 공문서라는 점은 시사하는 바가 크다. 또한 1920년대 전반기의 공문서가 43건으로 다수인 점도 보천교의 주도적 활동이 이 시기에 이루어졌음을 보여주는 근거이기도 하다.

따라서 필자는 이러한 공문서들 중 20건을 1차로 번역해서 『일제강점기 보천교의 민족운동 자료집 Ⅰ』에 게재하였고, 금번 다시 12건을 번역하여 『일제강점기 보천교의 민족운동 자료집 Ⅲ』에 실었다. 여기에는 보천교의 일반 상황을 찾아볼 수 있는 내용과, 국권회복과 독립운동 관련 내용, 그리고 차월곡 사후 보천교 재흥관련 내용들(인도교, 선도교 등)이 들어있어, 기존 보천교 관련 내용을 보강하거나 연구들을 뒷받침하고 있다.

정읍 보천교 본소자리에 남아있는 담장의 흔적.
틈새에서 자란 생명체가 세월의 무상을 알려준다.

3장
보천교 관련 보고자료 해제

『보천교일반普天教一般』과『양촌 및 외인사정 일람洋村及外人事情一覽』

김철수, 「『보천교일반』과『양촌 및 외인사정 일람』의 내용과 자료적 의의」,
『일제강점기 보천교의 민족운동 자료집』II, 2017을 수정·보완한 글이다.

1 보천교 연구 자료들

　지금까지 보천교를 대상으로 한 학계의 연구들은 이강오의 「보천교」(1966)를 시작으로 홍범초(1985), 안후상(1993, 1998, 2000, 2012, 2016, 2017), 김재영(2000, 2001, 2009, 2010, 2016), 황선명(2000), 조경달(2001), 장원아(2013), 김철수(2014, 2015, 2016) 등[1]에 의해 주로 이루어졌다. 일제강점기의 보천교 연구에 모두 소중한 자료들이다. 이 연구들은 주로 일제강점기 생성된 각종 역사적 문헌(식민보고서, 공문서, 공판자료, 신문자료, 각종 간행물 자료 등)이나 교단자료(보천교 혹은 분파교단에서 발간한 각종 자료들), 그리고 증언 자료(구술자료)들을 분석한 것이다. 선행연구들 중 보천교에 대한 구체적인 자료, 특히 1차 자료들을 분석한 주요한 글들과 이용된 주요 자료들은 다음과 같다.

---

1 이강오, 「보천교: 한국 신흥종교 자료편 제1부 증산교계 각론에서」, 『전북대 논문집』 7~8, 1966 ; 홍범초, 「보천교 초기교단의 포교에 관한 연구」, 『한국종교』 10, 1985 ; 안후상, 「보천교운동 연구」, 성균관대학교 교육대학원, 1992;「보천교와 물산장려운동」, 『한국민족운동사연구』 19, 1998 ;「차월곡 출생에 관한 소고」, 『신종교연구』 2, 2000 ; 「식민지시기 보천교의 '공개'와 공개 배경」, 『신종교연구』 26, 2012 ; 김재영, 「보천교와 한국의 신종교」, 신아, 2010 ; 황선명, 「잃어버린 코뮌: 보천교 성립의 역사적 성격」, 『신종교연구』 2, 2000 ; 趙景達, 「植民地朝鮮における新興宗教の展開と民衆(上·下) -普天教の抗日と親日」, 『思想』 921~922, 2001 ; 김정인, 「1920년대 전반기 보천교의 부침과 민족운동」, 『한국민족운동사연구』 29, 2001 ; 김철수, 「1910~1925년 식민권력의 형성과 민족종교의 성쇠-『보천교일반』(1926)을 중심으로-」, 『종교연구』 74~2, 2014 ; 「일제하 식민권력의 종교정책과 보천교의 운명」, 『선도문화』 20, 2016 ; 「일제 식민권력의 기록으로 본 보천교의 민족주의적 성격」 등.

저 자	제 목	주요 분석자료
이강오 (1966)	보천교	『보천교연혁사』
홍범초 (1985)	보천교 초기교단의 포교에 관한 연구	『보천교지』, 『대순전경』
안후상 (1993)	보천교운동 연구	『보천교연혁사』 등 교단자료, 증언, 신문자료
안후상 (1996)	무오년 제주 법정사 항일항쟁 연구	독립운동 관련 판결문
안후상 (1998)	보천교와 물산장려운동	『보천교연혁사』 등 교단자료, 증언, 신문, 잡지자료
김재영 (2001)	보천교의 천자등극설 연구	『보천교연혁사』등 교단자료, 구술자료
趙景達 (2001)	植民地朝鮮における 新興宗教の展開と民衆(上·下)	신문, 『보천교일반』, 『보천교연혁사』등 교단자료
김정인 (2002)	1920년대 전반기 보천교의 부침과 민족운동	『보천교연혁사』 등 교단자료, 신문, 『사상휘보』
김재영 (2007)	1920년대 보천교의 민족운동에 대한 경향성	신문, 『개벽』 등 잡지, 『보천교연혁사』
김재영 (2009)	형평사와 보천교	신문, 『대순전경』
안후상 (2012)	식민지시기 보천교의 '공개'와 공개 배경	신문, 『보천교연혁사』등 교단자료
장원아 (2013)	1920년대 보천교의 활동과 조선사회의 대응	신문, 『대순전경』, 『보천교일반』
김철수 (2014)	1910-1925년 식민권력의 형성과 민족종교의 성쇠	『보천교일반』
김철수 (2016)	일제 식민권력의 기록으로 본 보천교의 민족주의적 성격	『보천교일반』, 『양촌 및 외인사정 일 람』, 총독부 공문서
안후상 (2016)	일제강점기 보천교의 독립운동	독립운동관련판결문
김 탁 (2017)	보천교의 예언사상	신문
안후상 (2017)	일제강점기 보천교의 '권총단 사건' 연구	신문, 독립운동관련판결문

순수하게 보천교를 소개하거나 이해를 돕기 위한 목적의 글들도 있는가 하면, 구체적으로 보천교 활동의 특정사건(예. 물산장려운동, 형평사 운동, 천자 등극설, 권총단 사건 등)을 다룬 연구들도 있다. 각 연구들은 관심에 따라 자신의 입장을 지지하기 위해 다양한 자료들을 이용하였다. 그러나 여기서는 다루지 않았지만, 특정 자료에 근거하지 않고 자신의 논지를 전개한 연구들도 적지 않다. 또 한편으로는 연구물이 아니라 '차경석'이나 '보천교'에 관한 대중성을 지닌 창작물들도 찾아 볼 수 있다.[2] 21세기에 들어서면서는 연구주제들이 다양해진 모습이 보인다. 그런 가운데 보천교의 민족독립운동에 관한 사실을 밝히려는 연구들도 종종 확인된다. 특히 최근 김재영, 안후상, 김철수의 연구들은 관련 주제에 적합한 자료들을 찾아 분석하여 보천교의 활동내용과 일제의 탄압, 그리고 민족독립운동에 보천교가 적극적으로 기여한 바를 밝혀내는데 일정한 기여를 하였다.[3]

일제강점기의 종교지형religious topography을 살펴보면 기독교와 불교, 일본에서 들어온 각종 종교들, 그리고 민족종교인 천도교와 보천교 등이 활동하였던 시공간이었다. 강점 직후 발간된 『조선총독부 시정연보』(1911)에는 '종교취체'라는 항목이 들어있는데, 여기

---

2 대표적인 형태로 소설류를 들 수 있다. 예를 들어 『암흑기의 신화 차천자車天子』(이용선, 홍익출판사, 1968) 등인데, 보천교 혹은 차경석이 소설의 재료가 될 만한 흥미롭고 시대 파괴적인 주제였다는 사실도 관심을 끌기에 충분하였다.
3 그 연구 결과들은 2016년 8월에 정읍역사문화연구소(김재영 소장)에서 주최한 '동학농민혁명 이후 근대 민족운동-일제강점기 보천교의 민족운동-'이라는 주제의 학술대회에서 발표되었다. '보천교'를 주제로 보천교에 관한 연구물만을 다룬 최초의 학술대회였다. 여기서 김재영, 「동학 이후 증산계열의 민족운동」; 안후상, 「일제강점기 보천교의 독립운동-온라인 국가기록원의 '독립운동관련 판결문'을 중심으로-」; 김철수, 「일제 식민권력의 기록으로 본 보천교의 민족주의적 성격」 등이 발표되었다.

에는 '내지(일본)인의 종교'(천리교, 일본불교 등), '외국인 경영의 종파'(기독교 등) 그리고 '조선인의 종교'로 나누어 취급되었다.[4] "조선인의 (종교)조직에 관련된 것으로서는 천도교天道教, 시천교侍天教, 대종교大倧教, 대동교大同教, 대극교大極教, 원종종무원圓宗宗務院, 공자교孔子教, 대종교大宗教, 경천교敬天教, 대성종교大成宗教 등의 제종諸宗이 있어 그 종류가 많고 잡다할 뿐만 아니라 움직임[動]도 정교政教를 혼동하여 순연純然한 종교라 인정하기 곤란한 것들이 있어서 적의適宜 취체를 가해야 한다"고 하였다. 이러한 '조선인의 종교'는 식민권력의 강점 내내 감시·주목을 받은 소위 민족종교였고, 1915년 「포교규칙」 공포 이후에는 '유사종교(종교유사단체)'로 분류·명명되었다.

이런 상황에서 보천교와 같은 민족종교에 대한 별도의 조사 자료가 발견된다는 점은 생각해볼 여지가 많아 보인다.[5] 본고에서 먼저 주목하는 자료는 '보천교'와 관련된 식민권력이 생성한 자료들이다.[6] 곧 조선총독부, 경찰부, 조선군참모부, 육군성 등에서 생성

---

4 1912년에는 '조선불교'가 나타난다.
5 기독교나 불교 그리고 천도교 등에 대한 식민권력의 공문서도 상당히 많다. 여기서는 공문서 종류가 아닌 '일정 분량을 지닌 별도의 보고서'를 말한다. 이처럼 '별책으로 묶여진 보고서'는 기독교, 불교, 천도교 등에서는 찾아보기 어렵다. 1930년대 들어서면서는 관련 보고서들이 있는데, 朝鮮總督府, 『朝鮮の統治と基督教』(1933), 村山智順의 『朝鮮の類似宗教』(1935) 등이다.
6 식민권력은 일제의 강점 목표를 효율적으로 달성하기 위해 나름대로의 역할을 담당하였다. 이러한 식민권력은 넓게는 총독(통감과 총독들)과 경찰, 헌병 등 식민관료들, 신도가, 일제에 협력적인 언론 출판인들과 친일 한국인들로 구성된다. 정책면에서 본다면, 일제의 동화정책을 수용한 자와 제국의 신민 아이덴티티를 가진 식민지민들도 중심이 된다. 식민 종주국의 구성원이 식민지 지배를 원활히 수행하기 위한 다민족 통합과제(동화정책)를 해결하려는 권력들을 총칭하는 용어로 볼 수 있다. 그러나 협의로 보면 식민정책 수행을 위한 식민 모국의 관련조직 및 식민지 관료조직으로 한정 가능하다. 본고에서는 후자를 의미한다.

된 보고서들이다. 이들 대부분은 비밀문서로 취급되어졌다. 일제강점기에 식민권력이 종교단체를 대상으로 조사 보고한 자료는 찾아보기 거의 어려운 실정이다. 그렇다면 왜 보천교에 대한 별도의 보고서가 많을까? 대수롭지 않았다면, 또 민중들에게 영향력이 없었다면, 그 규모가 소규모였다면, 곧 식민권력에 덜 위협적이었다면 (보천교에 대한 비판적 언사 그대로, 친일적 종교단체로 식민정책 수행에 긍정적 영향력을 미치고 독립운동과도 아무런 관련이 전혀 없었다면) 식민권력이 이처럼 보천교에 주목했을까 하는 문제의식이다.

본고는 그러한 보고서들 중 『보천교일반』과 『양촌 및 외인사정일람』을 중심으로 다루었다. 이들 자료가 보천교와 관련해 조선총독부가 생성한 대표적인 보고서들이기 때문이다. 지금까지 국내 연구자 중에서 이 보고서들을 언급한 적은 몇 차례 있었으나(조경달, 2001; 김철수, 2014, 2016; 안후상, 2016) 체계적으로 분석한 적은 드물었다. 『보천교일반』이 김철수(2014)에 의해 한 차례 다루어진 적이 있을 뿐이다.

물론 이들 자료의 내용을 모두 사실로 받아들이기에는 신중한 비교검토가 필요하다. 식민권력의 시각으로 작성된 보고서이기 때문에 교단자료나 구술자료, 당시 신문자료들처럼 자료비판이 요구되는 것은 당연하다. 그러나 먼저 기존의 연구들과 비교분석을 통해 보천교에 대한 새로운 사실을 발견하는 데는 도움이 될 것이다. 지금껏 당시의 신문자료(〈조선일보〉, 〈동아일보〉 등)나 교단자료(『보천교연혁사』, 『보광』, 『도훈』, 『증산천사공사기』 등)로는 접근하기 힘들었던 사실이나 그에 대한 식민권력의 태도를 확인할 수 있는 자료로서의 가치를 지니고 있음은 부인하기 어렵다.

2 일제 식민권력과 보천교

　이 보고서들을 다루기에 앞서, 먼저 보천교가 무엇이며 일제 강점기 보천교의 위상 및 식민권력과의 관련성 등을 살펴보고자 한다.

　보천교는 지금으로부터 100여 년 전, 일제강점기의 절망적 상황에서 우리민족에게 숨 쉴 여력을 제공해주고 민족독립의 희망을 심어줬던 민족종교이다. 민족종교라 하면 그 시초를 보통 동학에서부터 찾는다. 곧 19세기 중반 수운 최제우(1824~1864)가 동학을 창교한 이래 많은 민족종교들이 모습을 드러냈다. 20세기 초에는 증산 강일순(1871~1909)이 천지공사天地公事(1901~1909)를 집행하여 민족종교사에 한 획을 그었다. 천지공사는 큰병[대병大病]이 든 천하를 삼계대권三界大權을 주재主宰하여 조화造化로써 천지를 개벽하고 불로장생의 선경仙境을 건설하려는 설계도이자 청사진이다. 보천교는 이러한 '9년 동안의 천지공사'를 마친 강증산이 1909년 세상을 떠난 후 그 제자였던 차월곡이 조직한 교단이다. 주지하다시피 한반도는 19세기 후반부터 호시탐탐 노려왔던 일본 제국주의에 의해 1910년 강점되면서 식민지로 전락하였다. 식민지 상황에서 기독교나 불교처럼 제도화되지 못한, 더욱이 스승(교조)의 빈자리를 메꾸면서 이제 막 교단을 형성해 나가야 했던 제자(교주)의 운명은 험난할 수 밖에 없었다. 명칭도 없었고 조직도 없었고 심지어 함께 하는 사람들도 많지 않았다. 증산을 따랐던 사람들조차 증산이 세상을 떠나자 실망에 가득 차 뿔뿔이 흩어졌거나 냉담해 버린 상태였기 때문이다.

더군다나 일제 식민권력은 강점 목적을 효율적으로 달성하기 위해 종교단체 설립에 촉각을 곤두세우고 있었다. 식민권력이라 하면 식민 종주국의 구성원이 식민지 지배를 원활히 수행하기 위한 동화정책同化政策을 추진한 권력으로, 식민 모국의 관련조직 및 식민지 관료조직 등으로 구성된다. 넓게는 총독과 행정 관료들, 경찰, 헌병 등 식민관료들 뿐만 아니라 일제에 협력적인 언론 출판인들과 종교인들 및 친일 한국인들까지도 여기에 포함된다. 그들은 식민지 한국사회에 민족종교가 형성되는 것을 달가워하지 않았다. 식민지 상황에서 종교가 갖는 파괴력을 자신들의 역사, 특히 메이지明治 시대의 경험에서 충분히 인지했기 때문이다. 이러한 사면초가의 상황에서 보천교의 씨앗이 뿌려져 활발하게 자라나고 있었다.

강점 직후부터 조선민중의 사상과 행동이 '민족'이나 '독립'과 연결됨을 두려워했던 식민권력은 식민지 한국인의 동향을 일거수일투족 감시하였다. 더욱이 강점과 더불어 각종 사회단체들을 전부 해산시킨 식민권력의 입장에서 종교단체는 눈엣가시 같은 존재였다. 강점 직후부터 동화정책을 이루기 위한 사상통제에 주력하면서 총독부는 조선의 종교단체에 관심을 갖기 시작했다. 서구 세력과 연결된 기독교의 통제는 물론[7] 19세기 후반부터 형성된 새로운 종

---

7 테라우치寺內正毅 총독은 『유고諭告』에서 '신교信教'에 대해 "명분을 신교에 빙자하여 외람되게 정사를 논하고 혹은 달리 계획을 기도하는 것은 곧 양속良俗을 다독茶毒하여 안녕을 방해하기 때문에 마땅히 법을 만들어 처단하지 않을 수 없다"고 하였고(朝鮮總督府, 『朝鮮の保護と倂合』, 1917, 338쪽), 1910년 10월 5일 각 도 신임장관회의에서 종교단체에 대해 "정치상 필요한 취체를 할 것을 요한다. 종교관계의 학교는 상당한 감독을 요한다"고 하며 조선의 기독교 선교사 세력을 법 제정을 통해 통제할 필요성을 인식하고 있었다(위의 책, 367~369쪽)

교단체, 소위 민족종교들에 대한 통제도 조선총독부의 당면과제가 되었다. 그러나 민족종교 단체로는 천도교만 어느 정도 신자를 확보하고 있었고 아직 그 규모가 미미한 상황이었다.

이러한 상황에서 총독부는 종교자유 보장, 포교행위 공인, 종교에 대한 평등한 대우를 위해서, 1915년 부령 제83호로 「포교규칙」(전문 19조)을 제정했다.[8] 여기에는 제 1조에 "본령에서 종교라 칭함은 신도, 불도 및 기독교를 말함"이라 하여 종교의 범위를 정해 놓았다. 또한 제 15조에 "조선총독은 필요한 경우 종교 유사한 단체에 본령을 준용함도 가함"이라 하여 '종교'를 신도, 불교, 기독교라 정하고 그 외의 종교는 일본 본토에서와 마찬가지로 '종교유사단체', 소위 '유사종교類似宗敎'라 하였다. 식민권력은 「포교규칙」 제정으로 '종교'와 '유사종교'를 분리했고, 이는 이후 계속하여 종교정책에 적용되었다. 소위 민족종교들은 유사종교로 통제를 받았던 것이다.[9] 감독 혹은 단속 기관도 분리했다. 공인된 종교인 신도, 불교,

---

8 총독부는 「포교규칙」을 제정하면서 "일본 본국에 있어서 '성령省令 제 41호 종교선포에 관한 단속 규정'[1899년 일본 내무성령 제 41호 '신불도神佛道 이외의 종교선포 및 전당회당殿堂會堂']과 유사한 것"(『朝鮮彙報』 1915. 8, 56쪽; 〈매일신보〉 1915. 8. 18)이라 하고, 또한 "대정 4년(1915)에는 포교에 관한 종전의 규칙들을 정리하여 「포교규칙」을 발포했다"(『朝鮮の統治と基督敎』, 7쪽)고 하였다(안유림, 「일제의 기독교 통제정책과 포교규칙」, 『한국기독교와 역사』 29호, 2008, 41쪽). 「포교규칙」은 해방 전까지 식민지 한국의 종교통제를 위한 법률의 기능을 했다.
9 소위 종교단체는 「포교규칙」이 정하는 바를 적용하여, 종교선포에 종사하는 자는 자격 및 이력서를 첨부하여 조선총독에게 신고하여야 하며(제2조), 포교에 대해서는 총독의 인가를 받아야 하고(제3조), 종교 용도로 쓰기 위한 교회당 설교소 강의소를 설립하거나 변경할 때도 총독의 허가를 받도록 하였으며(제9조), 이를 어길 때는 벌금 또는 과태료를 물리도록 규정(제14조)하고 있다. 그 외의 종교단체, 소위 유사종교도 필요한 경우에는 이 법령을 준용할 수 있다(제15조)고 하여 공인종교에의 길을 열어 두었다. 그러나 이는 통제(규제)의 범위를 확대하여 식민권력에 협조를 유도한 것에 지나지 않았고, '종교유사단체'가 실제로 이 규정을 적용하여 공인종교로 바뀐 적은 한 번도 없었다.

기독교는 학무국學務局 소관으로 두었고,[10] 그 외의 유사종교 단체들은 헌병경찰기관의 소관이었다. 1919년의 관제가 개정된 후에는 총독부 경무국 보안과의 통제를 받았다.

『조선의 유사종교』에 의하면, 일제 강점 당시인 1910년 유사종교의 교세는 동학계인 천도교를 위시하여 증산계(훔치계), 불교계, 숭신계, 유교계 등 모두 129,542명이었으며, 1915년에는 149,876명, 1919년에는 175,110명으로 증가했다.[11] 곧 식민지 상황 하에서도 유사종교는 계속 증가하여 1919년에는 강점 당시에 비해 1.4배의 증가율을 보여준 것이다. 그러나 이들은 「포교규칙」에서 공식종교로 인정되지 못함으로써 통감부 시기의 「보안법」(1907)과 「집회취체에 관한 건」(1910)의 적용을 받았고, 경찰의 강력한 단속대상이 되었다. 이 시기 유사종교 중 일제가 가장 주목한 단체는 천도교와 대종교였다.[12] 천도교는 강점 후 국권회복을 위한 직접적인 항일운동보다는 장기적인 민족교육과 실력양성을 통하여 국권을 회복하겠다는 방침을 채택하여 1910년 12월 보성전문학교를 인수하는 등 전국에 강습소를 설치하여 일반을 교육에 주력하였

---

10 그러나 「포교규칙 시행에 관한 건」(통첩 제 85호. 1915.9.17)은 종교관련 사항은 경찰기관과 항상 협조할 것을 정하여 「포교규칙」 집행과정에 경찰력 개입을 지시하였다. 포교자 선출과 관련하여 경무기관과 협의토록 하고, 「포교규칙」 시행 상 예규가 될 만한 것 혹은 필요한 사항이 있으면 경무부장에게 통지할 것을 정하여 규칙집행에 경찰력의 간섭, 지원을 받도록 하였다.

11 村山智順, 『朝鮮の類似宗敎』, 1935, 524~550쪽. 이는 당시 불교·개신교·천주교의 교세와 비교하여 무시할 수 없는 수치였다. 1910년 천주교신자 수는 73,517명, 개신교 장로교 신자수는 140,470명이었다(윤선자, 『한국근대사와 종교』, 51쪽).

12 천도교는 1910년 신자 수 100만 명에 이르는 대종단으로 교세가 막강하였다(독립운동사편찬위원회, 『독립운동사-문화투쟁사-』 8, 1976, 648쪽). 나철은 1909년 단군교를 선포하여 활동하다가 1910년 8월 대종교大倧教로 교명을 바꾸고, 일제의 종교탄압이 심해지자 만주 북간도에 지사를 설치했다가 1914년 5월에는 총본사를 옮겨 버렸다.

다. 대종교는 만주지역으로 교세를 확장시켜 나갔기 때문에 조선총독부는 이들 종교에 대한 감시와 탄압을 강화하고 있었다.

이에 비해 차월곡 교단은 강점 초기에는 시작 단계에 머물러 있었다. 1909년 증산 강일순이 사망하자 그 제자였던 차월곡은 고판례高判禮와 더불어 교단 조직에 힘을 들여 1911년 교단을 조직했다. 차월곡은 교세를 넓히면서 서서히 실권을 장악하여 나갔다. 이에 따라 차월곡 교단도 점차 식민권력의 주목을 받기 시작했다.[13] 1918년 10월에는 차월곡 교단의 제주도 신자가 교금敎金 10여 만원을 몰래 가지고 나오다가 목포의 일본 경찰에 검거되면서 신자들이 대거 검거되기도 했다. 교금은 식민권력이 특히 경계하는 대상이었다. 이는 독립운동 자금과 연계될 수 있는 소지가 충분했기 때문이었다.

또한 식민권력이 종교정책을 전개하면서 가장 고심한 것 중의 하나가 민족문제였다. 그런데 유사종교단체들은 추종자 대부분이 과거 지배층으로부터 소외되고 억압받던 사람들로 구성되어 있었고, 그 교의敎義도 후천개벽의 새로운 시대가 열리고 그 때에는 억압받는 한민족이 세계의 중심민족이 된다는 등 한민족의 자존감과 자주의식을 고취하면서 민족문제와 연결되기 쉬운 단체들이었다. 따라서 식민권력은 유사종교가 해외로부터 위험사상의 유입 통로가 될 가능성도 경계하고 있었다.

강점 직후부터 체제안정과 동화정책을 추진했던 식민권력으로서 유사종교 곧 민족종교는 매우 위험한 단체였다. 더욱이 유사종교는

---

13 1924년 조사보고를 보면 "중요한 종교유사단체는 천도교, 시천교 및 보천교다"라고 하였다(京城地方法院檢事局高等警察課, 『大正十三年管內狀況』, 국사편찬위원회).

이러한 시대적 전환기에 민족애民族愛와 조선 고유의 전통을 강조하고 있었다. 도래할 후천세계에서는 조선민족이 세계의 중심이 되기 때문에 외압에 대항하여 전통을 지켜나갈 것을 주장하였다. 유사종교가 내세운 전통에 대한 보존이 민중의 정신적 근거를 확보할 수 있는 능력은 충분했다. 보천교는 전통에 대한 보존, 대종교는 한민족 상고역사의 회복, 천도교는 동학사상에 나타난 일본에 대한 적개심을 교의내용에 포함하고 있었다.

이러한 교의는 민중들의 마음을 붙잡고 절망하던 사람들의 마음에 침투하여 희망을 주기에 충분했고, 따라서 다수의 유사종교들은 보국안민輔國安民을 주장하며 민족운동과 연관될 수 있는 여지가 많아졌던 것이다.

그러면 일제 식민권력은 소위 유사종교를 어떻게 보고 있었는가? 무라야마 지준村山智順의 『조선의 유사종교』에 기록된 일제 식민권력의 유사종교를 보는 태도는 다음과 같았다.

"조선의 신흥 유사종교는 항상 사회운동의 주체가 되어서 근세 이후의 조선 사회운동에 대단히 큰 역할을 수행해 왔다. (중략) 그 운동이 조선사회의 진동進動에 크게 기여했다는 점에서 결코 경시해서는 안 될 것이다."
"조선 유사종교단체의 대부분이 이름을 종교라고 빌린 정치운동 단체라는 세평은 종래 자주 들은 바이지만 (중략) 유사종교의 조선 및 조선민중에 준 영향 중 정치적 색채를 띠는 것을 관찰하면 그 수는 결코 적지 않다."
"유사종교는 이 민족의식을 환기시키고 선동함으로써 한편으로는 민중의 환심을 삼과 동시에 다른 한편으로는 민중의 편으로 활약하는 듯이 위장하여, 다투어 이 민족의식을 자극하고 교도의 획득에 노력하며, 그렇게 함으로써 교세의 확립에 매진한 것이었다."[14]

　무라야마 지쥰은 유사종교의 '사상적인 영향'을 다루면서 '혁명사상을 고취하고 민족의식을 농후하게 하였다'는 88개 교단 중 51개 교단을 헤아린다고 지적하였다.[15] 이에 비해 식민권력에 협조적인 교단은 총수의 5%에도 미치지 못하는 극히 적은 수였다.[16] 곧 유사종교는 혁명의식과 민족의식을 고취시킬 가능성이 농후하여 19세기 말의 동학혁명, 그리고 일제강점기 발생했던 3·1운동과 같은 반일운동으로 확산되기 쉬운 비종교적인 단체로 보았던 것이다. 1921년 요시가와 분타로吉川文太郎도 종교유사단체는 "종교라기보다는 오히려 어떤 동일한 주의를 표방하는 무리들이 모여서 하나의 단체를 조직한 것"[17]이라 할 정도였다. 무라야마 지쥰은 "유사종교 단체가 성격상 대부분 비밀결사적"[18]이라 하였고, 난잔타로南山太郎도 직접적으로 "조선 내의 비밀결사란 바로 종교 유사단체를 일컫는다"[19]고 하며 비밀결사를 소유한 종교유사단체들 중 하나로 보천교를 지적하였다.

　더욱이 차월곡 교단은 1894년 동학혁명의 세력들과도 연관되어 있었다. 차월곡도 부친 차치구가 동학혁명 당시 동학의 접주로 처형 당했고, 증산 강일순의 제자들이나 차월곡의 추종자들도 과거

---

14 村山智順, 앞의 책, 2, 845, 857~858쪽.
15 村山智順, 앞의 책, 853쪽.
16 '온후, 도덕관념이 풍부하고 사람의 도를 중시하게 되었다'와 '근로정신을 양성하고 실천에 의해 일반에게 모범을 보인다'는 각각 3개, 1개 교단이었다.
17 吉川文太郎, 『朝鮮の宗教』, 朝鮮印刷, 1921, 305쪽.
18 村山智順, 앞의 책, 1쪽.
19 南山太郎, 「祕密結社の解剖(一)」, 『朝鮮公論』 112号, 1922. 일본에서는 오오모토교大本教가 여기에 속하는 것으로 보았다.

동학혁명과 연관되어 있는 자들이 많았다. 이러한 요소들은 차월곡 교단이 충분히 민족운동과 연결될 수 있는 실마리를 보유한 것으로 보였기 때문에 동학혁명 당시 동학군과 치열한 전투를 벌였던 식민 권력으로서는 긴장하지 않을 수 없는 요소였던 것이다.

그러던 중 1919년에 발발한 3·1운동은 식민권력으로 하여금 1910년대 시행해온 유사종교에 대한 종교정책을 재검토할 수밖에 없는 상황을 만들었다. 3·1운동 주도세력이 종교단체와 긴밀하게 연결되어 있었고 유사종교의 대표격인 천도교가 주도적인 역할을 담당했다고 판단했기 때문이었다. 강점 이후 종교정책이 성공치 못했음을 인지한 식민권력은 유사종교의 실태를 파악하기 시작했다. 경찰권력에 의한 강력한 유사종교 단속에도 불구하고 유사종교는 근절되지 않고 지하에 잠복해서 계속 성장해 나갔다. 그리고 식민지 조선의 민중들 다수는 여전히 유사종교에 친밀감을 보이고 있었다.[20]

천도교 등 70개 가까운 유사종교단체는 1920년대에도 식민권력에 의해 여전히 「보안법」「집회취체에 관한 건」(1910)을 적용받는 단속대상이었다. 이와 동시에 총독부는 「포교규칙」의 적용기준을 완화하는 유화책을 내세우면서,[21] 그동안 비밀리에 활동하는 등 실

---

20 민족운동에 참가한 민중의 정신세계를 조사하고 지배정책에 반영하려 하였다. 식민권력의 지배의 장기화를 위해서는 민중의 정신세계에 대한 조사가 필요하다고 인식했기 때문이었다. 민간신앙과 유사종교 단체에 관한 조사는 3·1운동을 배경으로 구관·제도조사에서 풍속조사가 독립한 시점에서 본격화되었다. 식민지 지배에서 민중의 내면과 정신세계는 지배가 장기화되면서 그 파악의 필요성이 높아졌기 때문이다(姜渭祚, 「植民地朝鮮における總督府の宗教政策」, 早稻田大學, 92쪽). 1920년대 총독부에 의한 구관제도조사사업의 중심적 역할을 담당했던 한 사람이 『조선의 유사종교』의 저자인 무라야마 지준이다. "총독부는 구관조사의 결과를 비공인종교에 대한 억압책 강화에 이용하였다." (86쪽)

21 1910년대 일제의 종교규칙이 3·1운동을 계기로 전환된 모습으로, 우선 '종교'와 관련

체 파악이 어려웠던 유사종교단체로 하여금 스스로 단체를 공개하도록 정책방향을 수정하였다. '유사종교'에서 '종교'로 전환된 종교단체에 대해서만 인정하고 보호해주겠다는 이른바 '어용' 종교단체만들기 정책이었다.[22] 보천교는 식민권력의 이러한 유사종교정책의 주요한 대상이 되었다.

식민권력의 감시와 통제는 주도면밀하게 이루어졌다. 실체를 확인해서 민중과 분리했고 지식인을 동원하여 내분을 일으키고 왜곡시켜 소멸하도록 공작했다. 그런 면에서 결론적으로 본다면 식민권력의 종교통제 정책은 성공했던 것이다. 식민지 상황에서 엄청난 교세를 확보했던 보천교는 1936년 차월곡의 사망과 함께 해체되어 버렸다.

해서는 1920년 4월에는 「포교규칙」을 개정하여(총독부령 제59호) 교회의 설립을 허가제에서 신고제로 바꾸고, 제반 복잡한 수속을 생략하거나 삭제하고 벌금제도를 폐지했으며, 총독부 학무국 내에 '종교과'를 신설하여 종교문제를 전담하게 하고 선교사와의 연락을 맡게 했다. 그리고 외국인이 소유한 부동산일지라도 종교단체의 재산은 내국법인으로 허가해 줌으로써 재산관리상의 편의를 제공하였다. 이러한 조치들은 분명 외국인 선교사에 대한 회유, 기독교에 대한 회유의 성격을 띠는 것들이었다.
22 총독부는 유사종교를 공개토록 한다는 조치를 무격巫覡에도 적용했다. 그때까지 미신으로 치부하여 단속해 왔지만, 총독부는 무격의 '조합화' 조치를 취하였다. 1920년 5월, 일본인 小峰源作=김재현金在賢이 경무국으로부터 '숭신인조합崇神人組合'이라는 조직을 허가 받았다. 이후 이 조합은 경성과 각 지방 곳곳에 지부를 두어 조합원에게 활동 '면허장免許狀'을 교부하였고, 조합 참가비로 매월 1인 4원의 조합비를 징수했다. 이 조합의 결성으로 조합원은 '명령지휘에 복종'하지 않으면 활동하지 못하게 되었으며, '불령선인不逞鮮人의 밀정密偵에 이용'하기 위한 목적도 지니게 되었다.

3 보고서의 구성과 특징

1) 저술의 목적

앞서 언급했듯이 본고에서 주목하는 자료는 '보천교'[23]에 관해 식민권력이 생성한 평안남도의 『양촌 및 외인사정 일람洋村及外人事情一覽』(1924. 6. 이하는 『사정 일람』이라 약기함)과 전라북도의 『보천교일반普天敎一般』(1926. 6. 이하는 『일반』이라 약기함)이라는 보고서이다. 이두 보고서는 당시 조선총독부의 하위기관[24]에서 비밀리에 조사 정리하여 식민지 종교정책 특히 보천교의 탄압과 해체에 이용된 정책 자료이다. 그만큼 식민권력이 보천교를 어느 정도 비중있게 다루었는지를 보여주는 근거이기도 하다.

그런데 두 보고서를 살펴보기 전에 주목할 자료가 하나 더 있다. 1922년 3월 27일 생성된 「태을교에 대해」라는 보고서이다. 이 자료는 조선군 참모부가 작성하여 육군성, 참모본부, 예하부대, 조선헌병대, 관동군 등 20개 이상의 기관에 발송한 비밀 보고 문건이다. 총 36쪽 분량으로 공문서로 보기엔 적지 않고, 보고서로 보기엔

---

23 증산 강일순 사후(1909) 1910년대 초기에는 고판례의 선도교, 김형렬의 미륵불교 등이 명칭이 사용되었으나 그 외 뚜렷한 명칭은 공식적으로 사용되지 않아 일반적으로 훔치교 태을교 등으로 불리고 있었다. 1922년 등록하면서 보천교라는 교명을 사용하게 된다.

24 두 보고서의 표지에는 평안남도와 전라북도라 되어 있다. 그러나 뒤에서 설명하겠지만 『사정 일람』을 생성한 평안남도는 철철綴이 잘못 되었거나 아니면 총독부의 관계기관(『보천교일반』을 생성한 전라북도 경찰부)에서 생성된 보고서가 『사정 일람』에 재수록된 것으로 보인다.

많지 않은 내용이 담겨 있다. 그리고 이 자료가 1922년 3월에 생성되었다는 사실에도 주목해야 한다. '보천교'라는 명칭 등록 및 교단 공개는 1922년 1월에 조선총독부에 신고함으로써 이루어졌다. 그런데 공개 직후 두 달도 지나지 않아, 조선총독부가 아닌 조선군 참모부가 일본 본토와 조선 그리고 만주 등지의 식민권력의 각 기관으로 보천교에 관한 정보들이 제공된 것이다. 식민권력이 공개를 독촉한 이유를 알 만하다. 식민권력은 등록 및 공개를 회유하면서, 한편으로는 철저한 조사를 통해 보천교 교단이 '민족'이나 '독립'과 연결되는 일을 차단하려 했던 것이다.

이 보고서는 '교주 강일순의 출생' '강일순의 편력遍歷' '신종교의 창설' '기이한 주문' '교주의 이적異蹟' '교주의 사망과 대분열' '제2세 차경석-그는 동학당 수령의 자제[유애遺愛]이다' '기이한 전설' '태을교 입교의 의식' '현황'으로 구성되었다. 최초의 종합 보고서인 만큼 내용은 평이하고 보천교 전반에 대한 개설서의 특징을 지닌다. 그러나 이 보고서는 『사정 일람』과 『일반』이 작성되기 이전, 처음으로 식민권력이 보천교에 대한 자료의 중요성을 느껴 보천교만을 대상으로 작성한 기초자료로서의 의미를 갖는다. 따라서 구성도 이후 『사정 일람』과 『일반』의 구성에 토대가 되었다. 뿐만 아니라 목차에 차월곡이 동학혁명 당시 동학군 수령인 차치구의 '사랑스런 아들[유애遺愛]'임을 명기하여 보천교를 경계해야 할 대상으로 취급하고 있는 모습도 보인다.

내용 중 일부를 보면 다음과 같다.

"태을교는 최근 항간에 무식계급無識階級 사이에서 조금씩 세력을 지닌 종교단체로 알려졌고, 훔치교 또는 보천교라고도 불려진다. (중략) 삼남(충청, 전라, 경상) 지방으로 전파되었고 지금은 서북지방에까지 영향력을 미치고 있으며 그 교도는 헤아릴 수 없을 정도로 수 십만이라 칭해지고 있다. (중략) 당국은 이를 보며 정치운동을 음모하는 비밀단체로서 그 검거 매우 엄밀히 하여 수년 동안 강원도 및 삼남지방에서 수백 명의 교도를 체포하여 처형한 바 있고, 또 작년 봄 전주에 집적集積된 10만원의 돈을 압수하고 다수의 교도를 체포하였고 그 후 관헌의 취체는 한층 엄중해졌다.”

보천교는 조선의 '무식하고 우매한' 민중들에게 점차 세력을 확대하여 신도수가 증가하고 있으며, 식민당국은 이 종교단체를 주목하고 있다는 것이다. 왜냐하면 순수한 종교단체라기보다는 '정치운동을 음모하는 비밀단체'이기 때문이다. 따라서 단속과 검거를 게을리해서는 안된다는 취지의 내용이었다.

1910년 한국을 강점한 식민권력은 일제의 강점 목표를 효율적으로 달성하기 위해 동화정책을 전개하였다. 강점 직후부터 내세운 소위 '내지연장주의'를 성취하기 위해서, 더 나아가서는 조선인과 일본인이 '화학적 융합'이 되어 소위 '충량忠良한 신민臣民'을 만들기 위한 정책들이 추진되었다. 1910년대 헌병경찰을 동원한 무단정치로 동화정책을 이루려고 했으나, 결과적으로는 1919년 3·1민족독립운동을 맞게 된다.

3·1운동은 식민권력의 종교정책의 분기점으로 볼 수 있다. 3·1운동의 33인 중 천도교 15인, 기독교 16인, 불교 2인이 주도했다는 사실은 동화정책으로서 종교정책을 재점검하지 않을 수 없었다. 이후 식민권력은 정책방향을 점검하고 회유와 탄압이라는 이중 술

책을 사용하면서 겉으로는 문화정책을 전면에 내세운다. 불교와 기독교에 대한 정책과 천도교를 위시한 소위 유사종교 정책은 더욱 분리되었다. 3·1운동에 적극 참여했던 천도교는 탄압을 받아 위축되거나 만주로 나감으로써 전체적으로 세력이 쇠락하였다. 그러나 3·1운동 이후 천도교의 약화를 대체하면서 보천교의 세력이 성장하고 있었다. 식민권력으로서는 주목하지 않을 수 없었다.

이렇듯 일제의 식민지 한국 지배정책(특히 종교정책)이 변화된 시점에서 식민권력에 의해 『사정 일람』과 『일반』이 대외비 자료로 생성된 것이다. 이 두 보고서에는 별도의 서문이 없는 관계로 명시적 목적을 찾을 수는 없다. 다만 3·1민족독립운동 이후 종교지형의 변화와 보고서에 포함된 내용 등으로 미루어 보고서 생성의 목적을 추정할 수 있다. 3·1운동 이후 총독부가 식민지 종교정책을 재점검, 재강화하면서 민족종교는 보천교를 중심으로 종교지형이 바뀌어 갔다. 대종교는 해외로 이주해 버렸고 천도교는 3·1운동으로 큰 타격을 입고 있었기 때문이다. 보천교는 그 틈새를 타 민족종교 곧 유사종교로 성장하고 있었고 타격을 입은 천도교를 대체할 수 있는 단체였다. 실제로 1920년대에 접어들면서 다수의 민중들이 보천교로 몰려들고 있었다. 뿐만 아니라 민족종교 교단들이 그러했지만 보천교 역시 비밀포교의 조직을 띠고 있었다.[25] 이에 비해 소위 종교로 공인되었던 기독교와 불교는 그 조직이 드러나 있었고 따라서

---

25 이는 민족종교가 일제강점기에 의도적으로 비밀포교의 조직을 갖춘 것이라기보다는 민족종교들이 포교 혹은 조직구성이 연원제淵源制를 바탕으로 하기 때문이다. 연원은 스승과 제자 사이에 전수되는 가르침을 의미한다. "사장사장師丈師丈 서로 전해받는 것이 연원이요"(『용담유사』 「도수사」). 이진구, 「천도교 교단조직의 변천과정에 관한 연구-연원제를 중심으로-」, 『종교학연구』 10, 1991 참조.

총독부의 시선을 벗어나기 어려웠다.

그런데 보천교의 교주 차월곡은 1910년대 후반기부터 소재를 숨긴 후 모습을 드러내지 않고 있었고, 식민권력으로서는 그 조직도 역시 명료하게 파악하지 못하고 있었다. 식민권력은 이처럼 소위 '보이지 않는 적'의 가능성을 좌시할 수 없었다. 자칭·타칭 600만의 신도를 가진 보천교가 '조선의 독립'과 '대시국의 건설'이라는 미명 하에 조직을 발전시키며 인심을 사로잡고 비밀포교로 식민당국의 동화정책에 반하는 활동을 한다면 큰 문제였다. 실제로 1910년대 말부터 이러한 보천교의 활동들이 보고되어 왔던 것이다. 보천교에 대해 교단 공개를 유도하는 한편 단속을 강화하는 '철권으로 제재를 가하는' 이중 정책을 구사할 필요가 있었다. 무라야마 지준이 지적했듯이, '유사종교는 항상 사회불안을 야기하는 동인을 제공하므로 총독부는 끊임없이 그 동태를 감시하고 조사해야 한다.' 이러한 목적을 달성하기 위하여 『사정 일람』과 『일반』은 당시 식민권력의 하부기관인 경찰조직에서 비밀리에 조사 정리하여 식민지 종교정책 특히 보천교의 탄압에 이용된 정책자료였던 것이다.[26]

2) 서술의 구성과 특징

평안남도의 『사정 일람』과 전라북도의 『일반』은 모두 학습원대學習院大 동양문화연구소東洋文化研究所에 소장되어 있는 자료이다. 그러나 『사정 일람』은 제목의 '양촌洋村 및 외인外人'에 관한 기

---

26 민족종교 보천교가 단순히 교단 내부의 분열에 따라 몰락의 길로 나아갔다기보다는 식민권력의 철저한 계략에 의해 분열·몰락되었던 것이다.

술이 24쪽에 불과하고, 보천교에 관한 내용이 212쪽이나 차지한다. 당시 보천교의 상황 및 행동, 계전, 보천교의 교의, 교무기관, 교의회(결의기관), 육십방위 제도, 여방주 제도, 보천교 60방주명, 축제일, 보천교 혁신운동, 시국대동단, 기산조합己産組合, 제주도 사건 등에 관한 상세한 내용들로 구성되어 있었다. 앞 부분의 '양촌 및 외인' 곧 평양지역의 기독교 관계자들의 사정에 관한 기술과는 이질적인 내용들이다. 이런 점으로 보아 원래 상이한 두 개의 보고서가 이후 정리되는 과정에서 하나의 철綴로 묶인 것으로 보인다.

뿐만 아니라 보천교에 관한 보고서의 구성도 고려할 점이 있다. 곧 '18장. 보천교도 남북분열상황' 이후의 구성 부분('별책' '별지(1) 좌개항목' 등)은 보고서의 앞 부분과는 다른 자료였던 것으로 보인다는 점이다. '목차'를 정리한 필체를 보더라도 18장은 기존 목차에 덧붙여 첨가 기록한 흔적이 엿보인다. 이렇게 본다면, 원래 본 보고서의 순수한 부분은 1~74쪽, 곧 1~17장으로 구성된 것으로 보면 좋을 듯하다.

따라서 『사정 일람』의 보고서가 1924년 6월 생성되었다고 하는 점 역시 주의를 요한다. 곧 1924년 6월을 '양촌 및 외인 사정'에 대한 보고서 작성 시점이며, 보천교에 대한 보고 시점으로 보기엔 무리가 따른다. 『사정 일람』에 들어있는 보천교 관련 사건들의 연대를 보면, 보천교 혁신운동은 1924년 6월 이상호의 〈시대일보〉 사건(소위 제1차 혁신운동)과 1925년 11월 이달호의 혁신난(제2차 혁신운동)이 있고, 교종敎鍾이 준공된 것은 1925년 3월이고, 기산조합은 1924년 6월 설립되었다. 또 시국대동단은 1925년 1월부터 6월까지 활동하였고 소위 '시국표방강도 사건'도 1925년의 일이다. 이러한 연도들도 고려한다면, 보천교에 관한 보고서의 생성연대는 최소한 1925년 말 이후가 될 것이다. 아니면『일반』이 1926년 6월에 생성된 자료임을 고려할 때,『사정 일람』의 보고서 작성도 비슷한 시기로 추정하는 것이 가장 적절해 보인다.

다음은 두 보고서의 목차 및 내용구성을 비교해 보자.

두 보고서의 목차 비교

* [ ]는 분량쪽수/밑줄은 동일(유사)목차

『양촌 및 외인 사정 일람』(1924. 6)	『보천교일반』(1926.6)
1. □□□□□ [3]	1. 교조 강일순 [7]
2. (보천교의) 상황 및 행동 [3]	2. 교주 차경석 [6]
3. 보천교의 교의 [6]	3. 훔치교 분파의 상황 [11]
4. 계전 [2]	1) 태을교 김형렬파 [4]
벌전罰典 및 적용 계전戒典 [2]	2) 태을교본부 이영로파 [2]
5. 교무기관 [6]	3) 태을교중앙총부 장남기파 [1]
6. 교의회(결의기관) [1]	4) 태을보화교회본부 윤필구파 [1]
7. 육십방위 제도 [3]	5) 태을교중앙총부 전우영파 [1]
8. 여방주 제도 [2]	6) 제화교본부 구연철파 [1]
9. 보천교 60방주명名 [5]	7) 무극대도교 조철제파 [3]
10. 축제일 [2]	4. 보천교의 교의教義 [6]
11. 성전 건축상황 [3]	5. 보천교의 제사 및 주문 [6]
12. 보천교와 혁신운동 [5]	6. 포교수단 [7]
13. 보천교와 시국대동단 [5]	7. 戒典 [1]
14. 기산조합己産組合 [11]	8. 벌전(罰典) 및 적용 계전 [2]
15. 교종教鍾 [2]	9. 보천교의 내부조직 [7]
16. 차경석의 도술 [1]	1) 60방위 제도 [2]
17. 제주도사건 [2]	2) 여방주 제도 [5]
18. 별책	10. 축제일 [1]
1) 보천교 제2차 혁신운동 [ ]	11. 성전건축 상황 [8]
(1) 보천교의 근황 [3]	12. 성전건축 종업원의 동맹파업 [2]
(2) 혁신운동의 원인遠因 [3]	13. 교종 [4]

두 보고서의 목차를 비교해 보면, 전체적인 내용은 대동소이하다. 그러나 목차구성이나 서술에서는 다소 차이가 보인다. 예를 들어 『사정 일람』에서는 '2.보천교의 상황 및 행동', '5.교무기관', '6.교의회(결의기관)', '9.보천교 60방주명', '17.제주도 사건'이 별도 목차로 다루어졌고, '보천교도의 시국표방강도'도 별도항목으로 설정하고 있다. 이에 비해 『일반』은 '1.교조 강일순', '2.교주 차경석', '3.훔치교 분파의 상황', '5.보천교의 제사 및 주문', '6.포교수단', '14.국화문장 잠용' 등이 별도 항목으로 설명되고 있다.

　　그리고 내용구성을 비교해 보면, 항목별에 따라 두 보고서가 동일한 내용으로 이루어진 부분도 있고('보천교의 교의' '기산조합' '혁신운동의 원인, 근인, 상황' 등), 동일한 내용을 담으면서도 『일반』이 좀 더 추가하여 기술한 항목도 보인다('성전 건축상황' '교종' '보천교와 시국대동단' '보천교와 혁신운동' 등). 이 점 역시 『사정 일람』이 『일반』보다 앞서거나 직전 시기에 생성되었을 가능성을 보여준다. 내용면에서 본다면, 『사정 일람』은 '교무기관', '60방주' 및 '기산조합', '제주도 사건' 등에서 치밀한 부분이 보임으로써 『일반』과 보완적인 자료의 의미를 지닌다. 예를 들어 교무기관으로 본소本所, 사정방위四正方位, 진정원眞正院 및 참정원參正院(중요 도시), 정교부正敎部(各郡)의 조직에 관해 그 구성(원)과 담당직무에 대해 자세히 설명한 점도 눈에 띈다. 그리고 총정원, 총령원, 진정원, 정교부의 직원 구성은 물론 6임과 12임 등에 대한 명칭과 직무들이 세밀하게 기록되어 있다. 『일반』에서는 이러한 내용들이 '보천교 교헌' 및 각 '규정'으로 다루어졌다.

　　이에 비해 『일반』에서는 '3.훔치교 분파의 상황', '11~12.성전 건축 상황' 등이 상세하게 다루어졌다. 이 보고서에는 교조 강증산,

교주 차경석, 훔치교 분파의 상황, 보천교의 교의, 보천교의 제사 및 주문, 포교수단, 계전, 벌전 및 적용 계전, 보천교의 내부조직(60방위 제도, 여방주 제도), 제사일, 성전건축 상황, 성전건축 종업원의 동맹파업, 교종, 기산조합, 시국대동단, 보천교의 내홍(소위 제1차 혁신운동), 제2차 혁신운동 전말, 보천교도의 남북분열이라는 목차와 함께 보천교 신축도와 보천교 교헌 등이 다루어졌다. 전체 230쪽에 걸쳐 당시 정읍에 본소를 두었던 보천교의 상황을 상세하게 조사·기록하였다. 앞서 언급했듯이, 『사정 일람』의 내용에 덧붙여 그 이후 상황까지 정리한 항목들을 찾아볼 수 있다.

『일반』의 특이한 기술은 '24.잡건'이라는 항목을 두어 43개 주요 주제를 나열, 설명한 점이다. 이 안에는 당시 식민권력이 보천교를 보는 시각이 들어있다. 또 교헌과 각종 규정들이 정리되어 있다는 점이다. 보천교를 부정적으로 볼 때, 보천교는 조직이 허술하고 우민한 민중들을 다수 끌어들인 점들을 많이 강조한다. 그러나 식민권력의 보고서에 나타난 조직 구성과 각종 규정들을 보면 그런 우려가 불식된다. 오히려 보천교의 조직이나 규정이 근대적인 조직·규정과 별반 차이점을 구별하기 어려워 놀랍다.

두 보고서는 모두 보천교의 혁신운동과 남북분열의 상황을 상세히 전하고 있다. 아무래도 보고서의 의도가 보천교의 상황을 파악하여 통제를 위한 자료임에 비추어 본다면 의당 보천교가 혼란을 거듭하며 분열되어가는 상황에 관심을 갖는 것은 당연하다. 결론적으로 두 보고서의 내용을 비교해 보았을 때, 둘 중에서 보천교에 관한 기초자료는 『보천교일반』으로 보이고, 『사정 일람』은 항목에 따라 세밀한 내용을 참고할 수 있는 보충자료의 성격이 강하다는 점이다.

4 보고서의 주요 내용들

앞서 목차비교에서 보았듯이, 두 보고서의 내용은 그 세밀함에 다소 차이가 있겠지만 서로 비슷한 부분이 많다. 그러면 두 보고서에 기술된 내용을 주요 항목별로 정리해 보겠다.

1) 보천교의 현황

보천교는 원래 태을교, 선도교 또는 훔치교 등 별칭으로 불리며 교명이 일정하지 않았다. 증산 사후 차월곡은 동지同志들과 함께 교도教徒의 통일 포교에 노력하였다. 그러나 증산의 수석 제자[고제高弟] 중 1인이었던 김형렬(김형렬의 딸은 증산의 세 번째 부인이다)과의 사이에 불화를 빚어 서로 다투었다. 당시 '김형렬은 차경석의 하위에 위치함을 떳떳치 못하다고 보고 1912년 일부 교도를 데리고 분리하여 주문에 있는 2자를 취해 이름을 태을교라 바꾸기에 이르렀다.' 그러던 중 '형렬이 태을교 일파를 일으키자 차경석도 선도교라는 별파를 창설하여'[27] 일심 가진 교도를 모집하여 교무를 확장하기에 이른다. 1916년 11월 자택에 교도를 모아 교무를 분장하기 위

---

27 증산의 제자들은 사후 다양한 교단을 형성한다. 태을교는 박공우가 일으킨 교단이다. 선도교는 고판례를 중심으로 형성되어 차월곡이 함께 활동하였고, 김형렬은 미륵불교, 안내성은 증산대도교, 이치복은 제화교, 문공신은 고부파, 김광찬은 도리원파 등의 교단을 형성하였다.

해 24방위의 임직任職을 두어 내부조직을 견고히 하여 교무의 쇄신 발전을 도모하였다. 1917년 11월 18일에는 포교를 위해 집을 나섰고, '중요 간부를 데리고 각지를 전전하며 혹은 산중山中 인적이 끊어진 곳을 골라 다니며 요언妖言 사술邪術로서 무지몽매한 무리를 꾀었다. 혹은 조선이 독립하여 대시국大時國이 건설되면 자신(경석)은 왕위에 오르거나 혹은 교주 등극의 그날은 각 교도는 모두 계급에 따라 각자 부윤 군수 등 각 관직에 임명된다는 등 황당무계한 언사言辭로 농락하였다.'[28] 이렇게 하면서 사람들의 마음을 미묘하게 흔들고 비밀리에 포교에 종사하였지만 당시 경찰관헌의 탐색은 점점 엄중해졌다. 때문에 그 후 차월곡은 묘연히 행방을 감추어 소재 불명이 되었다.

그러다 1919년 3·1운동이 일어난다. 주지하다시피 3·1운동에 다수의 종교인들이 참여하였다는 사실은 식민권력으로 하여금 종교정책을 다시 한번 돌아보게 하였다. 이런 상황에서 식민권력이 차월곡의 거대한 비밀단체에 큰 관심을 가진 것은 당연하며, 강력한 탄압과 회유의 이중정책을 구사하였던 것이다. 이때 차월곡도 내부 조직을 새롭게 60방주제로 개혁하고, 종래의 방침을 바꿔 점

---

28 1917년부터 '대시국'에 관한 풍설이 확대되었는지는 확실치 않지만, 이강오는 "차경석이 축천축지縮天縮地하며 신출귀몰하는 도술조화는 장차 한국의 참 주인으로 등극하리라는 설이 포교자들의 입을 통하여 선전되고 있었다"(이강오, 1966, 7쪽)고 하였다. 새로운 정부는 '조선을 종주국으로 하는 정교일치의 세계통일이 이루어지는 조화정부造化政府'에서 생각해낸 것이다. 또 당시 "정감록 비결을 절대시하여 새 왕조의 출현을 고대했던 자, 동학에서 뜻을 이루지 못하고 실망했던 자들 가운데에는 그들이 바라는 신정부의 주인공이 차경석이가 틀림없다는 것을 믿고" 입교하는 자가 늘어났다고 하였다. 이는 결국 '대시국' 구상과 정읍 대흥리를 수도에 버금가는 도로 및 건축물을 지으려 한 것과도 상통된다. 이강오는 '차경석의 갑자(1924)등극설이 포교상 가장 큰 요목'이었다고 지적한다(이강오, 1966, 15쪽). 여기서 '시국時國'은 때 곧 선,후천의 변화의 때[時]를 말한다. 『정역』의 '도수' 개념과도 같은 의미이다.

차 공공연한 포교를 지향하면서 4대 강령(일심, 상생, 피병被病해원, 후천선경)을 천명하고 '보천교'로 등록하였다. 또 '경성에 진정원을 두는 것을 시작으로 대구, 진주, 평양, 제주도, 전주 등 각지에 진정원을 설치하였다. 점차 전도全道에 미쳤고 또 각 군에 정교부正敎部를 두었으며', 공개적으로 종교유사단체로 활동하기에 이르렀다.

보천교가 종래와 같이 비밀포교를 바꿔 공연포교로 종사하기에 이르자 '일부의 교배敎輩는 이를 이용하여 이탈하는 자 속출하여 장남기張南基 일파는 경성부 중학동에 태을교 중앙총부를, 윤필구尹弼求 일파는 광화문 거리에 보화태을교를, 전우영全祐榮 일파는 중앙총부를 설치하면서 이탈하였다. 그들은 보천교를 중상中傷하였으며 전우영 일파 같은 경우는 진정원 내에서 독립만세를 위한 음모가 있었다고 유포하고, 윤필구와 정인범 일파는 차경석이 1924년 왕위에 오를 준비를 목하 준비 중으로 국호를 대시국大時國으로 정하고 관제官制를 반포頒布하는 등의 설을 〈동아일보〉에 게재하고 이를 선전하여 이 무리輩에 철권제재鐵拳制裁를 가해야 한다고 게출揭出하여 항상 공격배제에 힘쓰는 상황'이었다.

그럼에도 불구하고 보천교는 민중들의 입교 권유에 노력하여 1920년대 들어서는 다수의 교도를 확보하기에 이르렀다.[29] 보천교는 교의와 내부조직 등을 정비하고 '포교에 노력한 결과 일시 교도

---

29 그러나 경찰의 엄중한 취체 등이 계속되면서 점차 퇴교자가 속출하였고, 따라서 보천교 중요 간부 등은 보천교의 장래를 깊이 걱정하여 교세를 만회할 수 있는 인기전환의 방법을 모색하게 된다. 그러나 보천교는 1925년 1월에 특히 관헌이 환영하는 내선융화를 표방한 시국대동단을 조직하여 교외敎外의 인물도 가입시켜서 내선 각지에서 강연을 시작하였다. 그 결과는 반대파와 식민지 조선사회의 성토를 받아 포교도 곤란하고 보천교의 부정적인 이미지도 확대 생산하게 되었다. 약 10만 엔이라는 큰 돈을 투자하여 시국대동단 계획을 획책했으나 수포로 돌아가기에 이르렀다. 보천교가 내리막길로 접어든 것이다.

600만이라 호언할 정도의 세력勢力'을 지닌 교단으로 성장하게 되었던 것이다. 『사정 일람』에서도 '그 고제高弟 중 전북 정읍군 입암면의 차경석(원래 일진회원이었다)이 대통大統을 전수받아 일의포교─意布敎에 노력하고 교무를 분장하여 24인의 임직을 두고 기미년 10월에는 다시 60방위제를 정해 금일에 이르러서는 교도 600만이라 칭하기에 이르렀다'고 하였다. 체제를 정비하여 3·1운동 직후인 1920년대 전반기에 자칭·타칭 '600만 교도'를 일컬을 만큼 교세가 급속도로 신장된 것이다.

당시 보천교 신자 수에 대해서는 50만 명, 150만 명, 600만 명 등 논란이 많다. 특히 '자칭·타칭 600만 신도'(『사정 일람』, 『일반』, 『보천교연혁사』, 『도훈』, 『보광』 등)에 대해서는 당시 총 인구 1,800만 명에 비추어 규모가 너무 커서 상징적인 의미로 취급해 버리는 경우가 허다하다. 동서고금을 불문하고 정확한 종교인구 수를 확인한다는 것은 불가능에 가깝다. 심지어 그 숫자를 추정하는 것조차 어려운 것이 현실이다. 그렇다고 이를 허구적인 상징이라 치부하는 것은 옳지 못하다. 당시 경북경찰부가 발간한 『고등경찰요사』(1934.3.25)의 교세 현황 보면, 경북도내 종교인 중 47% 정도가 보천교인이었고, 70% 정도가 증산계(보천교+무극대도교)였다. '주요 요주의 유사단체'로서 보천교는 성금액수도 매우 많았던 것으로 추정되고, '상당한 교세를 지니고 있다'고 하였다.

무라야마 지준의 『조선의 유사종교』에는 '천도·보천 양교 분포연혁도天道·普天兩敎分布沿革圖'가 첨부되어 있다. 이를 보면 전국에 보천교의 조직이 산재되어 있었고, 천도교와 보천교의 인구가 적지 않았음이 입증된다. 이렇듯 보천교 신도의 급성장에 대해서는 여러 가지 이유를 열거할 수 있을 것이다. 우선 당시 『정감록』 비결을 믿어 새 왕조 출현을 기대했던 민중들이 '천자등극설과 연계'하여 모여들었을 가능성도 있고, 또 동학의 실패로 '다시개벽'의 꿈을 기대하여 몰려든 민중들일 수도 있다. 그리고 종교적 의미에서, 방황하는 민중들로 하여금 차월곡의 '축천축지, 신출귀몰하는 도술조화'에 관한 소문이나, '장차 한국이 세계 중심국이 되고 여기서 참 주인이 등극하리라는 설'이 사람들의 입을 통해 선전된 효과도 있었을 것이다.

그렇다 하더라도 600만 명이라는 숫자에 대해서는 논란이 많다. 그러나 이러한 숫자를 고려할 때, 두 가지 사실을 염두에 두어야 한다. 먼저 당시 민중들은 동학(천도교)이나 보천교를 분리하여 생각하지 않았다는 사실이다. 실제로 보천교의 주문에는 동학 주문인 시천주주侍天主呪 등이 들어있고, 당시 천도교인들도 '천도교도가 되면 장래 조선독립에 즈음하여 물질적 이익을 얻는다'고 믿어 입교한 자들이 있었다. 민중들은 천도교인지 동학인지 보천교인지가 중요하지 않았다는 사실이다. 다음으로 일제강점기에 '소속'만을 기준으로 종교인구를 추계할 수는 없다는 사실이다. 민중들은 어떤 종교단체에 소속되어 있지 않더라도 그것이 방향을 찾아 헤메는 자신에게 심리적 위안을 주고 민족독립에의 열망을 준다면 그것으로 만족했던 것이다. 그래서 몰려들었던 것이다. 이는 종교사회학에서 '소속 없는 믿음'Believing without Belonging이라는 테제로 설명한다. 더욱이 민족종교들의 포교는 대부분 개인적 연결관계인 연원제에 바탕을 두고 이루어진다. 그렇다면 600만 명도 충분히 가능한 숫자이다.

이렇듯 '자칭·타칭 600만 교인'으로 기록될 정도로 보천교는 한 때 급성장하였다. 보천교 본소는 정읍군 입암면 접지리에 있었다.[30] 이곳은 교주 차월곡의 출생지이며, 마을 앞은 입암산笠岩山을 바라 보고 뒤편에는 삼두산三斗山이 위치했고, 동북방향에는 전북평야, 마을 중앙에는 작은 시냇물이 흘렀다. 소위 평사낙안平沙落雁(평평한 모래밭에 날아와 앉은 기러기 떼의 모습)의 땅이다. 그리고 문천무만文千 武萬의 땅, 곧 다수의 문무관을 배출할 곳이라 하여 본소가 자리잡 았다. 이러한 정읍 본소의 상황도 보천교 성장의 흐름을 반영하고 있다. 접지리에는 처음에 소수의 사람들만이 거주하던 마을에 불과 하였다. 그러나 1922년 중앙본소의 설치 이후로는 호구戶口가 점차 증가하여, 특히 '1924년 갑자년에 교주 차경석의 천자天子 등극 운 운의 설[미설迷說]을 유포할 때에는 이를 허망되게 믿는[망신妄信] 자 많 아' 각지에서 교도들이 이주하여 날마다 인구가 급증하는 상황에 이르렀다. 1922년을 기준으로 볼 때, 1925년 말 마을 호수는 33배 이상으로 증가하였고, 교도가 거의 1,900명에 이르는 것으로 보아 대부분이 보천교 신도들의 가구였음을 알 수 있다.

보천교 본소 접지리(대흥리)의 증가 상황

연 도	호수(호)	교도수(명)
1922년 말	12	0
1923년 말	71	364
1924년 말	153	811
1925년 말	400	1,859

---

30 행정명이 접지리이고 大興里, 大央里라고도 불렸다.

2) 교조 강증산과 교주 차월곡

보천교는 증산 강일순을 교조教祖로 한다. 그러나 보고서에서 교조에 대한 설명은 매우 소략하다. 『일반』은 강증산에 대한 설명으로 시작한다. '신화神化 일심一心 상생相生 거병去病 해원解怨 후천後天 선경仙境 등의 교의로 창도唱道하여 마침내 훔치교(선도교仙道教라고도 한다)라는 일종의 미신교를 창교'하고 그 주문으로 '태을천상원군훔리치야도래훔리함리사파아(태을천상의 임금이시여, 원하는 바를 당신의 뜻과 같이 성취하게 하여 주소서 라는 뜻)를 만들어 매일 일천 회를 암송하면 그 효험이 나타나 질병있는 자는 치유되고 질병 없는 자는 몇 배 강건하게 되며 또 모든 원하는 뜻을 성취'할 수 있다고 내세웠다. 이를 통해 포교에 힘쓰면서 마을 사람은 물론 마을 부근의 '사람들이 바람처럼 따르면서 이에 귀의하여' 그 수가 점차 많아지기에 이르렀다고 했다.

또 『사정 일람』에 의하면, 증산은 '한학에 조예가 깊고 유림으로 덕망 높아 남선南鮮 일대를 풍비하였다.' 이러한 그가 '세도인심世道人心의 이완弛緩됨을 개탄하고, 당시 구미인 등이 기독교 포교에 노력함을 증오하고, 만약 이에 진력한다면 동양 황색인종은 구미인으로 인해 마침내 멸망에 이를 것이라 개탄'하였다. 그리고는 이를 해결하기 위해 '1901년에 신화, 일심, 상생, 거병, 해원, 후천선경 등을 내세우며 창도唱道하고 제자들을 가르친 이후, 1909년 전라도, 충청도, 경상도 등에 괴병[콜레라]이 유행하여 사망자가 속출함을 보고 스스로 대속代贖하려고 목욕재계하여 태을주 19자 주문을 외우며 기도하였다.'³¹ 그 뒤 이와 같은 나쁜 일이 생기면 '자신이 말한 교의를 신앙하고 주문을 외우면 여하한 악질 등에 어느 누구도 감염되는 일이 없을 것이고 죽음을 면하는 것이 가능하다고 인심人心을 수람하기에 이르렀고', 같은 해(1909)에 사망하였다.

그러나 당시 강증산의 종교행위는 뚜렷한 명칭을 갖지 않았다. '훔치교', '선도교'라는 명칭은 증산 사후인 1911년 하반기부터 둘째 부인인 고판례의 교단을 불렀던 명칭이다. 뿐만 아니라 식민권력은 이를 '미신' 취급하고 있음도 알 수 있다. 1909년 증산은 천지공사를 마치고 세상을 떠난다. 그러나 증산은 따르던 제자 중 특정인을 지목하여 종통을 계승토록 하지 않았다. 더욱이 이듬해인 1910년은 주지하다시피 조선의 국운이 일제에 의해 강탈당한 해였다. 이런 상황에서 뚜렷한 후계자도 없는 종교교단의 성립이나 전개활동이 여의할 리 없었다.

여기서 주목할 만한 것이 1910년대 무단통치하에서 증산의 교의를 계승하여 종교활동을 시작한 차월곡이었다. 차경석은 '일명 윤홍이라 칭하고, 1880년 6월 1일 출생하였다. 아버지 차치구는 동학당의 간부이기 때문에 1894년 경석 15세 당시 흥덕군수 부하에게 체포되어 사형에 처해겼다.' 차치구車致九(1851~1894)는 정읍시 입암면 대흥리에서 출생하여, 동학혁명 당시 정읍지역의 접주로 2차 봉기 당시에는 농민군 5천을 이끌던 수령이었으나 혁명의 패망과 함께 불의의 죽임을 당하였다. 이후 가세가 기울어 형편이 빈한했고, 나중 차월곡이 증산을 만난 것에 대해 집안에서는 '동학한다

---

31 이는 『사정 일람』의 기록으로 실제와는 다를 수 있다. 창도의 시기나 증산이 태을주를 외워 대속하였다는 것은 식민권력의 시선이다.

고 집안이 망했는데 또 이상한 사람을 끌어들여 집안을 아주 망치려 한다'는 불만이 많았다. 경석은 '1890년 1월부터 1901년 2월까지 정읍군 입암면 안경현安京賢이란 자 밑에서 한적漢籍을 배우고 1904년부터 1908년 3월까지 일진회 평의원이었다. 1907년 6월 16일, 김제군 수류면 원평리 주막에서 우연히 강증산과 만난 이후 그 문하에 들어가(강증산의 둘째 부인이 고판례이며, 차월곡의 이종누이이다. 차월곡의 종교활동은 고판례가 주도한 선도교와 함께 진행되었다) 훔치교에 귀의하여 교리의 연구에 몰두하여 마침내 1909년 음력 1월 3일 교통教統 전례식傳體式을 하여 교도教道를 전수받기에 이르렀다.'[32]

식민권력은 교주 차월곡의 심성을 '속이 좁고 담력이 없다[협량소담狹量小膽]'고 비난하였다. 1924년 음력 1월 어느 날, 교주는 '각 방주方主를 성전에 모아놓고 잡담을 하면서 교주의 비행이나 교教의 불비不備한 점 등이 있으면 사양치 말고 말해라 하고, 또 직접 이야기하기 어려운 내용은 서면으로 제출하라고 했다. 당시 이 말을 믿고 정직하게 많은 비행결점을 적서摘書한 자는 오히려 교주의 반감을 샀다. 특히 이상호 같은 경우는 교주로부터 절교絶交 선언과 탈퇴 처분을 받았고,[33] 교주는 만사萬事에 속이 좁고 담력이 없어 충성·솔직한 자를 싫어하고 교언영색巧言令色의 간신배를 가까이 했다.'[34]

---

32 동학을 신앙했던 차월곡이 증산을 만난 것은 1907년이다. 『대순전경』의 기록을 보면, 1907년 5월 세무관과 송사할 일이 있어 전주를 가던 차월곡이 용암리 물방앗간 앞 주막에서 증산을 만나게 된다. 증산은 김형렬의 집을 떠나며 "이 길이 길행吉行이라. 한 사람을 만나려 함이니 장차 네게 알리리라."고 하여 의미심장한 언사를 한다. 이후 차월곡은 증산으로부터 다양한 종교체험을 하면서 제자로서의 면모를 갖추게 된다. 그러나 차월곡에게 뚜렷하게 종통을 전수한 것으로 보기는 어려우며 특히 종통을 두고 김형렬과의 관계는 증산 사후에도 계속 문제가 되었다.

33 '이상호는 이 때부터 보천교에 반감을 갖기에 이르렀다'고 했다. 1924년 총령원장 이상호와 해亥방주 이성영은 '보천교 혁신운동'을 시작한다.

34 당시 이러한 보고서의 기록과는 대조를 이루는 기록들도 많다. "내가 정읍에 가기는

'교주 차경석의 인격'에 대한 비난은 계속된다. '교주는 교도들이 성금 납입할 때는 기뻐해도 성금 납입이 저조할 때에는 비관하고, 의식衣食이 궁핍한 교도敎徒들의 고혈膏血을 짜내어 금은옥보金銀玉寶를 산적하는데 사력을 다하여 계전戒典의 남사·기의濫奢·棄義는 무시하여 버린다.' '차경석의 도술'이라 하여, 차경석은 소위 '도술(축지법, 차력법, 호풍환우술, 둔갑장신술遁甲藏身術 등)을 심득한 초인간적 행위'를 하며 신도들을 유인했다라고 기록하였다.

보고서에 나타난 이런 기록들은 식민권력과 그를 중심으로 한 카르텔이 생성한 이미지이다. '속이 좁고 담력이 없다'는 것도 그렇고, '차경석의 도술'(축지법, 차력법, 호풍환우술, 둔갑장신술 등)을 운운하며 차경석과 그를 따랐던 사람들을 미신화시켜 버리는 식민권력의 부정적 언술도 그렇다. 교단을 이제 막 형성하기 시작한 어떤 종교가 치고 그런 신비스런 능력에 대한 이야기는 당연하다. 교주敎主 차월곡에 대해 총독부에서 만든 부정적 이미지는 식민권력이 향후 보천교를 어떻게 취급할 것인가에 대한 방향을 암시하고 있는 것이다.

1923년 4월 중순경이다. (중략) 비록 현시대의 지식은 결여했다 하더라도 구시대의 지식은 상당한 소양이 있다. 그 외 엄격한 태도와 정중한 언론은 능히 사람을 감복케 할 만하다. 그는 한갓 미신가가 아니오, 상당한 식견이 있다. (중략) 그의 여러 가지 용사用事하는 것을 보면 제왕될 야심이 만만한 것을 추측하겠다"(비봉선인 1923, 37~41). 또 선도회禪道會 초대 지도법사 이희익李喜益(1905~1990)의 면담 회고를 보면, "차천자는 몸은 뚱뚱하고 큰 상투에 대갓을 쓰고 얼굴은 구리빛으로 까만 수염이 보기좋게 나 있었다. 그 풍채가 과연 만인의 장 같았다."(박영재 2001, 215~217)고 한다. 이 외에도 차월곡의 겸양지덕의 성품과 기개와 배포를 충분히 엿볼 수 있는 일화들이 많다. 당시 어떠한 국가 제도적 보호 장치도 마련되지 않은 식민지 상황에서 자칭·타칭 600만 명이라는 한 조직을 통솔했던 종교가다운 면모를 제대로 볼 필요가 있는 것이다.

3) 보천교의 교의教義와 포교

보천교가 포교에 사용한 교의는 다양하였다. '우주의 신명을 부르고 강산江山의 정령精靈을 모아 후천의 이치理敎를 정정定함을 목적으로 하고 이러한 목적을 달성하기 위하여 신화神化, 일심一心, 상생, 거병去病, 해원, 후천선경 등의 교의를 일관되게 신앙하는데 있다'고 하여 보천교의 주요 교의를 제시하였다.

이러한 교의의 내용을 좀 더 정리해 보면 다음과 같다.

① 신화 : 신화라 함은 신의 천위天位에 도달하는 것, 즉 해탈의 경계를 말하는 보천교 궁극의 목적이다. 우리들의 신에 대한 개념은 고대에 우주를 창조하고 만물을 주재主宰하는 유일무이한 신, 즉 공상적空想的인 신이 된다. 따라서 우리는 이런 신을 공경하는 것이다. 그렇지만 석가의 불佛, 노자의 선仙에 이르러서는 신이 이상적으로 된다. 그리고 보천교는 교조 증산을 일심으로 믿고 의지하면 보편타당성을 얻고 영육일치靈肉一致의 실재적實在的인 신이 된다. 인류는 신의 가능성을 갖는다. 일반적으로 신화theosis. deification는 '자신이 신이 되었다는 관념', 신성하게 되는 것을 말한다. 일심의 신앙생활을 통해 개개인들은 교조를 더 닮을 수 있고 교조와 같은 모습을 회복할 수 있음을 말한다.

② 일심 : 의식통일 상에서 진의眞義를 발견하는 것을 말한다. 또 일심을 기초로 하여 개안開眼의 원리를 세우는 것이며, 이로서 무념무상의 명경지수明境止水와 같은 대광명大光明의 진공眞空을 얻을 수 있다.

③ 상생 : 보천교의 도덕으로 즉 상호부조의 뜻이다. 일찍이 오행상극五行相剋 또는 생존경쟁의 원리에 의해 인류사회는 약육강식과 우승열패 상태에

빠져들어 교조는 천하무상극지리天下無相剋之理를 주장하여 상생설을 말하였다. 상생은 도덕의 본체로서 인애仁愛, 자비慈悲, 겸양謙讓 등의 덕목이 모두 상생의 의의意義에서 분파된 것에 지나지 않는다.

④ 거병해원去病解怨 : 사회 일체의 죄악은 모두 병病이다. 사회 일체의 불평不平은 모두 원怨이다. 이 병을 제거하고 이 원을 푸는 것이 보천교의 사명이다.

⑤ 후천선경 : 보천교 최고의 이상이다. 불교의 극락, 기독교의 천국은 사후의 세계에 존재하는 것이다. 그러나 우리의 지금 숨 쉬고 있는 대지는 곧 미래의 선경으로, 세상의 모든 병과 원怨(죄악과 불평)이 사라지고 사람들은 신화神化된 상태를 말한다. 이것이 천국이자 극락이다. 그리고 여기에 주註를 달아, '증산의 탄강 이전을 선천이라 칭하고 이후를 후천이라 칭한다. 선천, 후천은 이러한 의미로 해석된다'고 하였다. '현재'를 선천으로 볼 것인가, 후천으로 볼 것인가에 대해서는 의견이 다양하다.

그 외에 구천하감지위九天下鑑之位, 옥황상제하감지위玉皇上帝下鑑之位, 칠성성군하감지위七星聖君下鑑之位가 있는데, 이는 모두 교조를 가리키는 것이다.

종교교단의 일상적인 포교는 이러한 교의를 널리 홍보하여 사람들의 마음을 끌게 된다. 그러나 『일반』에는 식민권력의 시각에서 보천교의 포교행위를 기록했기 때문에, 이러한 교의에 의한 포교보다는 황당무계한 방법으로 포교가 이루어졌다고 비난하고 있다. '보천교의 교의敎義로 칭해지는 신화神化 일심 상생 거병해원 후천 등은 소위 표면의 간판에 지나지 않으며, 또 직접 포교에 임하는 방주 이하의 역원役員은 천학비재한 무리가 많아 그 인격 지식 경험 등에 따라 임용시켰고, 납입금의 다과多寡에 따랐으므로 실로 그 교를 사랑하고 그 교를 널리 홍보하고 그 교를 고양시키려 하는 자는 자신의 납금納金을 많게 하고 자기세력 하에 부하를 많이 두기 위해 입교자를 유치시키려 했다.' 소위 '황당무계한 포교방법'이 동원되었을 수도 있으나, 1910년대 당시 많은 수의 신자를 확보했다는 사실은 신중한 해석을 요하는 부분이다. '황당무계'했음에도 다수의 신자가 확보되었다면 식민지 한국인의 '우매성'을 간접적으로 지적하는 것이며, 그렇지 않다면 보천교를 통제 탄압하기 위해 '황당무계한 포교방법'을 강조한 식민권력의 정책적 기술記述로 볼 수 있다.

이러한 목적과 수단으로 입교권유를 위해 가장 많이 사용하는 구실은 다음과 같이 정리되었다.

① 교주 차경석은 모년 모월 등극하며 그 때 교첩부주教帖符呪를 소지한 자는 그에 응당하는 관직을 받는다.

② 올해는 악질유행하여 보천교를 믿는 자는 그 재액災厄을 면한다.

③ 현재 모습을 숨긴 차경석은 모년 모월 나타나 새로운 대시국大時國을 건설하여 현재의 제도 일체를 파기하고 정전법井田法을 두어 개인소유 토지 모두를 몰수하여 평등하게 분배할 것이다. 때문에 모든 토지소유자는 지금 빨리 토지를 매각하여 보천교에 봉납하면 신국가가 건설될 때 고위고관에 임해져 생활의 안정을 얻는다.

④ 보천교에 입교하여 성심성의껏 신앙하면 장래 다대한 행복을 얻는다. 가령 악질 유행하여 인류 태반이 사멸할 경우에도 천신지기天神地祇가 출현하여 생명의 안전을 보장받는다.

⑤ 보천교에 입교하여 열심히 신앙하고 교리를 심층 이해하여 받들게 되면, 상

제 하강하여 친히 개안법開眼法, 축지법縮地法, 변신법變身法, 공력법供力法, 호풍환우술呼喚雨術 등의 비법祕法을 전수받아 초인적超人的인 활동을 하며 최고의 행복을 얻게 된다.

이상의 '불온不穩하고 황당무계한 언변'을 사용하여 포교한다고 하였다. 그러나 사람들은 '민도가 낮아 경찰단속이 쉽지 않아 지방을 선택해 양민良民을 유혹하여 그 많은 자산을 기부하고 보천교를 위해 탕진하며 암흑으로 끌어들이는 일이 심하여 현재 이를 발각한 중대한 사례들이 있다'고 했다.[35]

4) 보천교의 조직

다음으로 보천교의 조직을 살펴보면, 방주제方主制가 가장 특징적이다. 방주제는 규정으로도 정리되었다.

차월곡은 포교활동에 주력하면서, 1916년 11월 28일에 채규일, 김홍규, 문정삼 등 24명을 24방위에 응하는 24방주제도를 만들어 천지에 이름을 고해 서약하고 교무敎務를 분장分掌케 했다. 그리고 1919년에는 강원도 울진군에서 60방주제로의 변경 뜻을 밝히고, 10월 초에 경남 함양군 대황산大篁山 밑에 제단을 쌓고 60방주를 고천

---

35 그 사례로서 1918년 11월 12일 제주도의 이찬경李燦京이 기선汽船으로 실면實綿과 조면繰綿 19포대를 목포로 옮기며 비밀스럽게 많은 돈을 은닉하여 가져온 일, 1921년 음력 3월경 방주方主 김영두가 교도로부터 군자금을 모집하여 20만원을 사취도주詐取逃走한 일, 교주 차경석이 1918년경부터 국권회복國權恢復의 미명美名을 표방하여 신도의 마음을 붙잡고, 국권회복 후에는 스스로 왕위에 올라 왕도王都를 정읍에 두고 각 교도는 대저 계급에 따라 상응하는 관위를 주고 또 보천교를 신앙하는 자는 만사 뜻한 바와 같이 이루어진다는 감언으로 입교를 권유한 일 등을 들고 있다.

제고天祭하였다. 차월곡은 교도를 통할하는 포교수단으로 60방위제 方位制를 창설하여, 1920년 말에 이르러 조직을 완성하기에 이르렀다. 즉 교주 바로 밑[직하直下]에 방주方主 60명을 두고, 방주 각 1인 밑에 6임任을 맡는 6명을 두고, 다시 육임 각 1인 밑에 12임을 맡는 12인을 두었고, 12임 각 1인 밑에 8임을 맡은 8인을 두는 조직으로서, 8임에는 40인의 신도를 모집하는 자로서 이를 충당했고, 또 40인의 신도 중 다시 15임에 해당하는 15인을 두어 신도를 모집하였다.

이를 그림으로 나타내면 다음과 같다.

육임은 경례敬禮, 교무敎務, 행신行信, 절의節義, 집리執理, 찰이察異이며, 십이임의 직명은 흥사興思, 소청掃淸, 수정需淨, 권업勸業, 과서寡舒, 징위懲危, 반환叛還, 관노寬怒, 계단稽斷, 훼복毀復, 추양推讓, 순행詢行이다. 교주 1인, 방주 60인, 육임 360인, 십이임 5,320인, 팔임 42,560인으로 팔임 이상의 역원役員 총수가 48,301인이다.[36]

교정敎正은 금, 목, 수, 화[사행四行]방주이며 교령敎領은 동, 서, 남, 북[사방四方], 춘, 하, 추, 동[사계四季]방주이다.[37] 순위를 살펴보면 방주→6임→12임→8임→15임→정령正領→선화사宣化師의 순이었다.

그리고 여방주 제도도 두었다. 1923년 12월 23일 동지 치성제에서 교주 부인[박朴씨]은 주요 간부와 협의한 결과, 동서남북에 여방

36 여기에 15임 518,410명을 고려하면 15임 이상은 총계가 557,700명이 된다.
37 60방주는 12방주교정[四行]+교령[四方+四季], 24포주胞主(24방위), 24운주運主(24節侯)로 구성된다.

주 주요 간부(이달영, 신정심, 차윤숙 등)를 두고, 그 밑에 각 6명의 방주를 두었으며, 그 외에는 일반 남자 방주제에 준해(6임, 12임, 8임 등) 장차 60방주제를 완성할 예정이었다.

그리고 보천교 조직의 업무분장은 놀랄만치 철저하게 이루어졌다. 전체적으로 보았을 때, 보천교의 교무기관은 ①중앙본소[정읍군 입암면 접지리] ②사정방위四正方位 ③진정원 및 참정원[주요 도시] 그리고 ④ 정교부[각 군]로 구성되어 있다.

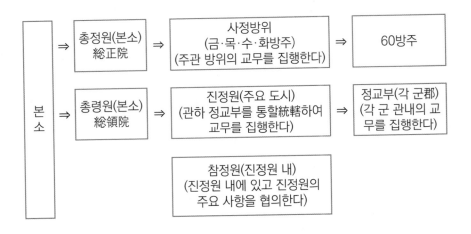

본소에는 교주인 차월곡[토방주土方主]을 중심으로 사정방위인 금방주金方主, 목방주木方主, 수방주水方主, 화방주火方主가 있었고, 사정방위의 각 방주 밑에 각 15임, 모두 60인을 두었다.

총정원에는 교주를 보좌하고 사정방위를 총할總轄하고 원무院務를 집행하는 총정總正 1인 외에 사서司書(1인), 경리(1인), 천명闡明(1인), 명사明査(1인), 성전직원聖殿直員(1인), 간사幹事(1인) 곧 총 6인을 두어 각각 업무를 분장하였고, 총령원에도 총령(1인), 사서(1인), 경리(1인), 천명(1인), 사빈司賓(1인), 간사(1인)을 두고 있었다.

전국 주요 도시에 설치된 진정원에는 서무사庶務司(司長), 포정사布正司(司長), 수호사修好司(司長), 경리사經理司(司長), 전의사典儀司(司長), 형평사衡平司(司長)가 있었고, 진정원 내에 있는 참정원은 참정원장 1인과 약간 명의 참정들, 그리고 사서司書 1명으로 구성되어 매년 11월 상순에 원회院會를 소집하여 진정원의 예산 등 주요 사항을 의결하였다. 진정원은 매 4계절 말에 회계 결산하여 중앙 본소에 보고하고 있었다. 그리고 각 군郡에 있는 정교부에는 부장部長(1인), 부원部員(약간 명), 선포사宣布士(약간 명), 의정議正(약간 명)이 있었고 정교부 역시 매 4계절 말에 회계 결산하였고, 매 6월 11일에는 교인 명부를 수정하여 진정원에 보고하였다.

더욱 놀라운 것은 보천교 조직 내에 교의회教議會 곧 의결議決기관을 갖추어 매년 1회 개최하여 교단 내의 중요사건 관련 사안에 관한 결의와 중요간부의 임면절차를 진행하였다는 점이다. 교의회에는 강선회綱宣會와 보평회普評會가 있었다. 강선회는 방주, 정리, 정령, 선화사 등으로 조직되어 매년 4회 열렸고 교무 일체와 각 역원役員의 임면任免 등을 다루었다. 그리고 보평회는 사정방주四正方主가 공선公選한 평사원評事員 4명, 6임 중으로부터 공선된 평사원 60명, 12임 중으로부터 공선된 평사원 60명, 각 진정원 중으로부터 공선된 평사원 12명, 계 136명으로 구성되어 있고 정기적으로는 매년 1회 개최하면서(임시회의도 있음) 교단 내의 중요 사건이나 중요간부의 임면사항에 관한 의결을 하였다. 그 조직이나 구성 그리고 구성의 민주적 절차 면에서 오늘날 한 국가의 의결기구에 버금할 정도임을 보면 놀랄만한 조직이었다.

5) 보천교의 계전戒典, 교기敎旗 및 교종敎鐘

보천교에는 계전과 벌전罰典을 두어 미리 구성원들의 상벌을 정해 알려주어 경계토록 하였다. 계전에는 ①장공狀公(교敎에 대해 위험한 행위를 음모하는 것) ②불경不敬(주사主師에 대한 모욕) ③간음姦淫 ④사장私藏(공금 남용) ⑤횡포橫暴 ⑥기망欺罔(남을 속임) ⑦유인誘引 ⑧사유私遺(주인에게 돌려주지 않음) ⑨옹폐擁蔽(교령 혹은 고장告狀을 숨겨 상하관계에 거리를 만듦) ⑩비척比斥(출교자와 벗을 한 자) ⑪패륜 ⑫남사濫奢(과도한 사치행위) ⑬기의棄義(의무를 다하지 않음)의 항목을 두었다.

그리고 이러한 항목들을 위반했을 때에 벌전의 적용을 받았다. 벌전에는 ①출교黜敎 ②교공권 박탈敎公權剝奪 ③면직 ④강직降職 ⑤부과付科 ⑥공견公譴을 두었고, 계전 이외의 죄는 망선회網宣會의 공결公決에 의한다고 하였다. 적용 계전適用戒典은 순차적으로 이루어지고 있었는데, 공견은 횡포·남사·기망·기의의 경우에, 부과는 회포·유인·기망·비척의 경우에, 강직은 패륜·기의의 경우에 적용되었다. 면직은 간음·사장·옹폐의 경우나 사장·횡포·기망을 했는데도 3번 이상 반성하지 않는 자의 경우에, 교공권의 박탈은 출교보다 가벼운 경우에 적용되어 간음·사장·패륜이나 3번 이상 공견을 받았는데도 반성하지 않는 자에게 적용되었다. 그리고 출교는 장공·불경이나 모든 계전에 적용되었는데 면직되어도 반성하지 않는 자와 교공권이 박탈되어도 반성하지 않는 자를 대상으로 처리되고 있었다.

보천교를 상징하는 교기敎旗도 만들어 내걸었다. 1922년 2월 1일에 경성부 창신동에 보천교普天敎 진정원眞正院 간판을 걸고 '井(우물 정) 자字' 교기를 제조하야 기념 및 치성일에 게양하기 시작하였다.『일반』에 의하면, 기장旗章에는 무엇을 의미하는지 판단하기 어려운 내용이 담겨 있었다고 하였다. 그것은 '교도教徒의 말을 종합해 보면「인공회령동사주합국因公回令同舍周合國」를 뜻한다'고 했다. 보천교의 교리를 염두에 두고 나름대로 해석해 본다면 '천지공사天地公事에 따라 명령을 돌려 함께 살며 두루 힘을 합해 국가[시국時國]를 만들자'라는 뜻으로 풀 수 있지 않을까 한다.

그리고 보천교 교기에는 이런 뜻만 담긴 것은 아니었다. 교기는 황색 바탕[황지黃地]을 빨갛게 물들여 井 자가 드러나게 한 것인데, 그러다 보니 정井 자 부분이 황색이고 나머지는 적색赤色으로 된다.[38] 이는 화火(적색)를 통해 토土(황색)를 드러나게 한 것이다. 정井 자에는 다음과 같은 의미가 들어 있었다. '정井' 자는 ①수원水源을 의미하며, 물은 만물을 생성자육生成慈育하기 때문에 보천교의 덕화德化가 널리[보普] 중생에 미침을 표상表象한다. ②본소가 위치한 정읍井邑을 상징하기도 하며, ③보천교가 내건 정전법井田法의 만민 평등을 뜻하기도 한다. 때문에 '공共'의 의미로 보아 공산주의로 오인받아 곤욕을 치르기도 했다.

정읍 대흥리 보천교 본소에는 교종教鍾도 만들었다.

1924년 2월 8일에 개최된 중앙본소 강선회綱宣会에서는, '(가)교도수를 파악할 것 (나)교적教籍을 작성하고 (다)교도로부터 수집한 놋쇠 숟가락眞鍮匙을 재료로 중앙본소에 대형 교종을 주조하기 위해, 교도 한 명 당 성의誠意로 숟가락 1개씩을 수집할 것'이 결정되었다. (중략) 1925년 1월 23일, 인

---

38 대부분의 연구자들이 보천교 교기에 대해 '井 자는 적색, 나머지는 황색'으로 기술하고 있다. 이는 잘못된 것이며 보천교 교리를 고려하지 못한 기술이다.

부 60명을 고용해 조선식 주조 방법으로, 숟가락 일만 천여 근斤에 동銅 3천 근을 더해, 합계 일만 4천 근을 4개의 용광로에 넣어서 용해하였다. 높이 1대大 2척尺(외부에 1척의 손잡이가 있음) 직경 약 8척인 주형鑄型에 주입했는데, 그 중에서 한 개의 용광로에서 용해가 충분치 못해 결과가 좋지 않았다. 이 교종에 명기銘記된 종명鐘銘은 중앙본소 선화사宣化師 김기용金基鏞에 의한 것이다. 문장 가운데 '대통대명大統大命' 등 불건전한 문자가 있기 때문에 일부 문구의 삭제를 명했다. 한편 중앙본소에서는 올해 3월 중순에 이것을 꺼내 훼각毀却한 다음에 다시 제2회 주종鑄鐘에 착수하였다. 점차 준비된 재료를 수집한 뒤 4월 7일(오전 8시부터 오후 12시까지) 전술한 김치운의 지휘 아래서 인부 64명을 시켜

1. 놋쇠眞鍮 1만 6천 775근斤

(숟가락 약 18만 개, 식기, 세숫대야, 기타 약 40근斤)

(신도로부터 수집한 것으로, 숟가락 값 시가時價는 3,060엔円, 기타 약 100엔円)

2. 청동靑銅 825근斤 값 500엔円

3. 철선 값 120엔円

4. 무연탄無煙炭 약간 값 400엔円

5. 철판 약간 값 30엔円

6. 목탄 약간 값 550엔円

7. 장작용 나무 약간 값 160엔円

8. 주형鑄型 운반 재료 값 100엔円

9. 인부 삯 740엔円

합계 약 5,760엔円

을 4개의 주조용 항아리鑄壺에 4,400근斤씩 넣어 용해시켜, 4방향에서 동시에 주형鑄型에 주입했다. (중략) 이에 관해서 일반 교도들은 이것이야말

로 보천교가 장래 동양의 대종교大宗教가 될 징조라고 기뻐했다. 그 이유는 조선 최고라고 하는 경상북도 상주尙州에 있는 종도 주조 4번 만에 완성했다고 하는데, 이것보다 더 큰 보천교의 본종本鐘이 불과 2번째 시도로 완성됐기 때문이다. 그러나 4월 24일에 종을 꺼내서 확인한 결과, 주조가 불완전하고 종의 중앙부 몇 군데에는 패인 부분이 있어 몇 차례 보수를 했다. 또한 전에 명령한 불온한 문자에 관해서는 주금鑄金을 가지고 채워서 지웠다. 그러나 완벽하지는 못해도 4월 30일에는 종이 완성되었고, 한편 6월 20일부터 이 종에 필요한 종각 건축이 착수되어 7월 5일에 상량식上棟式을 거행했다.[39]

1925년 3월 15일에는 새로 주조한 교종教鍾이 준공되어 4월 30일 완공을 보았고, 종각鐘閣은 7월 5일 상량식을 거행했다. 대종의 무게가 1만 8천 근이고, 주위 직경이 8척, 높이가 12척이었다. 높은 누각에 달아 매일 새벽, 정오, 저녁 3회 타종했고 매 회마다 72번씩 쳐 울렸다. 이러한 교종을 주조하기 위해 1924년 2월 8일 개최된 중앙본소 강선회에서 교도에 대한 교적을 작성하면서, 중앙본소에 교종을 주조하기 위해 교도 1명으로부터 숟가락[성시誠匙] 1개씩을 수집하는 일을 결정하여 진행하였다. 이를 모두 모은 후 1925년 1월 23일부터 인부 60명을 고용해 교종을 만들게 된다. 그러나 문장 가운데 '대통大統 대명大命'이라는 문자가 들어있어 식민권력으로부터 지적을 받아 삭제하기까지 하였다.

교종은 2회에 걸쳐 주조되었는데, 2회 주조 시에는 놋쇠 1만 6천 775근이 들어가 교도들로부터 수집한 숟가락 약 18만 개, 세수용

39 『보천교 일반(普天教一般)』

대야 등 약 40근이 포함되었다. 전체 경비는 약 5,760엔으로 현재 시세 약 2억 5천만 원 정도가 들었다.

6) 보천교와 국권회복운동

보천교는 교의와 내부조직 등을 정비하고 '포교에 노력한 결과 일시 교도 600만이라 호언할 정도의 세력勢力'을 지닌 교단으로 성장하게 되었다. 이 점은 총독부로서는 '실로 후회하는 점이 있어 이를 여하히 단속할까 하는 것은 조선의 치안유지 상에도 중대한 관계가 있어 정세를 신중히 분석하고 있으며 경찰의 고민이 적지 않다'고 하였다. 따라서 '보천교의 입교수단으로 이용하는 구실'들을 중심으로 당국의 단속이 배가되어 엄밀 엄중하게 하였으며, 또 '일반인의 자각과 지식을 향상시켜' 사람들의 보천교에 대한 의문과 불신 등을 야기시켜 교세를 약화시키려 노력하고 있었다.

보천교가 독립운동과 관련된 상황에 대해서는 많은 연구들이 있지만, 여기서는 『사정 일람』과 『일반』만을 대상으로 살펴본다. 두 보고서에는 민족 독립운동과 관련된 사례들이 기록되어 있는데 이를 살펴보면 다음과 같다.

1914년 5월에 헌병대 보조원 신성학申成學과 장성원張成元은 차월곡을 천원헌병대에 고발하였다. 명목은 조선독립, 황제등극을 말했다는 것이다. 차월곡은 구금된 지 9일 만에 석방된다. 1915년에 또 신도인 김송환이 '농촌우민 유인, 금전사취, 조선독립, 황제등극' 등 사유로 전주헌병대에 고발했고, 1917년 4월 24일에 차월곡은 '국권회복을 표방'했기 때문에 '갑종 요시찰인甲種要視察人'으로 편입編入되었다. 같은 해 6월에는 신도 김경범의 아들이 '부친의 금전 사기' 명목으로 천원분견소에 고발했고, 차월곡은 이 때도 10일 만에 석방된다. 그리고 11월에 차월곡은 모친 회갑연 직후 천지에 고천告天하고 은피隱避의 길로 택해 비밀포교에 나선다. 그리고는 몇 해 안에 수만 명의 교도를 획득하는 실적을 올린다. 이때부터 '조선독립' 또는 '정전법井田法을 두어 평등하게 토지를 분배할 것'이라는 소문이 나돌았다. 당연히 식민권력은 이를 '불온不穩하고 황당무계한 언변'이라 하고, 사람들의 '민도가 낮아 경찰단속이 쉽지 않다'고 하였다. 차월곡이 집을 나간 후, 식민권력은 대흥리 차월곡의 교단을 밤낮을 가리지 않고 감시하고 지속적으로 탄압하였다.

또 식민권력이 발각한 '중대한 사례'들은 다음과 같다. 먼저 제주도 사건이다. 이 사건은 두 보고서 중에는 『사정 일람』에만 기록되어 있다.

'차경석은 신도모집을 위해 각지를 전전하다가 1918년 국권회복의 미명하에 경상북도 영일군 출신 김연일金蓮日 등과 서로 모의하여 같은 해 9월 19일 옛 우란분회盂蘭盆會의 때에 전라남도 제주도 법정사法井寺에 교도 약 30명을 소집하였다. 여기서 그는 왜노倭奴는 우리 조선을 병합하고, 병합 후에 관리는 물론 상민商民에 이르기까지 우리 동포를 학대하고 가혹하게 다루어, 실로 왜노는 우리 조선민족의 구적仇敵에 가까우며 불무황제佛務皇帝 출현하여 국권을 회복함으로써 교도는 우선 제일 먼저 도내 거주의 일본인 관리를 살륙한 연후 상민商民을 구축驅逐하여야 한다고 설설說하였다. 10월 4일 밤부터 다음 5일에 김연일은 그 수하를 도내 각지에 보내 다시 신도 33명을 소집하여 스스로 불무황제라고 칭하고 이를 선언하여 목적을 결행하려 하였다. 그리하여 그 방법을 의논하고 대오隊伍를 정리한 후 부근 각 면리장面里長에게 "일본 관리를 급습하여 국권을 회복함으로써 직접 장정을 거느려 참가하고 만일 따르지 않으면 군율에 비추어 엄벌에 처한다"라는 의미의 격문을 배포했다. 6일 밤부터 제주성내를 향해서 행동을 개시하고 도중 전선을 절단하고 또 일본인 의사 외 조선인 2명을 부상시키고, 다음 7일 아침 중문리에 도착하여 그곳 경찰관 주재소를 습격하여 방화 전소全燒시켰다. 그 때 폭도 38명은 검거했지만 차경석, 김연일 등의 간부는 신도로부터 모금募金한 수 만 엔을 갖고 소재를 감추어 지금 행방이 불명하다.'

그리고 제주도 이찬경李燦京은 1918년 11월 12일 기선汽船으로 실면實綿과 조면繰綿 19포대를 목포로 옮기면서 그 배 안에 비밀스럽게 많은 돈을 은닉하여 들여왔다가 목포경찰서에 단속되었다. 수사내용은 선도교 간부 박종하가 제주도 거주 교도로부터 돈을 모아 현금 1만 2천 5백 원을 11월 30일 목포발 열차로 정읍본소 재무계에 보내려 했고, 같은 해 음력 3월 경에는 오백 원, 음력 9월에 2천 원, 계 2천 5백 원을 제주도 신도로부터 모집하여 본소 채규일에 교부하려는 사실이 발각된 것이다. 이에 대해 보안법 위반 및 사기취재죄詐欺取財罪로 검거하였고, 연루자連累者인 교주 차월곡은 소재불명으로 기소중지처분을 받았다.[40]

이후 1919년 3·1민족독립운동이 일어난다. 차월곡은 이 해 1월에 금강산에서 경성으로 돌아와 고종 황제의 국장國葬을 보고 경북

---

40 신도의 이름(이찬경, 강대거, 문인택 등)과 현금 액수(7만원, 10만원 등)는 자료에 따라 상이하다. 그러나 내용은 대동소이하다. 이 때 24방주 조직이 노출되었고 교인 19명 체포되었다. 고판례도 목포검사국에 체포 구금되었다.

봉화 등지에 갔다. 4월에 교도들에게 '천지의 대운이 다가오고 있고 큰 성공[大創]은 할 사람이 있고 그 때가 있으며, 정자靜者와 동자動者가 있으니 망동치 말 것'[41]을 경고하는 글을 내려준다.

3·1운동 이후의 또 다른 사건으로는, 1921년 음력 3월 경 방주方主 김영두가 교도로부터 군자금軍資金을 모집하여 20만 원을 사취도주詐取逃走한 일이 있다. 이에 차월곡은 김영두를 사형死刑에 처하도록 명하고 그 소재를 파악 중이었다. 관할 정읍경찰서에서 이를 탐지 수사한 바, 차월곡은 '1918년 국권회복國權恢復의 미명美名을 표방하고 신도의 마음을 수람收攬하면서 국권회복 후에는 스스로 왕위에 올라 왕도王都를 정읍에 두고 각 교도는 계급에 따라 상응하는 관위를 주고, 또 보천교를 신앙하는 자는 만사 뜻한 바와 같이 이루어진다는 감언으로 입교를 권유'하였다. 이리하여 성금誠金으로 많은 액수를 받아 이를 교도 김공칠에 명해 김제군 만경면 대동리에 매장·보관했는데, 방주 김영두 등이 김민두와 공모하여 보관 중인 현금 10만 3천 7백 원을 편취했고 6만 4백여 원은 김영두가 갖고 경성 방면으로 도주하여 간 곳을 알 수 없었다. 김민두는 부친과 함께 나머지를 갖고 정읍군 내장면 신월리의 자택에 매장·은닉했으나 관할 정읍경찰서에서 발견 4만 3천 71원 정도는 압수했다. 당시 차월곡은 소재불명으로 본건은 1919년 제령 제7호[42] 위반 및 사기취재죄가 적용되었고, 1921년 10월 23일 광주지방법원 정읍

---

41 증산이 동학혁명을 목도하면서 동세動世와 정세靜世를 가름한 것과 유사한 내용이다. 이영호, 『보천교연혁사』 상, 보천교중앙협정원 총정원, 1948.
42 1925년 치안유지법이 제정, 시행되기 이전, 식민지 한국인들의 사상통제와 행동 탄압에 적용되었던 대표적인 법규가 「보안법」과 「제령 제7호」였다. 특히 제령 제7호는 「정치범죄 처벌의 건」으로 3·1운동 직후 만들어져 독립운동의 탄압에 주로 적용되었다(김철수, 「일제 식민시대 치안관계 법규의 형성과 적용에 관한 연구」, 『한국사회학』 29, 1995).

지청에서 기소중지처분을 받았다.

심지어 '국화문양菊花紋樣 참용僭用'으로 논란이 된 경우조차 있었다. 국화 문양은 일본 왕실이 사용하는 문양이다. 전주군 전주면 완산마을 소재 전북 진정원眞正院은 1923년 11월 30일 낙성했으나, 같은 해 9월 상순 성전에 사용될 둥근 기와[환와丸瓦] 190매와 간중와幹重瓦 140매 전체에 국화 문장紋章이 찍힌 것이 발견되어 단속을 받았다. 그 결과 관할 경찰서로부터 엄중 경고를 받았으며, 1925년 2월 18일 중앙본소 동冬방주와 전북 진정원 서무사장庶務司長이 입회 감시한 가운데 둥근 기와는 모두 국화 문양 부분을 삭제하고 여기에 시멘트를 덧칠했으며, 간중와는 국화문장 부분을 훼각毀却하였다. 이런 내용과 유사한 것으로, 교도들이 머리에 썼던 조선식 갓[부사립附絲笠]도 주목의 대상이었다. 교주 차월곡이 나타난 뒤 교조 강증산 치성제를 할 때에는 일반 교도들도 교주와 동일한 갓[입쏘]을 쓰도록 하여 식민권력의 주의를 집중시키고 있었다.

더욱이 보천교에 중국인이 입교入敎하고, 또 일본 종교계와도 제휴를 맺게 되자 식민권력은 더욱더 신경쓰지 않으면 안되었다. 경성부 황금정黃金町에 사는 중국인 담연곤潭延琨은 1925년 5월 5일 본소에서 임경호의 통역으로 교주와 면담한 뒤, 동양인이 '상생'하는 일의一義에 찬동하여 입교하였다. 중국인이 정식으로 입교한 것은 이것이 효시가 되었다. 식민권력은 이에 대해 '그(담연곤)는 수백만 원을 소유한 자산가인 관계로 보천교는 이를 이용하였고 또 담연곤도 보천교의 모든 용품을 조달함을 허락받는 것으로, 표면적으로 교리를 운운하여도 요要는 물질적으로 상호 이해타산利害打算이 맞아 입교'했던 것이라 평가절하했다.

7) 정의부正義府 및 보천교의 군자금 모집 사건

3·1독립운동을 겪으면서 식민당국이 가장 주목한 것은 '보천교 간부와 재외 불령단不逞團과의 관계' 때문임은 의심할 나위 없다. 보천교 교단이 직접적으로 국권회복 활동에 참여했다기보다는 자금 지원 등 간접적인 방법에 의한 활동이 대부분을 차지하였다.

한가지 사례로, 제령 제7호 및 출판법 위반으로 징역 3년형을 받은 평안남도 평양부 상수리上需里 조만식趙晩植[43]의 활동이었다. 이를 보여주는 내용이 『사정 일람』에 있는 「보천교도의 시국표방 강도」와 『일반』에 들어있는 「보천교 간부와 재외 불령단의 관계」이다. 공문서로 본다면, '대정 8년 제령 제7호 위반 강도죄 사건'으로 알려진 「정의부 및 보천교의 군자금 모집계획에 관한 건」(祕 關機高授第 32743號)이란 보고서이다. 경기도 경찰부의 도경부보 기와사키 河崎武千代가 경기도 경찰부장에게 보낸 '수사보고서'(1925년 11월 16일자)에는 '1925년 11월 13일 권총을 휴대한 불령선인 일단一團이 보천교 간부와 제휴하고 조선독립군자금을 모집 중인 용의자 수사의 명령을 받아 남선南鮮 방면에 출장 중, 전라북도 정읍군 입암면 대흥리 173번지의 보천교 북방 방주 한규숙 집에 전기前記 용의자 일당이 숨어있음을 탐지'했음을 보고하였다. 여기서 불령선인은 정의부 요원들이었다.

이 사건의 경위를 살펴보면 다음과 같다. 당시 보천교는 시국대

---

43 '조만식과 권총단 사건'에 대한 증언, 신문자료 등 각종자료는 안후상(「보천교와 물산장려운동」,1998, 369~372쪽)이 정리하였다. 여기 조만식과 고당 조만식曺晩植 (1883~1950)은 별개의 인물이다.

동단時局大同團의 설치로 심각한 민심의 이반을 경험하고 있었다. 차월곡은 "시국대동단을 조직하고 각종 단체를 망라할 예정이었으나 결과는 세상의 비난을 받았다"고(조만식 신문조서) 하고, 또 "지금 각 사회에서 보천교를 공격하고 있으나 보천교의 진의를 모르고 성토하고 있다"(김정호 신문조서)거나 "동교(보천교)는 수백만 원의 현금을 가지면서 재외 독립단으로부터 친일파라는 오해를 받고 있어 사정상 곤란한 처지"(정찬규 신문조서)임을 술회하였다. 그리고 이러한 상황은 보천교로 하여금 독립운동 단체와의 연결, 지원을 서두르게 하고 있음을 알 수 있다. 이는 조만식이 한규숙과 함께 차월곡을 만났을 때, 당시 대화에서 보천교의 입장이 여실히 드러났다. "차경석은 만주 및 국내의 상황을 듣고 시국대동단을 조직하여 실패한 것을 말하였다. 그리고 시국에 대하여 어떤 단체를 조직하는 것이 옳은 것이냐고 의견을 묻기에, 조만식은 지금 유산·무산의 두 계급이 서로 원만한 교제를 한다는 것은 지극히 어렵게 되었고, 유력자와 무력자가 서로 원만한 교제를 할 수 없는 현 상황에서 국내의 유지를 모아 단체를 조직하더라도 돈이 있을 동안은 복종하지만 돈이 없어지면 이탈하게 되므로 국내에서 사업을 해도 될 수 없고, 보천교에서 만주에 생산기관을 조직하여 교도들을 이주시켜 민족사업을 영위하는 것이 좋다고 대답하였는데, 차경석은 재산가로 하여금 마음에서 기꺼이 돈을 제공하게 하여 이것을 자금으로 하는 편이 마땅하며 강제적으로 모금하는 것을 생각해 보는 것으로 말하고, 조만식은 지금의 시국은 불법적으로 강취하여 이로운 기회에 순응하는 것 즉 강제적으로 돈을 모집해도 이것을 이치에 따라 사용한다면 무방할 것이라고 하였는데, 차경석은 그것도 그렇지만 이

와 같은 말은 여기에서 하면 문밖에 순사가 있으니 만사는 한규숙과 상의하라고 말하였다."(정찬규 신문조서)

결국 이후에 한규숙韓圭淑, 김정호金正昊, 조만식趙晩埴, 이춘배와 제휴방법에 대해 상의하였다. 협의 결과, '보천교는 재외 독립단으로부터 친일파라는 비난을 받으므로 곤란하고 의사소통을 통하여 독립단에 원조를 하고 싶으며 원조방법으로서 개척사업을 영위하여 그 이익금을 독립단에 제공할 것과 개척사업 자금으로 약 30만원 정도를 내려고 하는데[44] 연락할 단체가 없어서 곧바로 신용하고 낼 수 없기 때문에, 독립단이 틀림없다면 자금을 제공하는 것으로 하였다.' 이는 "보천교가 종래 재외 독립단과 손잡을 생각이 있었으나 신용할 수 있는 연락자가 없으므로 민족사업에 물질적인 보조를 할 수 없게 되었지만 확실한 연락자가 있으면 시국대동단까지도 교주가 3만원을 냈으므로 그의 10배인 30만원을 낸다."(김정호 신문조서)는 진술조서나 "독립자금 모집에 도움을 주고, 그 단체의 손을 거쳐 보천교의 가르침을 해외에 선전하는 일을 협의하였다."(조만식 신문조서)는 내용과도 맥락을 같이 한다.

그래서 조만식은 1925년 4월, 보천교 여女교도로 선포사이면서 단재 신채호의 부인인 박자혜朴慈惠와 경성에서 접근하여 보천교 본소의 북北방주 한규숙韓圭淑을 방문하여 장래 보천교의 발전은 해외에 있는 불령단不逞團과 연결하는 데 있다고 '교묘하게' 사람들을 설득하였다. 그 이후 다시 부하 이춘배李春培와 함께, 같은 해 5월 하

---

44 1920년 무렵 조선의 3대 건축물은 조선총독부, 천도교 대교당, 명동성당으로 알려졌다. 특히 김구는 임정귀국 연설에서 "천도교 대교당이 없었으면 3·1운동이 없었고, 임정이 없었고, 독립이 없었을 것이다"라고 연설까지 한다. 이러한 천도교 대교당과 중앙총부의 건설비가 27만원이었다.

순에 재차 본소의 한규숙을 방문하여 아래의 항에 대해 협정했다.

① 보천교는 재외독립단 사업의 원조를 위해 만주개척 사업비 30만원을 제공하여 사업을 경영하고 이로부터 생긴 이익금은 독립운동자금으로 충당한다.

② 조만식趙晩植 이춘배李春培는 재외독립단과 연락 책임을 맡으며, 보천교 측은 두 사람이 유력한 독립단과 연락하여 확증을 얻으면 전항의 금액을 제공한다.

③ 전항 확증의 방법은 유력한 독립단에서 무장군인 수 명을 조선 내에 특파하는 방법을 강구하여 사기 독립단이 아님을 입증한다.

④ 독립단 측에 무장군인을 특파함과 함께 조선 내에서 군자금 모집에 종사하고, 보천교 측은 이에 필요한 여비旅費와 기타의 경비를 부담하고 자산가의 조사와 안내 및 모집에 조력한다.

⑤ 모집하여 얻은 군자금은 독립단과 보천교가 절반으로 한다.

협정을 이룬 뒤에, 본소에서 여비 300원을 조달 교부받아, 6월경에 이춘배는 봉천奉天에 파견되었다. "한규숙의 말에 만일 이 일이 발각되면 곤란하므로 보천교를 내세우지 말고 개인적으로 한다고 말하고, 이춘배는 이 일은 절대 비밀로 하고 만일 도중에 체포되더라도 보천교와의 관계는 말하지 않을 것이니 염려할 것이 없다고 하였다."(조만식 신문조서) "김정곤의 말이 우리들 교주선생도 만주의 독립단과 제휴하고 일하는 것을 희망하고 있으므로 자네도 열심히 아무 걱정 없이 진력하여 줄 것을 부탁한다"(이춘배 '자수조서自首調書')고 하였다.

"봉천으로 가서 정찬규鄭燦奎와 만나 앞에서 말한 것을 이야기한 바, 그는 정의부 참의 김정관金正觀과 상의한 결과 정의부 군인 6명을 파견하기로 내정하였고 특파원 사령장과 군자금 모집 영수증 등을 작성하여 준비가 되면 조만식에게 여비를 보내도록 통신하였"(이춘배 '자수조서自首調書')다. 정찬규도 "보천교와 제휴하여 단원을 무장시켜 선내鮮內로 잠입하면 서로가 호응하여 독립자금을 모집하는 것이 어떤가. 보천교는 선내鮮內에서 유력한 교이므로 반드시 좋은 성적을 올릴 수 있을 것이라고 하였다."(정찬규 신문조서)[45]

이춘배는 조만식과 가까운 동지 정찬규鄭贊奎와 봉천에서 회합하여 사정을 설명하고, 그로부터 권총 2정, 실탄 47발을 받아 9월 6일 안동安東으로 와서 압록강을 도보로 건넜다. 신의주에서 조만식과 합류하여, 9월 20일 경남 진주로 가 한규숙 등과 만나 군자금을 모집하러 다녔다. 정찬규는 '정의부 제4중대 임시특파원'이라는 견서肩書를 받고 국내로 들어왔다. 부근의 자산가를 물색하면서 자금을 '강탈하기' 위해 회중전등 2개, 학생복 2벌, 각반과 운동화 등을 구입하여 준비하였다. 이들은 목적을 달성한 뒤에 11월 7일에 보천교 본소에 도착하여 교주로부터 특파원 여비를 얻게 된다. 이를 경기도 경찰부원과 관할 정읍서井邑署의 단속에 걸려 일당이 체포되었다. 식민권력으로서는 3·1운동 이후 해외 독립운동단체로 연결되는 군자금은 매우 예민한 문제였고, 때문에 보천교의 자금에 대해

---

45 "문) 군자금은 어디에 쓸 생각이었나. 답) 만주에 개척사업을 일으켜서 생산기관을 조직하고 그 이익금으로 대대적인 독립운동을 시작할 예정이었다."(조만식 신문조서) "상해임시정부에서는 수백만 원의 군자금을 모집하려고 하였지만 실제는 4만 원밖에 모금하지 못했고, 기타는 모두 도중에서 횡령 당했다는 것을 들었고…"(한규숙 신문조서) 당시 독립군의 운영을 위해 군자금을 절대적으로 필요로 했던 해외 독립단체가 김좌진 사건에서와 같이 인적, 물적 자원이 많다고 알려진 보천교와 연결되고자 했던 것은 지극히 당연한 일이었다.

서도 주의를 기울이지 않을 수 없는 상황이었다.[46]

8) 보천교의 성전聖殿 건축

정읍 대흥리 본소에서는 1922년 초에 성전건축을 시작하여 같은 해 5월 15일에 준공되어 사용하기 시작하였다. 그러나 이 보천교 중앙본소 성전은 교무의 진전과 더불어 좁고 불편하여 개축改築의 필요성이 생겼다.

1924년 10월 7일 제5회 강선회綱宣會 자리에서 중요간부가 협의한 결과, 각 방주가 금 3천 엔円 씩을 내서 새롭게 건축하는 방향으로 결정되었다. 동년 11월 1일 경상남도 합천군陝川郡 가야면伽倻面 변경재卞京在와 변영세卞榮世의 설계에 의해 총공비 6만 엔円 [폭 96척尺, 깊이 48척尺, 높이 45척尺, 총 128 평]을 가지고 이제 공사에 착수하려고 했다. 하지만 동년 12월 24일 각 방주의 결의에 따라 이것이 변경되었다. 성전 내외에 삼문三門 및 종각鐘閣의 3루를 건축하는 것으로 결정되어, 이에 총 공비 14만 9천 엔円이 계상되었다. 드디어 공사에 착수하게 되자, 신申방주 박래필朴來弼은 1925년 1월 2일 2만 엔円을 휴대하고서 건축용재를 구입하기 위해 신의주新義州 및 중국支那 안동현安東縣 방면으로 출발했다. 이를 시작으로 그 후도 몇 차례나 왕복하면서 공사용 재목 약 5만 엔円 어치를 구입했다. 이와 함께 동년 1월 23일 관하 정읍군 정읍면 읍내 박석규朴錫奎가 소유한 논 13마지기 및 부근 논 25마지기를 구입해 기공을 서둘렀다. 그런데 동년 1월 26일 중앙본소의

---

46 '正義府支部長會議□□□□に關する件'(機密 第161號. 1925. 3. 13.)에서도 길림에서 온 보천교 간부 1인이 당시 정의부의 활동소식을 알려주고 있는 기록이 보인다.

강선회에서 또 예정이 변경되었다. 교주실, 총정원, 총령원, 방주실, 회관, 귀빈실 등의 증설이 의결되었다. 총 공비 60만 엔円을 계상해, 2월 8일 인부 20명을 동원하여 기초공사에 착수하였다. 동시에 고창군高敞郡 성내면星內面 신성리新星里에 거주하는 김도명金道明 및 부안군扶安郡 보안면保安面 월천리月川里에 거주하는 김득상金得相 두 명을 부지용토敷地用土 운반궤도運搬軌道 부설敷設 기술원으로 고용했다. 이와 함께 목수 15명을 동원하여, 공사 진행에 열심히 노력하였다. 2월 25일 경성부京城府 밖의 연희면延禧面 용강리龍江里 벽돌제조업자 박인원朴仁遠으로부터 벽돌 70만 개를 1개 1전錢 9리厘로 구입하는 것을 계약하였다. 이어서 3월 6일 안동현安東縣에서 석공 14명과 통역사 한 명을 고용하였다. 이때 군산부郡山府 장재동蔵財洞 이완호李浣鎬로부터 차량 18레일 400개(약 5.5m의 물건)를 2,515 엔円으로 구입하고, 트럭 19대 및 목수 150명, 토공 인부 600명, 석공(대부분 중국인) 약 30명을 동원해 있는 힘을 다해 공사 진행에 힘썼다.[47]

정읍 보천교 본소자리에 놓여있는 세월을 머금은 돌 그릇

47 『보천교 일반(普天敎一般)』

따라서 1924년 10월 7일 제5회 강선회綱宣會에서 주요 간부들이 협의한 결과, 각 방주가 금 3천 엔円씩을 내서 새롭게 성전을 건축하는 방향으로 결정되었다. 필요한 자금을 확보하여 공사에 착수하려고 하였으나 성전 건축규모가 계속 변경되어 지체되었다. 결국 1925년 1월에 교주실, 총정원, 총령원, 방주실, 회관, 귀빈실 등을 증설하는 의결과 함께 최종 결정이 이루어져, 총공사비 60만 엔円을 계상計上하고, 2월 8일 인부들을 동원하여 기초공사에 착수하였다. 각종 자재와 차량 등을 구입하고 기술원, 벽돌제조업자를 고용하여 공사를 진행시켜 나갔다. 목수 150명과 토공인부 600명, 심지어 만주지역에서 석공 약 30명 및 통역사까지 고용하여 공사 진행에 힘썼다.

그러나 당시 출발한 시국대동단 활동 등으로 보천교에 대한 인식이 좋지 않아 치성금 납입의 성적이 좋지 않아 재정상태가 뜻대로 되지 않았다. 이에 따라 교도들의 성금납입을 독촉하고 대안을 마련하였으나, 1925년 9월에는 작업 중이었던 목수, 즉 경북 상주군尙州郡 내서면內西面 신촌리新村里 권석주權錫桂 외 34명이 파업하기도 하였다. 이에 본소 쪽에서는 그들이 소유한 부동산을 저당으로 자금을 조달하여 임금 지불을 약속하여 진정시키면서 재정확보를 위해 노력하였다. 그러나 재정 상태는 더욱더 열악해져 갔다. 따라서 성전 건축공사는 순조롭게 진행되지 못하고 중단과 재건축을 반복하였다. 본 보고서들이 작성된 시점은 성전건축이 중단된 상태였다.

이후 1929년에 2만여 평 부지에 40여 개 건물이 들어선 웅대한 성전이 준공되었다. 1925년 본소 내 건물을 착공하기 시작한 지 4년 만에 완공된 것이다.[48]

---

48 이에 대해서는 김재영, 「보천교 본소 건축물의 훼철과 이축」, 『신종교 연구』 5, 2001

9) 기산조합己産組合

　1924년 정월에 각지 돈신록敦信錄과 중앙 돈신록을 작성하고 각 교도에게 청의靑衣를 착용하라는 교령을 발포하면서, 보천교 교도 중 노동자의 생존을 보장하는 것을 목적으로 기산조합을 설립하였다. 이해 6월 2일 중앙본소 총령원 앞뜰에 본소 부근에 거주하는 보천교도 노동자 약 300명을 소집해서 ①노동자의 교풍矯風 ②노동자의 구호救護 ③융화 ④비교도를 보천교에 관한 노동에 사역使役시키지 말 것이라는 4대 요항을 내걸고 기산조합 설립의 가부를 협의하여 만장일치로 설립을 가결하였다. 그리고 같은 달 11일에 창립총회를 개최하여 사회자 목木방주 대리였던 김해권이 개회사를 하고, 이어서 임원선거와 조합규칙을 제정하였다.

　규정은 ①조합원이 되려면 지원서를 제출하고 동시에 조합가입금 2엔을 징수할 것, ②조합사무소는 당분간 옛 이상호가 살던 집으로 하며, ③조합원이 본소 부근에서 동산이나 부동산을 매입할 때는 본 조합의 승인을 거친다(위반 시는 1할을 징수한다)는 내용이 들어 있었다. 그리고 ④기산조합에서는 각 방주는 물론 일반신도로부터도 주금株金. 1주 10엔을 모집하여 신도의 일용품과 식량을 공동 구입함으로써 일반신도의 편리를 도모할 것도 규정하였다. 조합의 사업은 ①직업 소개 ②물품 매매 소개 ③조합원의 상호 재난 구호에 중점을 두었고, 조합원은 반드시 보천교 교도이면서 정읍군 입암면 접지리 부근에 거주하는 사람으로 한정하였다. 따라서 조합원이 보천교에서 퇴교 또는 출교 처분을 받았을 때에는 조합원의 자격을 상실했다.

을 참조 바람.

이렇게 해서 회원을 모집하였다. 그리고 1925년 1월에는 성전 직원을 보내 경성에서 인력거 7대를 5백 엔에 구입하고 인력거 영업을 개시하여 일반신도에게 편리를 제공했다. 또 같은 해 2월에는 정기총회를 개최하여 조합의 조직(십인十人, 사비四碑, 부사비副四碑 등)을 정리하고 임원을 임명하였다. 그리고 규칙을 개정하여 처음의 서무부, 노동부, 구호부, 구매부, 상공부의 5부 안에 구매부와 상공부 2부를 폐지하고, 경제부와 전의부典儀部 그리고 학예부學藝部를 증설하였다. 경제부는 회계를 담당하고, 전의부는 치성제를, 그리고 학예부는 교양 사무를 주재하였다.

식민권력의 입장에서 기산조합은 요주의 대상이었다. 그래서 '기산조합은 표면 하등의 용의점이 없으나 ①종교적 신념으로 단결된 노동단체라는 점 ②단원의 다수는 무지無智하여 용이하게 다른 사람의 선동에 쉽게 넘어가는 점 ③단원의 수가 많은 점 그리고 ④종래의 소요는 다수 종교적 단체로부터 발생했다는 점 등으로 주의해야만 하는 단체에 속하고, 또 일본 제품에 대한 비매동맹非買同盟의 혐의도 없지 않기 때문에 특히 주의 중임'이라 보고하고 있다.

이러한 보천교 교도들이 만든 노동조합 성격의 자치기구인 기산조합은 본소 성전건축에 고용된 인력들이 주축이 된 것은 사실이나,[49] 당시 대흥리 본소 주위에 세워진 직조·방적 등 수공업을 통한 산업진흥을 일으켜 조합원들의 생활을 향상시키는 것이 목적이었다. 근대적 노동운동의 효시로 볼 수 있다.

---

[49] 흔히 '본소의 성전건설을 추진하는 데 많은 인력이 필요했고, 기산조합은 그 때문에 조직되었다'거나 '차월곡이 이 조합을 자신의 신변호위대 겸 노동력 보급대로 이용하려고 했다'는 주장도 있지만, 이는 보천교 활동을 부정적으로 보려는 다소 지나친 면이 보인다.

10) 시국대동단

보천교에 있어 1924년은 새로운 변화를 모색해야만 하는 시기였다. 갑자등극설의 해로 연초부터 보천교의 방향 모색에 분주했고, 교단공개(1922)에도 불구하고 식민권력의 단속은 사라지지 않고 있었다. 시모오카 츄지下岡忠治가 제4대 조선 정무총감政務總監(1924.7.4~1925.11.22)으로 새로 임명되었다. 이해 9월에는 보천교 취지를 설명하기 위하여 문정삼文正三과 임경호林敬鎬를 일본에 파견하였다. 그들은 일본에서 시모오카下岡 총감과 함께 가토 다카아키加藤高明 내각총리대신을 면회하여 보천교의 취지와 주의主義를 설명하였다.

그 후 두 사람은 총감과 함께 경성에 도착하여 본소에 내려와 시모오카下岡 총감의 말을 전하였다. '내가 보천교를 원조코자 하나 기원紀元이 천근淺近하고 아직 확실한 종교가 되지 못하여 특별한 원조를 할 수 없으니, 귀교貴敎에서 별도의 기관을 설립하면 극력으로 원조하겠다. 따라서 보천교가 세계적 종교도 될 수 있으니 시국광구단時局匡救團을 설립 조직하라.' 여기에 그의 비서관은 광구단匡救團을 조직하려면 제반 설비 및 강연비로 삼만 원을 은행에 적립하라 덧붙이기까지 하였다. 이 말을 듣고 차월곡은 '광구단匡救團이라 자칭함은 우리 동양 도덕상으로 보면 너무 무례하지 아니한가. 현금現今 대세가 대동大同이 아니면 평화할 수 없고 더구나 서양의 세력이 점차 동양을 침노侵하니 이때를 당하여 동양 황인종은 상호간 대동단결로써 세력을 공고하지 아니하면 백인종의 화를 면키 어렵다. 나는 이전부터 이와 같은 대세를 추측한 고로 1922년 정월에

12계명을 교시教示하는 중에 친목동인親睦同人 한 구句가 즉 이 뜻이오. 동인同人은 즉 대동양동민족大東洋同民族을 지칭함이니 시국대동단時局大同團이 좋겠다'라고 하였다.

그리하여 대동단 조직의 책임을 문정삼과 임경호에게 맡겼다. 그리고 13도에 강연할 사람으로 각 도에 3명씩 합 39명을 정하고, 3명 중에 1명은 보천교 방주方主로 하고 나머지는 신구 지식을 쌓은 품행이 방정하고 언어가 능숙한 사람을 선정해 입교식을 하여 신도가 된 후에 하도록 했다. 그리고 강연할 때는 교인이 먼저 보천교의 진리를 설명하고 뒤에 외부강사가 대동단의 취지를 설명하는 것으로 하였다.

그러나 시국대동단의 연사들은 대체로 친일단체 '각파유지연맹各派有志聯盟'의 인사들이었다.[50] 시국대동단을 조직할 때 각파유지연맹이 보천교의 파트너가 되어버린 것이다. 두 보고서에 의하면, "각파유지연맹 간부 채기두蔡基斗, 고희준高羲駿 등과 보천교 최고간부 임경호, 문정삼, 김홍규金洪奎 등이 협의한 결과, ①내선인內鮮人의 정신적 결합을 튼튼하게 할 것과 ②대동단결해 문화 향상에 기여할 것이라는 2대 강령을 내걸었다." 보천교는 교무확장을 위해서, 각파유지연맹은 보천교를 이용해 자신들의 야심[51]을 이루고자

50 각파유지연맹은 3·1운동 후 민족 운동이 다양한 형태로 발전해 가는 것을 우려한 경무국이 그간 양성해 온 친일 단체의 연합을 추진하여 1924년 3월 25일 결성한 단체로, 勞動相愛會, 朝鮮小作人相助會, 國民協會, 維民會, 朝鮮經濟會, 同光會, 儒道振興會, 靑林敎, 大正親睦會, 同民會, 矯風會의 11개 친일단체 대표 34명이 그 구성원이었다. 때문에 十一聯盟이라고도 한다. 이강오는 東光會를 同光會와 동일하게 보았다. 이는 보천교가 친일 종교 단체로 보는데 결정적으로 영향을 주었으며, 당시 지식인들과 언론들은 시국대동단의 강연 비난과 보천교 성토, 더 나아가 보천교 박멸운동까지 목소리를 높이게 된다.
51 각파유지연맹이 표면적으로 내세운 강령은 ①관민일치, 시정개선 ②대동단결, 사상선도 ③노자협조, 생활안정이었지만, 연맹은 출발부터 친일성과 어용성을 바탕으로 하고 있었다.

서로 의견의 일치를 보고 시국대동단을 조직하였던 것이다.

1925년 1월 10일 광주를 시작으로 전국 각지에서 강연회를 개최했다. 그러나 사회적으로는 각지에서 보천교 성토회声討会도 잇달으면서 초기의 목적을 달성하지 못하는 상태가 되었다. 그래서 1925년 1월 27일에 정읍을 마지막으로 일단 강연회를 종료시켰다. 그리고 1월 31일경 경성으로 집합하여 시국대동단의 목표를 선전하기 위하여 위원을 도쿄東京에 보낼 것을 협의하였다. 이 기회에 시모오카下岡 정무총감政務總監과 귀족원 및 중의원衆議院의 찬성을 구하고, 일본정부의 양해를 얻도록 협의했다.

임경호 등 11명은 2월 6일 정읍역을 출발하여 도쿄에 8일 도착하여 제국帝国호텔에 숙박하면서, 전 경무국장警務局長 마루야마 쯔루키치丸山鶴吉, 국회의원 야마구찌 세이지山口政二 등과 신문기자들을 만나 취지 선전에 힘을 쓴 뒤 귀국하여 3월 2일 정읍에 도착하였다.

일본방문에도 불구하고 시국대동단 활동이 어려워지자, 국면 전환의 방법으로 3월 20일, 21일에 임경호 등은 보천교 주요간부인 목木방주 김홍규, 춘春방주 이달호, 서西방주 김정곤 등과 비밀회의를 가졌다. 여기서 5개항을 심의하여 ①유언비어流言蜚語를 일소할 것, ②의금義金 징수방법을 일정하게 할 것, ③시국대동단 본부를 보천교 중앙본소에 설치할 것은 결의하였으나, ④시국대동단의 재단법인을 설치할 것과 ⑤신문 혹은 잡지를 발간할 것은 보류되었다. 이에 따라 4월 3일 보천교 중앙본소 총령원의 일부를 사무실로 이용해, 여기에 '시국대동단'의 간판을 내걸기에 이르렀다.

이후에도 협의회 등이 계속 열렸지만 차월곡은 "시국대동단은 창립 이후 이미 본소에서 직간접적으로 약 8만여 엔이 지출되었다.

이 자금의 사용처가 불명확하여 향후는 도저히 시국대동단의 시설 계획에 대해 찬성하기 어렵다"고 힐책詰責하면서, 쉽게 수습하기 곤란한 상황으로 나아갔다. 또 차경석을 총재總裁로 세우려는데 대해서도 차월곡은 "불가하다"고 거절한다. 마침내 시모오카 총감을 면회한 차월곡은 "일제로부터 자신이 이용당했다는 생각을 했는지, 발족 6개월만인 1925년 음력 6월에 시국대동단을 전격 해체하였다."[52] 보천교를 친일 종교단체로 보게 만드는데 큰 역할을 했던 시국대동단은 설립 6개월 만에 막을 내린 것이다.

11) 보천교 혁신운동과 분열

두 보고서에서 가장 많은 분량을 차지하여 정리한 항목이다. 혁신운동은 두 차례에 걸쳐 일어났는데, 소위 제1차 혁신운동은 이상호에 의해서, 제2차는 이달호에 의해서 일어났다.

(1) 제1차 혁신운동

보천교 간부들 사이에서는 전부터 신구新舊사상이 충돌하여 종종 내홍內訌이 일어났다. 그 중 최고 간부인 문정삼文正三 일파와 보천교의 새로운 세대로 자임하는 이상호李祥昊 일파의 대립이 핵심이었다. 그들은 항상 반목하며 질투심을 가지고 서로를 바라보았다. 그러다 〈시대일보時代日報〉 매수 문제가 일어나면서 그 사이는 더욱

---

52 안후상, 「일제강점기 보천교 권총단사건 연구」, 정읍역사문화연구소 학술대회, 2017, 8쪽.

어려워졌다.

1924년 6월, 이상호가 경성에서 내려와 시대일보사時代日報社가 현재 자금이 부족하여 폐업의 지경에 빠졌으니 보천교에서 2만원을 출자하여 이를 속간하면 좋을 것 같다고 보고하였다. 이에 본소에서는 사회사업에 투자하려는 마음이 있었기 때문에 제안을 받아들여 출자를 결정하였다. 이상호는 동생 이성영李成英을 편집국장으로 하여 총독부에 문서로 보고하여 허가를 얻었다. 그러나 사장 등 임원 선임문제 등으로 이상호, 이종익李鍾翊, 이성영, 임경호林敬鎬가 서로 다투면서 신문사 인수는 실패하고 만다.

그동안 이상호 형제의 행동을 마땅치 않게 바라보던 일부 간부들은 이를 기회로 8월에 그들을 논죄論罪하고[53] 해임전문을 발송하였다. 결국 이상호는 그의 남동생이자 『보광普光』의 사장인 이성영과 경성 진정원 원장 이종상李鍾相 그리고 간부 15명과 함께 단결해서 강하게 보천교의 혁신을 주장하며 중앙본소에 대해 반기를 들었다. 소위 '제1차 혁신운동'을 일으키기에 이르렀다.

1924년 9월 14일, 경성 동대문 밖 내정원內正院에서 보천교 혁신운동의 방법 등을 협의하고, 다음날 경성 진정원에 '보천교 혁신회 공정普天敎革新會公庭'이라는 간판을 내걸었다. 그리고 각 지역의 진정원장과 임원들에게 전보電報로 알리고, 차월곡과 본소 쪽 간부들

---

53 "이상호는 본시 사회출각자社會出脚者로 교敎를 위하는 공공심公共心은 없고 자신만을 살찌우려는 마음[肥己心]이 많은 사람이다. 경성 양해시諒解時에도 교주 체포령과 각 방주 체포장을 취소하도록 주선한 것이 없고 자신만 활동하기 편의하도록 주선하였다. 김홍규 등 체포 수금囚擒 사건에도 하등의 주선력이 없이 방치하였고, 교중 공금 4 만여 원 압수 사건에도 하등의 주선력이 없다가 필경 국고로 편입이 되었다. 또 경성 가회동嘉會洞과 창신동昌信洞 진정원 가옥 및 대지를 자신의 단독명의로 증명권을 총독부에 제출 등록하여 소유하였으며, 또 망령되게 교주 법통 계승을 몽상하였다."(『보천교연혁사』).

에게는 경고문을 발표했다. 또 9월 16일에는 혁신회의 발회식을 집행하면서, ①방주제方主制와 이에 따른 계급과 차별을 철폐할 것 ②사설邪説이나 미신을 타파하고 교주의 본 모습을 밝힐 것[54] ③교단의 재정財政을 근본적으로 개선할 것 ④시대 사조思潮에 순응할 것 ⑤신도들의 생활기반을 튼튼하게 만들 것을 첨부한 선언서를 발표했다. 이어 경성 진정원, 내정원內正院, 보광사普光社 인쇄부 등을 점유하기에 이르렀다.

한편 정읍 본소에서는 이 소식을 접하자마자, 상황이 쉽지 않다고 판단하여 혁신파에 속하는 사람들에 대해 출교黜教 명령을 내렸다. 그러나 본소의 명령은 위력을 갖지 못했다. 그 후 간부들이 경성을 오가며 혁신운동의 진압에 노력했지만 내분은 더욱 격화되었다. 이상호가 경성 진정원을 저당잡혀 혁신운동의 자금을 조달하기에 이르자, 분쟁은 극한 상황으로 치달았고, 일반 신도들은 방향을 잃고 헤매는 사람들이 늘어났다. 이러한 상황은 보천교를 쇠퇴하게 만든 원인이 되었다. 이상호 역시 초기의 목적을 쉽게 달성할 수가 없게 되자 만주 방면으로 도주하여 버렸다.[55]

---

54 당시 대부분의 신도들은 차월곡의 얼굴조차 몰랐다. 때문에 2차 혁신운동을 주도한 이달호 등이 교주의 사진을 촬영, 신도들에게 배부하여 이익을 챙기려다 발각된 해프닝도 있었다.

55 그 후 1925년 2월 4일 이상호가 갑자기 중앙본소에 그 모습을 나타냈고, 각 간부 방주들의 권유에 따라 이상호는 차월곡과 면담하였다. 과거의 행위를 깊이 사죄하고 앞으로 혁신운동을 폐기하는 것을 조건으로 해서 양자 간에 합의가 이루어져, 2월 22일 또다시 동교에 입교하기에 이르렀다. 또 그는 3월에도 차월곡을 방문하여 시국대동단 등 간부들의 활동을 비난하며 차월곡의 신임을 얻으려 했다. 이상호는 만주에서 토지개간사업을 기획했다가 자금이 궁핍했기 때문에 이 자금을 보천교로부터 조달하려고 생각했다. 이것이 여의치 않자, 그 뒤에 차월곡 일파와 세력 다툼을 하는 김형렬金亨烈과 손을 잡아 1925년 12월 이래 몇 차례 미륵교 본부 관하 김제군 금구면金溝面 금산사金山寺를 왕래하였다. 두 보고서는 이에 대해 '그가 뭔가를 계획하고 있는 것 같은 언동이 있어서 엄중하게 내사하는 중'이라 하였다.

(2) 제 2차 혁신운동

1차 혁신운동으로 교세가 부진해지기 시작했고 설상가상으로 교도들의 생활은 가뭄 피해 등으로 한층 곤란한 상황에 처하였다. 그럼에도 불구하고 본소에서는 교도의 구제 등에 관해서는 고려하지 않은 채, 약 100만 엔의 거액으로 성전聖殿 건축을 기획하고 있었다. 이에 교도들의 부담이 현저하게 늘어나 생활에 어려움이 많아지게 되었다. 그냥 이대로 방치하면 앞으로 교세가 쇠퇴할 가능성이 많았다. 이달호는 불쾌했다. '지금은 교도들의 안정되는 것이 무

보천교혁신회의 경고문(1924. 9.)

엇보다 시급하다. 성전 건축 등에 막대한 비용을 투입하는 것은 현재 보천교가 선택할 대책이 아니다. 나는 현재의 실상에 도저히 다른 간부와 행동을 함께 할 수 없다'고 했다.

이달호는 현 총령원 원장 김홍규金洪奎, 앞서 보았듯이,[56] 서西방주 김정곤과 원수지간이었다. 이들이 이달호의 언동을 차월곡에게 올려 중상하면서 다시 수습하기 어려운 내분이 발생하기에 이르렀다. 1925년 2월, 이달호는 부인을 본적지로 돌려보내고 첩과 동거하면서 술과 여자에 빠져 교무를 돌아보지 않았다. 김홍규와 김정곤 등은 이달호의 행위를 차월곡에게 중상·험담하고 이달호에게 교벌敎罰을 내리도록 했다. 이러한 험담 사실이 이달호에게 전해져, 4월 25일 이달호와 김홍규 사이에 싸움이 일어났다. 임시로 중재는 되었지만 그 후에도 달라진 것은 없었다. 교주의 부인[박씨朴氏]이 재삼 주의를 촉구했으나 이달호의 방종은 더욱 더 심해졌다. 이에 더해 문정삼도 '이달호가 최근 경성에서 축첩·방탕放蕩에 빠져있으며, 채기두蔡基斗 등과 모의하여 흥농興農회사를 조직했다고 하며, 임경

---

56 보천교 내부에는 종래의 관습을 준수하는 구파舊派와 시대변화에 따라 새로운 방법에 의한 교세 확장을 계획하자는 소위 혁신파 즉 신파新派가 생겨났다. 여기에 신구사상의 충돌이 일어나 내홍이 이어졌고, 결국 보천교가 분립하는 상태에 빠지고 말았다. 혁신파의 중심세력인 이상호 등이 만주 방면으로 도주했기 때문에 겨우 수습은 되었지만, 한 번 기울어가는 교세를 만회하기는 쉽지 않았다. 그만큼 주요 간부들의 고생도 비참한 상황이었다. 그 중에도 이상호의 후임으로 임명된 임경호는 문정삼 등과 협력하여 교세확장에 열심히 노력하였다. 특히 그는 시대의 대세에 주목하여 교주를 설득하면서 본인이 원래 소속했던 유지연맹 인맥을 살려 유지연맹 간부인 채기두, 고희준, 오태환 등과 손을 잡고 동지 60여 명을 규합하여 내선융화를 표방하였다. 그 결과 1925년 1월에 시국대동단을 조직하고 교세를 진전시켜 국면을 전환하려 노력하였다. 그러나 시국대동단은 보천교에 좋지 않은 결과를 낳았다. 경비 낭비로 차월곡에게 질책을 받았고, 간부들로부터 신용을 잃었다. 전부터 임경호 세력에 불만을 품었던 총정원장 문정삼은 7월 15일 임경호에 대해 정식으로 총령원장 사임권고를 보냈다. 이에 임경호는 7월 26일 사직하고 김홍규에게 사무인계를 했다.

호와 공모해 비밀리에 제2차 혁신운동을 일으킬 계획 중'이라는 소문이 있다고 차월곡에게 밀고하였다. 차월곡은 1925년 10월 15일, 이달호에 대해 사직처분을 내렸다. 10월 31일에 방주인方主印도 몰수했다. 이달호는 억울한 감정을 억제하기 어려웠고, 1925년 11월 제2차 혁신운동을 일으켰다.[57]

보천교의 내홍은 더욱더 심해졌고, 교세는 나날이 쇠미衰微해져 성금을 납입하는 사람도 더욱 줄어들고 퇴교자는 매일 증가하는 상황에 빠지게 되었다. 이달호는 그 조직원인 강봉한姜鳳漢 등을 선동·교사하여 성전 건축에서 발행된 여러 전표 미지불금에 대해 청구 소송을 제기하는가 하면 보천교 각 장부를 검사하면서 제2차 혁신운동을 시작하였다. 또 교도들과 협의하여, ①교주를 성사聖師라고 개칭할 것 ②여방주제를 폐지할 것 ③방주 독립제를 폐지하고, 연원제淵源制로 개선할 것 ④각 도의 진정원 정리正理를 폐지할 것 ⑤총정·총령의 양원을 폐지할 것 ⑥재정제도를 정리할 것(각 도의 진정원 등 건물을 개인명의가 아닌 교단 소유 재산으로 해서 공동 관리할 것, 본소의 경비經費와 교주의 경리經理 상황을 분명히 할 것) ⑦이상의 결의사항을 11월 8일 정오까지 교주에게 요구하고, 응할 경우에는 즉시 총령원에서 사무를 개시할 것 ⑧결의사항을 교주가 승낙하지 않을 경우에는 총정원을 점령해 약 1개월의 기간을 예정으로 두어, 교주

---

57 "1925년 9월에 이달호가 혁신난을 일으키다가 성공치 못하고 도주하였다. 이달호는 경북 성주星州인으로 1917년에 입교하야 1919년 60방주 조직시에 경庚 방주가 되었다가 그 후에 춘春 방주로 승진 임명되었다. 1924년 8월 이상호 혁신운동 당시에 경상 진정원장 이종익李鍾翊이 공모자임으로 이를 면임免任 출교시키고 이달호를 경성진정원장으로 임명하였다. 그러나 재임 중에 기녀를 첩으로 삼아 공금을 낭비하고 회임까지 된 사실이 발각되어, 목방주木方主 김홍규金烘圭가 그 죄를 논책하여도 계속 불복하였다." (『보천교연혁사』).

의 비행을 적발해, 신도는 물론 일반 사회에 공표하면서 교주에 대한 토벌을 실행할 것 등 총 11조의 결의를 내세웠다.

해결은 쉽게 이루어지지 못했다. 1927년 1월에는 임경호, 채기두, 임치삼, 문정삼, 이달호 등이 십여 명의 장정을 매수해 전주경찰부와 정읍경찰서에 선통先通하고 자동차 2대에 나누어 타고 보천교 본소를 급습했으나, 이달호의 누이 이달영李達榮의 내통으로 수백 명의 장정들로부터 반격을 당하여 혁신파측이 오히려 많은 피해를 당한 사건도 있었다. 이렇듯 1, 2차 보천교 혁신운동을 거치면서 보천교는 쇠락해져 갔다.

12) 보천교도의 남북분열

이렇듯 1925년을 넘으면서 여러 가지 사정으로, 보천교 교도들은 도저히 희망이 없다고 인식하여 탈교·이산하는 자가 속출했다. 본부에서는 주요 간부들에 의한 내부 분쟁이 잇달아 일어났다. 또한 시국대동단도 예상과는 달리 최악의 결과를 초래했고, 교세는 완전히 땅에 떨어지기 시작했다. 쉽게 호전될 상황이 아니었다. 그러한 가운데 1925년 11월에는 이달호 등에 의한 제2차 혁신사건이 돌발함으로써 차월곡 이하 간부들이 보천교의 미래를 우려하였다.

그들은 보천교의 교세 만회를 위한 방안을 모색하면서, 이 기회에 기존의 모든 간부를 일제히 해직시키는 방안을 계획했다. 대신 여러 모로 성적이 우수한 자를 발굴해 중요 직위에 새롭게 임명하여 보천교에 대한 부정적인 인상을 일신日新하는 동시에, 치성금의 납입을 경쟁시켜 재정상의 난관도 벗어나려는 전략이었다.

이를 위한 고육지책苦肉之策으로 교도를 남선南鮮과 북선北鮮 양파로 나누기로 하였다. 남북의 경계는 충청남도 대전역으로 하였다. 남선과 북선 각파가 간부를 많이 배출하고, 또는 스스로 간부가 되기 위해 서로가 겨루면 결과적으로 보천교의 교세를 만회할 수 있다는 생각이었다. 우선 북선파의 대표는 임치삼, 남선파의 대표는 김정곤으로 정했다. 그 내용을 1926년 1월 9일에 각 진정원 앞으로 통보하고 발송했다. 이어서 2월 15일(음력 정월 3일)에 열린 시교치성제始教致誠祭의 자리에서 다시 모든 신도들에게 전달했다. 이에 따라 남선과 북선 각파에서는 사무소, 선언서, 규칙을 제정하여 활동하기 시작하였다. 그리고 여방주 측도 역시 남자 방주를 따라 남북 양파로 분리되었다.

그러나 비록 소수로 구성되었지만, 남·북 양파의 분리를 부정적으로 바라본 교도들도 있었다. 그들은 중립파인 '중화中化진흥회'를 설립해 활동했다. 이렇듯 보천교는 교세만회를 위해 여러 가지 방안을 내놓으면서 노력했지만, 모두 기대한 만한 성적은 내지 못했고, 결국은 남북분열도 중지하게 되었다.

5 보고자료의 해제를 마치며

일제 강점기 각종 민족종교 교단의 민족운동에 관한 연구는 지금까지 대종교와 천도교 중심으로 이루어져 왔다. 천도교는 3·1운동의 주도세력이었고 대종교는 만주지역 독립운동의 주도세력으로 활동하였다. 그런 만큼 두 종교교단에 대해 식민권력이 생성한 많은 자료공문서 등와 신문자료들이 많이 남아 있기 때문이다. 이에 비해 보천교의 민족운동은 연구자들에 의해 외면받아 온 것이 사실이다. 심지어 민족운동은커녕 부정적 이미지를 지녀왔고 심지어 '친일적' 종교로 인식되어 왔을 정도이다. 시국대동단의 활동 등이 보천교의 부정적 이미지를 만들어 내는데 큰 작용을 했기 때문이다.

이와 더불어 어쩌면 보천교의 독립운동에 관한 자료의 부족에서 기인한 측면도 강했다고 보여진다. 자료의 부족은 당시 신문 자료 등에 의존하도록 만들었다. 그러나 신문 등은 철저히 식민권력에 의해 통제된 매체였고 결과적으로 보천교를 부정적으로 보는데 기여할 수밖에 없었다. 그런 가운데 최근 새롭게 찾아낸 자료들을 분석하여 일제 강점기 소위 '유사종교', 특히 보천교의 '민족'운동을 실증적으로 밝히려는 연구들이 있었다. 그러한 노력 덕택으로, 보천교와 물산 장려운동, 1910년대의 제주도 사건 등 관련 활동들, 차월곡의 갑종 요시찰인 편입사실, 3·1운동 직후 보천교의 국권회복 운동, 1924년을 전후한 만주지역 특히 김좌진 장군과의 연계관계 등이 조금씩 규명되기 시작했다.

최근 이러한 연구결과들로 다소 인식전환은 되었지만, 아직도 충분치는 않은 것 같다. 아니 이제 시작이다. 일제강점기 보천교가 기획했던 민족운동, 국내외의 민족운동과의 연계성 등에 대해 구체적인 내용을 밝혀낼 필요가 있는 것이다. 그래서 선행연구들에 덧붙인 새로운 차원의 연구결과물들을 추가함으로써 보천교에 드리워진 부정적인 굴레를 벗겨내야 한다. 아직도 보천교에 대한 오해들이 다양하다. 보천교를 사이비 종교, 소위 유사종교라는 혹세무민의 종교로 보는 시각이 많다. 혹세무민의 종교라 하면 조선조 말 지배층이나 유학자들에겐 동학도 혹세무민이고 서학도 혹세무민이었다. 이는 일제가 불법적으로 한국을 강점한 초반기에 몇 백만 명의 신도를 지녔던 종교에 식민권력이 낙인지운 평가로 볼 수 있지는 않을까? 그렇지 않다면 왜 많은 수의 민중들이 보천교에 참여했을까를 설명해야 한다.

아직 채 교단도 안정화되지 않은 형성기의 종교이자, 소위 '유사종교'인 보천교가 식민권력의 종교정책에 저항하기는 쉽지 않았다. 식민권력으로서는 타 종교에 비해 새로운 국가 건설을 기도하며 다수의 신도를 확보하고 군자금을 지원하는 등 새로운 세력을 형성하던 보천교는 초기에 박멸하거나 어용화시켜야 할 대상이었다. 이런 상황에서 당시 민중이 보천교에 몰리는 집합심성과 사회조건, 그리고 보천교의 종교운동과 민족운동의 친화성을 밝혀내야 하는 것이다. 이러한 작업들은 모두 자료의 보완에 의해 충분히 가능하다고 본다.

본고에서 다룬 『사정 일람』과 『일반』 등의 보고서는 그러한 연구의 실마리를 제공하기에 적합한 자료이다. 보천교가 식민권력의 유사종교 정책의 본보기라기보다는 주 대상이었다는 사실을 통해, 식민권력의 시선이 왜 그럴 수밖에 없었는가를 밝혀내는데 도움을 줄 수 있다면 자료의 의미는 충분하다고 본다.

대흥리 논밭에 남아있는 보천교 본소의 흔적

정읍 보천교 본소자리에 남아있는 주춧돌의 흔적. 풀과 나무만 무성하게 자랐다.

• 국사편찬위원회, 『대한민국 임시정부 자료집』 38(국내보도기사 편), 국사편찬위원회, 2010.
• 국사편찬위원회, 『한국독립운동사』 4, 국사편찬위원회, 1968.
• 김재영, 「동학 이후 증산계열의 민족운동」, 『동학농민혁명 이후 근대 민족운동-일제강점기 보천교의 민족운동-』, 정읍역사문화연구소, 2016.
• 김재영, 「보천교 본소 건축물의 훼철과 이축」, 『신종교 연구』 5, 2001.
• 김재영, 「보천교 천자등극설 연구」, 『한국종교사연구』 9, 2000.
• 김재영, 「형평사와 보천교」, 『신종교연구』 21, 2009.
• 김재영, 『보천교와 한국의 신종교』, 신아, 2010.
• 김정인, 「1920년대 전반기 보천교의 부침과 민족운동」, 『한국민족운동사연구』 29, 2001.
• 김철수, 「일제 식민권력의 기록으로 본 보천교의 민족주의적 성격」, 『동학농민혁명 이후 근대 민족운동-일제강점기 보천교의 민족운동-』, 정읍역사문화연구소, 2016.
• 김철수, 「1910-1925년 식민권력의 형성과 민족종교의 성쇠-『보천교 일반』(1926)을 중심으로-」, 『종교연구』 74-2, 2014.
• 김철수, 「1920년대 보천교의 고민과 활로모색-식민권력의 보고서를 중심으로-」, 『신종교연구』 38, 2018
• 김철수, 「일제식민지시대 치안관계 법규의 형성과 적용에 관한 연구」, 『한국사회학』 29집 봄호, 1995.
• 김철수, 「일제하 식민권력의 종교정책과 보천교의 운명」, 『선도문화』

20, 2016.

• 김철수, 「1920년대 보천교의 실력양성운동」, 한국민족운동사학회, 『보천교와 보천교인의 민족운동』, 2018. 11. 30.

• 김철수, 『잃어버린 역사 보천교』, 상생출판, 2018.

• 남창희 외, 『보천교 다시보다』, 상생출판, 2018.

• 독립운동사편찬위원회, 『독립운동사-문화투쟁사-』 8, 독립운동사편찬위원회, 1976.

• 박성진·이승일, 『일제시기 기록관리와 식민지배. 조선총독부 공문서』, 역사비평사, 2007.

• 박영재, 『이른 아침 잠깐 앉은 힘으로 온 하루를 보내네』, 운주사, 2001.

• 비봉선인, 「정읍의 차천자를 방문하고」, 『개벽』 10~38, 1923.

• 안유림, 「일제의 기독교 통제정책과 '포교규칙'」, 『한국기독교와 역사』 29호, 2008.

• 안후상, 「보천교와 물산장려운동」, 『한국민족운동사연구』 19, 1998.

• 안후상, 「보천교운동 연구」, 성균관대학교 교육대학원, 1992.

• 안후상, 「식민지시기 보천교의 '공개'와 공개 배경」, 『신종교연구』 26, 2012.

• 안후상, 「일제강점기 보천교 권총단사건 연구」, 정읍역사문화연구소 학술대회, 2017.

• 안후상, 「일제강점기 보천교의 독립운동-온라인 국가기록원의 '독립운동관련 판결문'을 중심으로-」, 『동학농민혁명 이후 근대 민족운동-일제강점기 보천교의 민족운동-』, 정읍역사문화연구소, 2016.

• 안후상, 「일제강점기 보천교의 민족운동사 연구를 위한 사료 검토-일제의 '판결문'과 '공문서'를 중심으로-」, 『일제강점기 보천교의 민족

운동 자료집 Ⅰ』, 2017.

- 안후상, 「차월곡 출생에 관한 소고」, 『신종교연구』 2, 2000.
- 윤선자, 『한국근대사와 종교』, 국학자료원, 2002.
- 이강오, 「보천교: 한국 신흥종교 자료편 제1부 증산교계 각론에서」, 『전북대 논문집』 7-8, 1966.
- 李祥昊·李正立, 『大巡典經』, 每日新報社, 1929.
- 이영호, 『보천교연혁사』 상, 보천교중앙협정원 총정원, 1948.
- 이용선, 『암흑기의 신화 차천자車天子』, 홍익출판사, 1968.
- 이진구, 「천도교 교단조직의 변천과정에 관한 연구-연원제를 중심으로-」, 『종교학연구』 10, 1991.
- 일제강점기 보천교의 민족운동 자료집 편찬위원회, 『일제강점기 보천교의 민족운동 자료집』 Ⅰ-Ⅳ, 2017-2018.
- 조선일보사, 『〈조선일보〉 항일기사 색인』, 조선일보사, 1986.
- 한국정신문화연구원, 『한국민족문화대백과 사전』, 한국정신문화연구원, 1991.
- 홍범초, 「보천교 초기교단의 포교에 관한 연구」, 『한국종교』 10, 1985.
- 황선명, 「잃어버린 코뮨: 보천교 성립의 역사적 성격」, 『신종교연구』 2, 2000.
- 姜渭祚, 「植民地朝鮮における總督府の宗教政策」, 早稲田大學, 1977.
- 趙景達, 「植民地朝鮮における新興宗教の展開と民衆(上·下)-普天教の抗日と親日」, 『思想』 921-922, 2001.
- 南山太郎, 「祕密結社の解剖(一)」, 『朝鮮公論』 112号, 1922.
- 朝鮮總督府, 『朝鮮の統治と基督教』, 朝鮮總督府, 1933.
- 村山智順, 『朝鮮の類似宗教』, 朝鮮總督府, 1935.

- 朝鮮總督府, 『朝鮮の保護と併合』, 朝鮮總督府, 1917.
- 京城地方法院檢事局高等警察課, 『大正十三年管內狀況』, 1924.(국사편 찬위원회).
- 吉川文太郎, 『朝鮮の宗教』, 朝鮮印刷, 1921.
- 全羅北道, 『普天教一般』, 全羅北道, 1926.
- 平安南道, 『洋村及外人事情一覽』, 平安南道, 1924.
- 慶北警察部, 1934. 『高等警察要史』, 慶北警察部, 1934.
- 慶尙北道 警察部, 『高等警察要史』, 1934.
- 姜德相, 『現代史資料』第25卷(朝鮮 1), みすず書房, 1967,
- 朝鮮總督府, 『朝鮮の保護及併合』(1917)
- 平安南道, 『洋村及外人事情一覽』(1924)
- 全羅北道, 『普天教一般』(1926)
- 朝鮮總督府, 『朝鮮の統治と基督教』(1933)
- 村山智順, 『朝鮮の類似宗教』, 朝鮮總督府(1935)
- 加藤聖文, 「敗戰と公文書廢棄-植民地·占領地における實態」, 『史料館研究紀要』第33号, 2002.